Cardiologie clinique

CHEZ LE MÊME ÉDITEUR

Cardiologie clinique

W. RUTISHAUSER

Professeur de Médecine
Médecin-chef du Centre de Cardiologie
Hôpital Cantonal Universitaire de Genève

avec la collaboration de

R. ADAMEC, H. BOUNAMEAUX,
J.-C. CHEVROLET, L. FAVRE,
B. FRIEDLI, H. HAUSER,
O. JEANNERET, R. LERCH, B. MEIER,
P. MORET, A. RIGHETTI, T. STRASSER,
P. URBAN, M.B. VALLOTTON,
P. WETTSTEIN, M. ZIMMERMANN

MASSON

Paris   Milan   Barcelone   Bonn
1992

© *Masson, Paris, 1992*

ISBN : 2-88036060-9 (Fribourg)
ISBN : 2-225-82483-5. (Paris)

MASSON S.A.	120, bd Saint-Germain, 75280 Paris Cedex 06
MASSON S.p.A.	Via Statuto 2, 20121 Milano
MASSON S.A.	Avenida Principe de Asturias 20, 08012 Barcelona
DÜRR und KESSLER	Maarweg, 30, 5342 Rheinbreitbach b. Bonn

LISTES DES COLLABORATEURS

Richard ADAMEC, Privat-docent, médecin-adjoint, Policlinique de Médecine, Hôpital Cantonal Universitaire, Genève.

Henri BOUNAMEAUX, Privat-docent, Unité d'Angiologie, Hôpital Cantonal Universitaire, Genève.

Jean-Claude CHEVROLET, Privat-docent, Unité des Soins intensifs médicaux, Hôpital Cantonal Universitaire, Genève.

Beat FRIEDLI, Professeur adjoint, Unité de Cardiologie pédiatrique, Hôpital des enfants, Hôpital Cantonal Universitaire, Genève.

Olivier JEANNERET, Professeur, Institut de Médecine Sociale et Préventive Centre Médical Universitaire, Genève.

René LERCH, Chargé de cours, Médecin adjoint, Centre de Cardiologie, Hôpital Cantonal Universitaire, Genève.

Bernhard MEIER, Privat-docent, Médecin adjoint, Centre de Cardiologie, Hôpital Cantonal Universitaire, Genève.

Pierre MORET, Chargé de cours honoraire, Centre de Réadaptation cardiovasculaire, Clinique de Genolier, Genolier.

Alberto RIGHETTI, Chargé de cours, Médecin adjoint, Centre de Cardiologie, Hôpital Cantonal Universitaire, Genève.

Wilhelm RUTISHAUSER, Professeur de Médecine ; Médecin-chef, Centre de Cardiologie, Hôpital Cantonal Universitaire, Genève.

Thomas STRASSER, Privat-docent, Médecin adjoint, Institut de Médecine sociale et préventive, Centre Médical Universitaire, Genève. ʼ

Philippe URBAN, Privat-docent, médecin adjoint, Centre de Cardiologie, Hôpital Cantonal Universitaire, Genève.

Michel VALLOTTON, Professeur, Division d'Endocrinologie, Hôpital Cantonal Universitaire, Genève.

Pierre WETTSTEIN*, Professeur honoraire, Département de Radiologie, Hôpital Cantonal Universitaire, Genève.

Marc ZIMMERMANN, Privat-docent, Médecin adjoint, Centre de Cardiologie, Hôpital Cantonal Universitaire, Genève.

* Professeur honoraire (a cessé son activité).

Avant-propos

Cet ouvrage a été initialement conçu pour documenter notre cours sur les maladies du cœur et des vaisseaux aux étudiants des premiers semestres cliniques à la Faculté de Médecine de l'Université de Genève. Son contenu est de ce fait incomplet.

C'est un plaisir de remercier chaleureusement tous les auteurs de leur collaboration agréable dans la conception et la rédaction de ce court traité. Des remerciements cordiaux vont à ma secrétaire, Mlle Madeleine Turrian, qui nous a aidés inlassablement pendant toutes les phases de préparation.

Aux lecteurs de cet abrégé de cardiologie, nous saurions gré d'une critique constructive.

Genève, mars 1992
W. Rutishauser

Nous nous sommes efforcés de contrôler les dosages des spécialités et les noms génériques. Mais l'ultime responsabilité dans l'administration des médicaments appartient aux médecins traitants. Nous vous prions de signaler d'éventuelles erreurs aux auteurs.

Table des matières

5
FONCTION DU CŒUR

6
MALADIES CONGÉNITALES

7
MALADIE CORONARIENNE

8
MALADIES VASCULAIRES

1

Examen clinique en cardiologie

PRISE DE CONTACT AVEC LE MALADE

W. Rutishauser

Le *premier contact* entre le malade et le médecin est très *important*. Le médecin doit se présenter en indiquant son nom et sa fonction, et s'intéresser tout d'abord au problème qui préoccupe le plus le malade. Une attitude réceptive et un comportement digne du serment d'Hippocrate favorisent la mise en confiance.

Le médecin s'intéresse également à la personnalité, aux habitudes, à la profession, à la famille, à l'environnement du malade. Il considère le comportement, observe le type physique et constitutionnel, l'âge biologique, etc. Telles sont les informations premières qui aident au déchiffrage des signes et à l'interprétation des symptômes révélés par l'*anamnèse*. Sous sa forme écrite, celle-ci est le reflet, ou plus exactement l'*extrait d'une conversation attentive entre malade et médecin* d'où sont éliminés les faits incertains, inutiles ou grossis. La qualité d'une anamnèse cardiologique est à l'échelle des connaissances du médecin qui la prépare. Elle exige de sa part de la concentration, et pour le malade une complète liberté d'expression, mais guidée toutefois, afin de ne pas s'écarter du *but* : *établir un diagnostic*. L'anamnèse représente donc un temps décisif du contact initial. Bien conduite, elle permet à elle seule, d'après Paul Wood, de s'approcher dans 80 % des cas d'un diagnostic.

Les *symptômes* ont plus ou moins de relief suivant le type de maladie cardiovasculaire en cause. Il arrive souvent qu'ils soient « prononcés », « typiques », pathognomoniques ou précoces, parfois multiples. Mais il se peut aussi qu'ils fassent défaut ou qu'ils soient ternes et incertains. Les plus embarrassants sont certainement les symptômes équivoques, c'est-à-dire relevant de deux diagnostics possibles mais différents. L'interprétation difficile qui en résulte peut conduire à l'erreur. On cite à ce propos ces tableaux particuliers d'infarctus du myocarde à douleurs épigastriques qui en imposent pour un abdomen aigu, ou bien des récits de plusieurs syncopes sans témoins où l'on hésite entre un syndrome de Stokes-Adams ou une épilepsie lorsque l'électrocardiogramme est normal. Un malade déroutant est sans doute le coronarien asymptomatique avec ECG de repos normal ; on peut le rassurer avec bonne conscience lors d'un check-up seulement s'il a fait l'épreuve d'effort. (On ne peut tester un moteur sans charge !)

Les symptômes et signes principaux des cardiopathies sont bien connus : *dyspnée, palpitations, angine de poitrine, syncope, œdèmes.* Chacun d'eux, toutefois, demande à être précisé car aucun n'est absolument spécifique. Les malades pulmonaires sont également dyspnéiques ; des douleurs thoraciques très vives peuvent ne pas avoir de rapport avec le cœur, etc.

La technicité moderne n'a pas diminué l'importance primordiale de l'examen physique du malade. Au contraire, elle a confirmé sa validité, élargi considérablement ses points de vue tout en élaguant plusieurs de ses aspects devenus désuets. Des certitudes ont fait place aux présomptions précédentes. Les affirmations sont devenues particulièrement significatives en matière d'auscultation, un domaine extraordinairement réhaussé par l'hémodynamique et l'imagerie moderne.

Il faut donc continuer à ausculter, à palper, à examiner le malade autant qu'autrefois, en sachant bien que les informations les plus valables que l'on peut en tirer dépendent des connaissances complètes que l'on a acquises dans l'art d'examiner.

Il faut se défendre de chercher à substituer à l'anamnèse et à l'examen physique les procédés techniques. Ces derniers sont des compléments dont la nécessité doit chaque fois être discutée ; *pour chaque examen spécialisé, il faut avoir une indication.* Cela est vrai surtout pour les examens compliqués comme le cathétérisme et l'angiocardiographie. Mais *vu le coût élevé de toutes les prestations*, cela est aussi vrai pour les techniques non invasives.

L'*examen physique* du patient, grâce à sa rapidité et par les moyens simples qu'il demande, *reste le pilier de l'évaluation clinique tout au long de la maladie.* Évidemment, il comprend aussi quelques mesures simples et parfois répétées telles que la prise de là tension artérielle, le poids, la taille, l'ampliation thoracique, la circonférence du cou, etc.

INSPECTION

W. Rutishauser

L'examen clinique d'un patient peut à lui seul fournir d'importants éléments pour le diagnostic d'une maladie cardiaque ou pulmonaire.

COULEUR

La présence d'une cyanose (> 5 g Hb réduite par 100 ml de sang capillaire) se détecte en particulier par l'examen des muqueuses (lèvres, partie inférieure de la langue). La présence d'une cyanose nous oblige à rechercher son origine.

Cyanose centrale

Elle est due soit à un apport de sang veineux dans le sang veineux pulmonaire normalement saturé (shunt droit-gauche au niveau des oreillettes, des ventricules ou des gros vaisseaux), soit à une saturation incomplète du sang veineux au niveau pulmonaire. En général, en cas de cyanose centrale, les extrémités ont une température normale. La découverte d'une cyanose localisée revêt une importance particulière pour un diagnostic étiologique. Ainsi, une cyanose limitée aux extrémités inférieures, et éventuellement moins impressionnante du bras gauche, accompagnée d'un hippocratisme des orteils avec déformation des ongles en « verre de montre » est pathognomonique d'un canal artériel avec shunt droit-gauche.

Le changement de position peut parfois conduire à une variation de la cyanose. Ainsi, la position accroupie que prennent typiquement les malades porteurs d'une tétralogie de Fallot (voir p. 176) diminue d'une part le retour veineux systémique et, d'autre part, augmente la résistance vasculaire systémique par compression des gros troncs artériels périphériques. La diminution de l'afflux sanguin au niveau du cœur droit et l'augmentation de la résistance périphérique provoquent donc une diminution du shunt droit-gauche. Il en résulte une augmentation de la saturation artérielle en oxygène. A l'effort, la cyanose s'accentue à la suite de la diminution de la résistance périphérique.

Cyanose périphérique

Elle s'observe en cas de diminution du débit cardiaque, ce qui est surtout fréquent lors d'insuffisance cardiaque congestive. A cause d'un temps de circulation prolongé, la différence artério-veineuse en oxygène est accrue en périphérie et les extrémités sont froides.

L'érythrose faciale que l'on observe en cas de sténose mitrale est en partie due à la différence artério-veineuse en oxygène anormalement élevée. La présence de télangiectasies au niveau des joues fait également partie du faciès mitral.

Acrocyanose

On l'observe dans la dystonie neurovégétative. Elle est causée par un trouble circulatoire local, sans qu'il y ait nécessairement une diminution du débit cardiaque.

FORME THORACIQUE

Les déformations de la cage thoracique consécutives à un emphysème ou à une cyphoscoliose provoquent en général une surcharge de pression plus ou moins grande au niveau du cœur droit. Une malformation telle qu'un thorax en entonnoir (pectus excavatum) ou une colonne vertébrale anormalement rigide, peuvent modifier l'auscultation et la palpation, alors que les pressions pulmonaires sont encore normales. Ainsi, en présence d'un diamètre thoracique antéro-postérieur diminué, le second bruit pulmonaire peut paraître accentué. On peut rarement voir, mais surtout palper un choc systolique parasternal (dû à l'artère pulmonaire et au ventricule droit) dans les 3e, 4e et 5e espaces intercostaux gauches, lorsqu'il y a surcharge du cœur droit. Un souffle pulmonaire d'éjection est souvent présent lors de déformation thoracique. Quant à la voussure cardiaque, elle se voit dans les cardiopathies congénitales sévères.

EXAMEN DU CŒUR, DES ARTÈRES ET DES VEINES

Le choc de pointe, surtout s'il est augmenté et déplacé, peut être visible. De nombreuses pulsations artérielles et veineuses sont également visibles.

(Voir chapitres respectifs.)

PALPATION

W. Rutishauser

Pour la palpation du cœur, le médecin se place du côté droit du patient, et utilise surtout sa main droite.

Région apexienne

La palpation du *choc de pointe* revêt une importance particulière puisqu'elle permet d'estimer cliniquement une éventuelle augmentation de volume et/ou de la masse ventriculaire gauche. Le choc de pointe correspond au mouvement palpable du cœur le plus latéral gauche et le plus bas. Il est dû normalement au *ventricule gauche*, mais ne correspond pas à sa pointe angiocardiographique. On décrira sa localisation, son étendue et ses caractéristiques. *Normalement*, le choc de pointe se situe dans le *5e espace intercostal gauche, en dedans ou sur la ligne médioclaviculaire.* Sa surface n'excède pas 2 cm de diamètre et peut pratiquement être recouverte par la phalange du médian. Il n'est en général pas perçu par l'index ou l'annulaire. L'expansion systolique précoce correspond à la phase de contraction isovolumétrique et à la première partie de la phase d'éjection. Puis la pointe se rétracte pendant la deuxième partie de la phase d'éjection ventriculaire gauche et la relaxation isovolumétrique.

Une *surcharge en pression* du ventricule gauche (par exemple dans la sténose aortique pure sans décompensation) *augmente l'amplitude et la force* du choc de pointe sans modifier sa position. En cas de déformation de la cage thoracique (pectus excavatum) ou d'un thorax particulièrement étroit, le choc de pointe peut être accentué sans lésion cardiovasculaire sous-jacente.

Une *surcharge volumétrique* provoque une dilatation ventriculaire gauche. Le choc de pointe sera *déplacé* vers la gauche et éventuellement vers le bas et il sera *élargi*. On le palpera donc en *dehors de la ligne médioclaviculaire* et éventuellement dans le *6e espace intercostal*. Une décompensation ventriculaire gauche (*insuffisance gauche*) se présente de la même manière.

Un *frémissement systolique* (thrill) palpable dans la région du choc de pointe, surtout en décubitus latéral gauche, est pathognomonique pour une insuffisance mitrale due à une rupture de cordages.

L'interprétation, par la palpation, des mouvements diastoliques de la pointe est beaucoup plus difficile que celle des mouvements systoliques. L'enregistrement d'un apexogramme permet cependant une étude détaillée des événements diastoliques ventriculaires gauches. En cas d'insuffisance mitrale sévère, on palpe parfois un soulèvement protodiastolique dû à l'aug-

mentation du remplissage ventriculaire gauche rapide et qui correspond au
3e bruit. Une *contraction auriculaire marquée* provoque une augmentation
du renforcement présystolique. Ce phénomène est palpable en cas de sténose aortique sévère, de cardiomyopathie obstructive. La péricardite constrictive présente un apexogramme caractéristique inversé avec rétraction
systolique.

Enfin, des expansions anormales pendant toute la systole s'observent chez
les patients présentant un anévrisme pariétal du ventricule gauche.

Aire précordiale

(Partie inférieure du sternum, 4e et 5e espaces intercostaux parasternaux
gauches.)

Une *surcharge de volume du cœur droit* (par ex. communication interauriculaire) *ou de pression* (par ex. sténose pulmonaire) du *cœur droit* va
présenter une *expansion anormale parasternale gauche* au niveau des 4e
et 5e espaces intercostaux (impulsion précordiale).

On rencontre également une expansion parasternale en cas d'anévrisme
antéro-latéral, et surtout si les altérations du cœur gauche ont des répercussions sur le cœur droit.

Un *frémissement systolique* précordial se rencontre classiquement dans
la communication interventriculaire.

2e et 3e espaces intercostaux gauches

Un *frémissement systolique* qui irradie dans la région susclaviculaire gauche se rencontre chez les patients porteurs d'un *rétrécissement pulmonaire*.
La palpation d'un éclat du second bruit pulmonaire traduira une hypertension dans la petite circulation.

Une augmentation de pression ou de débit dans l'artère pulmonaire
engendre souvent un choc au niveau des 2e et 3e espaces intercostaux gauches. Un tel choc se rencontre classiquement dans l'hypertension pulmonaire primaire, en cas d'élévation de la pression pulmonaire en présence
d'une maladie mitrale et, rarement, dans la communication interauriculaire. En cas de sténose pulmonaire, l'ascension de la pression est lente.

2e espace intercostal droit

On rencontre un *frémissement irradiant dans les carotides* chez les
patients porteurs d'une *sténose valvulaire aortique* (fréquences basses du
souffle systolique). Des chocs anormaux se rencontrent, eux, en cas d'anévrisme de l'aorte ascendante.

Creux épigastrique

Le choc d'un *ventricule droit fortement dilaté* se palpe au niveau du creux épigastrique. Ces battements sont perçus dans l'axe du corps, soit de haut en bas, ce qui permet de les différencier des chocs aortiques ou hépatiques (lors d'une insuffisance tricuspidienne) qui, eux, sont perçus plutôt d'arrière en avant. Chez un patient emphysémateux atteint d'une maladie pulmonaire chronique de type obstructif, le choc ventriculaire droit, même en présence d'un cœur pulmonaire chronique, est difficilement palpable à cause de la déformation thoracique (thorax en tonneau). Dans un tel cas, il sera nécessaire d'appliquer profondément les doigts sous l'appendice xiphoïde de façon à palper le ventricule droit.

Foie

Le bord inférieur du foie ne devrait normalement pas dépasser le rebord costal sur la ligne médio-claviculaire. Un foie agrandi peut être la traduction d'une insuffisance cardiaque droite. En cas d'insuffisance tricuspidienne, on peut palper une expansion systolique du foie.

Membres inférieurs

Des œdèmes malléolaires ou prétibiaux symétriques peuvent être dus à une insuffisance cardiaque droite.

POULS VEINEUX

W. Rutishauser

L'appréciation du pouls veineux se fait sur un malade en décubitus dorsal. On relève progressivement le patient jusqu'à ce que la veine située derrière le sterno-cléido-mastoïdien se collabe.

Les critères suivants permettent de reconnaître les pulsations veineuses et de les différencier du pouls carotidien.

Palpation. Le pouls veineux reflète des variations de volume (et non de pression) ! Par conséquent, les pulsations de la veine jugulaire ne sont pas ou que faiblement perçues à la palpation.

Compression de la veine. Une légère compression de la veine au niveau du bord supérieur de la clavicule fait disparaître le pouls veineux et permet le remplissage de la veine par le sang venant de la tête.

Respiration. Normalement, le niveau des oscillations de la colonne veineuse chute à l'inspiration et s'élève à l'expiration (exceptions : insuffisance tricuspidienne, péricardite constrictive).

Nombre et forme des ondes du pouls veineux. Par opposition au pouls artériel, le pouls veineux comporte deux sommets par cycle cardiaque : les ondes a-c et l'onde v. Le collapse systolique est aussi typique du pouls veineux. Il est absent dans les insuffisances tricuspidiennes et dans les fibrillations auriculaires (pas de relaxation auriculaire).

La distance (sur un plan vertical) séparant le niveau moyen des oscillations (niveau de collapse de la colonne veineuse) de l'oreillette droite permet une estimation de la *pression veineuse.* Chez les sujets normaux en décubitus dorsal, inclinés à 45°, la distance sur un plan vertical séparant le niveau de collapse veineux du manubrium n'excède pas 1 à 2 cm. En utilisant l'appendice xiphoïde comme niveau de référence, la distance est normalement inférieure à 8 cm. Des valeurs plus élevées démontrent une élévation de la pression veineuse, traduisant le plus souvent une insuffisance droite.

Dans les *stades précoces* de l'insuffisance cardiaque droite, la *pression veineuse* peut être *normale au repos.* Il est alors utile de procéder au test suivant :

REFLUX HÉPATO-JUGULAIRE

Le sujet en décubitus dorsal doit être placé de manière à ce que le niveau supérieur des battements veineux (point de collapse) soit nettement visible. On applique ensuite la paume de la main au niveau de l'abdomen en exerçant une pression ferme durant 20-30 secondes. On veillera à ce que le malade continue à respirer calmement par la bouche et n'effectue pas d'expiration forcée. Une élévation initiale de la pression veineuse s'observe non seulement chez les patients porteurs d'une défaillance ventriculaire droite latente, mais également chez certains sujets normaux. Toutefois, chez le sujet normal, la pression retrouve sa valeur initiale après quelques secondes, alors qu'elle reste élevée en cas d'*insuffisance droite latente.* La raison en est l'incapacité du ventricule droit défaillant d'accepter un volume supplémentaire de sang, ce qui entraîne une congestion en amont du cœur droit.

LES ONDES DU POULS VEINEUX

L'observation attentive du pouls veineux ou son enregistrement à l'aide d'un capteur de pouls ou d'une cellule photoélectrique révèle chez le sujet normal les ondes suivantes :

L'*onde a* correspond à la contraction auriculaire. Elle suit d'environ 0,15 seconde le début de l'onde P de l'ECG. L'onde a fait défaut au cours de la fibrillation auriculaire.

L'*onde c* est produite par le ballonnement de la valve tricuspide dans l'oreillette droite durant la contraction isovolumétrique du ventricule droit. Après le sommet de l'onde c survient la première dépression appelée *creux x ou collapse systolique*. Elle est liée à la descente du plancher tricuspidien vers la pointe pendant la phase d'éjection du ventricule droit et à la relaxation auriculaire.

L'*onde v* correspond à l'élévation de la pression intra-auriculaire droite due au remplissage auriculaire. Au cours de la phase de relaxation ventriculaire, la pression ventriculaire droite chute, ce qui provoque l'ouverture de la valve. La courbe du pouls veineux dessine le *creux y* (collapse diastolique).

Toutes les ondes du pouls veineux sont considérablement retardées par rapport aux événements du cœur droit à cause de la transmission, qui est lente dans un système de basses pressions.

De *grandes ondes* a suggèrent un obstacle au remplissage du ventricule droit, tel que peut le réaliser le rétrécissement tricuspidien ou l'hypertrophie ventriculaire droite (distensibilité diminuée du muscle ventriculaire hypertrophié, par exemple en cas de sténose pulmonaire). Si la contraction auriculaire et ventriculaire se fait simultanément, il en résulte un obstacle extrême (valve tricuspide fermée).

Ainsi, des ondes a géantes peuvent survenir régulièrement durant les rythmes jonctionnels ou irrégulièrement au cours des blocs auriculoventriculaires complets.

Lors des *insuffisances tricuspidiennes*, l'onde v devient plus ample. Au cours d'une régurgitation tricuspidienne sévère, le creux x est effacé. De ce fait, l'augmentation d'amplitude de l'onde v et le comblement du creux x aboutissent à la formation d'une montée systolique ample, unique. A l'inspiration, la régurgitation tricuspidienne s'accroît en raison d'une augmentation du retour veineux au cœur droit. Il en résulte une accentuation de l'onde v, ce qui élève le niveau moyen de la pression des veines du cou à l'inspiration.

Une accentuation respiratoire de la pression veineuse se voit également dans la péricardite constrictive (signe de Kussmaul). L'anomalie caractéristique de la péricardite constrictive est une profonde dépression y, suivie d'un plateau diastolique horizontal.

POULS ARTÉRIEL

W. Rutishauser

On se doit de palper les artères principales des quatre membres chez chaque malade. La palpation simultanée des artères radiales et fémorales est importante pour dépister une *coarctation aortique* qui entraîne un *affaiblissement des pouls fémoraux* contrastant avec un pouls radial bien palpable. Ce signe se trouve également en cas d'obstruction du carrefour aortique (syndrome de Leriche). Un affaiblissement des pouls à la moitié supérieure du corps contrastant avec des pouls fémoraux normaux doit faire évoquer le syndrome de la crosse aortique. Enfin, une *diminution unilatérale du pouls radial* fait soupçonner l'existence d'une *dissection aortique*, d'une *artériosclérose oblitérante* de l'artère sous-clavière, axillaire ou brachiale, ou d'un syndrome du défilé scalénique (thoracique).

Parmi les nombreuses *descriptions qualitatives du pouls artériel* héritées des précédentes générations de cliniciens, les suivantes gardent leur importance :

Pouls ample et bondissant (pouls de Corrigan)

Il est associé à un accroissement de la vitesse de montée de la pression artérielle, signe d'une augmentation du volume d'éjection ventriculaire gauche. Lors de la mesure de la pression artérielle, on trouve une amplitude (différence entre pression systolique et diastolique) augmentée. Un pouls ample et bondissant s'observe typiquement au cours d'une insuffisance aortique. Cette anomalie est aussi présente chez les malades porteurs d'un grand canal artériel persistant ou d'une fistule artério-veineuse périphérique importante et, de manière moins marquée, en cas d'anémie et d'hyperthyroïdie. Une forme spéciale de pouls bondissant est liée à la cardiomyopathie hypertrophique.

Pouls tardif

Il traduit une diminution de la vitesse de montée de la pression artérielle, ce qui est caractéristique d'une *sténose aortique valvulaire*. L'enregistrement du pouls carotidien met en évidence un temps de demi-montée (temps nécessaire pour que l'onde systolique atteigne la moitié de son amplitude maximale) allongé de 50 ms ou plus, et des indentations occupant l'ascension du pouls (« crête de coq »), traduisant les vibrations de basse fréquence du souffle systolique.

Pouls bifide

Il est caractérisé par deux sommets de hauteur à peu près égale. Le premier correspond à une onde anacrote importante (« percussion wave »), le second à une onde systolique tardive (« tidal wave »). Habituellement observé en cas de *maladie aortique*, ce signe peut également se voir au cours d'une *hypertension artérielle* sévère. On attribue le second sommet à l'existence d'ondes réfléchies provenant de la périphérie.

Pouls paradoxal

Déjà normalement, il existe une légère diminution inspiratoire de la pression artérielle systémique, en raison d'une diminution du volume d'éjection ventriculaire gauche et de la transmission à l'aorte thoracique d'une pression intrathoracique plus négative. Une exagération de ce mécanisme physiologique est considérée comme pathologique lorsque la *diminution inspiratoire* de la pression artérielle systolique *dépasse la valeur de 20 mmHg*. C'est à Kussmaul que l'on doit l'observation que le pouls artériel périphérique peut s'affaiblir à l'inspiration, sans qu'il y ait un affaiblissement des pulsations précordiales. Il donna le nom de pouls paradoxal à ce signe. Le pouls paradoxal peut être reconnu à la palpation. C'est un signe important de l'*épanchement péricardique* et surtout de la *tamponade aiguë* ; moins fréquemment, on le trouve dans la péricardite constrictive.

L'exagération du mécanisme physiologique du pouls paradoxal au cours des affections susmentionnées s'explique par le fait que le cœur gauche et droit est alors revêtu d'une cloison non extensible (péricarde sous tension) ; dès lors, l'accroissement inspiratoire du retour veineux, en augmentant le volume des cavités droites, entraîne, par déplacement du septum, une diminution du volume des cavités gauches, avec pour conséquence une réduction très marquée du volume d'éjection ventriculaire gauche.

Lorsqu'on produit expérimentalement une tamponade, il n'y a pas de pouls paradoxal si le retour veineux est maintenu à une valeur constante d'une manière artificielle. Un pouls paradoxal peut être observé également lors de l'inspiration forcée, signe habituel d'une maladie pulmonaire obstructive (asthme, bronchite chronique obstructive). Dans ces maladies, le pouls paradoxal serait la conséquence des pressions intrathoraciques fortement diminuées pendant l'inspiration.

Pouls alternant

Il est caractérisé par l'alternance, à intervalles réguliers, de pulsations fortes et de pulsations faibles. Lors de la mesure de la pression artérielle par la méthode auscultatoire, les bruits de Korotkoff, correspondant aux pulsations fortes, sont perçus en premier. En diminuant progressivement la pression du brassard jusqu'au niveau de la pression systolique des pulsations faibles, la fréquence des bruits de Korotkoff augmente subitement au double de sa valeur initiale. Le pouls alternant traduit habituellement une *mauvaise fonction du cœur gauche* (hypertension artérielle décompensée, insuffisance gauche secondaire par exemple à une athérosclérose coronaire ou à un rétrécissement aortique). Souvent, un pouls alternant se rencontre après les battements qui suivent une ou plusieurs extrasystoles.

Deux mécanismes fondamentalement différents ont été évoqués pour expliquer le pouls alternant :

Le mécanisme de Frank Starling. Selon cette interprétation, l'élongation télédiastolique de la fibre musculaire qui précède une pulsation forte est plus grande que celle précédant une pulsation faible.

Une inotropie alternante du myocarde d'un battement à l'autre qui s'explique et par une variation de la contractilité des fibres myocardiques, et par un nombre variable de fibres participant à la contraction ventriculaire.

MESURE DE LA PRESSION ARTÉRIELLE PAR VOIE NON SANGLANTE

Pour cet examen, on place autour du bras un brassard formé d'une gaine inextensible et d'une partie pneumatique reliée d'une part à une poire en caoutchouc et, d'autre part, à un manomètre (manomètre à mercure ou manomètre anéroïde). En gonflant le pneumatique, on exerce une pression sur le bras qui peut être mesurée au manomètre. Quand la pression dans le brassard est supérieure à la pression systolique dans l'artère humérale, la paroi de l'artère s'affaisse et il n'y a plus de pouls en aval de la manchette. Si l'on diminue progressivement la pression dans le brassard, il arrive un moment où la pression dans le brassard est juste inférieure à la pression artérielle systolique. L'artère s'ouvre alors par intermittence. Au moment de l'ouverture, il y a un brusque débit de sang qui déferle avec une grande accélération, ce qui produit des *turbulences* (tourbillons). Cet écoulement turbulent met en vibration la paroi des artères et des tissus, ce qui fait apparaître les *bruits de Korotkoff*. Ces bruits peuvent être auscultés à l'aide d'un stéthoscope placé en aval de la manchette. En continuant de dégonfler le manchon, l'intensité des bruits augmente d'abord. Mais, au moment où la pression du brassard devient inférieure à la pression minimale de l'onde pulsatile artérielle, l'artère humérale reste ouverte durant tout le cycle cardiaque. De ce fait, l'accélération du sang et les turbulences du sang diminuent. Il en résulte une atténuation brusque des bruits (« *muffling* »). En diminuant encore la pression du brassard, les bruits disparaissent finalement. Des mesures simultanées de la pression artérielle par la méthode directe (sanglante) et indirecte (non sanglante) ont révélé que dans les différentes situations hémodynamiques, la pression mesurée au moment de l'affaiblissement des bruits correspond le mieux à la pression diastolique intra-artérielle. Par contre, le *moment de la disparition des bruits* de Korotkoff correspond en général à une valeur diastolique *légèrement trop basse*. Ceci est vrai particulièrement dans des états hyperkinétiques (hyperthyroïdie, insuffisance aortique, effort musculaire). Il est recommandable de retenir trois valeurs lors de la mesure de la pression artérielle : apparition, assourdissement et disparition des bruits de Korotkoff. Mais souvent on se contente, *dans la pratique*, de noter la pression lors de *l'apparition et disparition* des bruits.

Lors de la mesure indirecte de la pression artérielle, il importe de respecter le *mode opératoire* suivant : la largeur de la manchette doit si possible correspondre à 120 % du diamètre du bras, ceci en raison d'une répartition inégale de la pression sous le brassard (diminution de la pression sur les côtés). Chez l'adulte, on emploiera un brassard d'une largeur de 12 à 14 cm. Toutefois, chez les *individus obèses* et pour la mesure de la pression au niveau de la cuisse, la manchette *devrait avoir une largeur de 17 à 20 cm*. L'emploi de manchettes plus petites donne des lectures trop élevées. Une manchette ne comprimant pas efficacement le *bras* peut également être à l'origine de valeurs trop élevées. Pour éviter les variations hydrostatiques, le bras, quelle que soit la position du sujet, doit être placé *au niveau du cœur*. On diminue la colonne de mercure au rythme de 2 à 3 mm par seconde. Une mesure correcte de la pression artérielle comporte toujours un contrôle palpatoire au niveau du pouls radial, ceci pour éviter des erreurs dues à la présence d'un trou auscultatoire (voir plus bas).

La *méthode palpatoire* est particulièrement indiquée dans l'*insuffisance aortique* puisque, dans ces cas, des bruits artériels peuvent apparaître spontanément et, transmis par les tissus, peuvent être perçus en aval de la manchette, bien que l'artère soit complètement comprimée par la pression du brassard. Dans l'insuffisance aortique, d'autre part, les valeurs de la pression diastolique sont souvent sous-estimées du fait que les bruits artériels sont audibles même lorsque le brassard est complètement dégonflé. L'amplitude de la pression artérielle risque donc d'être surestimée par la méthode auscultatoire.

En *état de choc*, la diminution du débit artériel affaiblit l'intensité des bruits de Korotkoff. Lors de la mesure de la pression par la méthode auscultatoire, ce sont particulièrement les premiers bruits de Korotkoff, dans la zone des valeurs systoliques, qui sont atténués et, de ce fait, rarement perçus. Dans l'état de choc, les valeurs systoliques obtenues par la méthode auscultatoire sont donc trop basses alors que la *méthode palpatoire* révèle des valeurs correctes.

La mesure de la pression en cas de valeurs pathologiques devrait s'effectuer dans des conditions standard : au début, il convient de mettre en place le brassard, puis de laisser le sujet confortablement couché pendant quelques minutes avant d'enregistrer la pression. Si possible, le malade doit être à jeun et il devrait avoir vidé sa vessie auparavant. On mesure alors la pression en position debout (problème orthostatique).

Chez les hypertendus, les bruits de Korotkoff peuvent momentanément disparaître lorsqu'on réduit progressivement la pression du brassard. Ce *trou auscultatoire* peut atteindre la valeur de 40 mmHg. La disparition temporaire des bruits de Korotkoff doit être incriminée à une anomalie du pouls caractérisée par une onde anacrote. Entre l'onde anacrote et le point maximal de l'onde pulsatile, la vitesse de montée de la pression artérielle est lente. Or, l'intensité des bruits de Korotkoff dépend de l'accélération du flux de l'artère temporairement occluse. Si la vitesse diminue momentanément, les bruits peuvent passagèrement diminuer d'intensité ou s'évanouir complètement. La palpation de l'artère périphérique évite une mesure erronée de la pression systolique en présence d'un trou auscultatoire.

BIBLIOGRAPHIE

DAVIES H., NELSON W.P. — *Understanding Cardiology*. Butterworth Ltd., London, 1978.
SCHWEIZER W. — *Einführung in die Kardiologie*. Huber, Bern, 1979.

AUSCULTATION

W. Rutishauser

DÉFINITIONS

Bruits

Les bruits sont des vibrations audibles de *brève durée*, et dont l'intensité, la fréquence et la chronologie varient. Ils émanent de la mise en tension plus ou moins brusque d'un élément du cœur, souvent associée à l'accélération ou à la décélération de la colonne sanguine.

☐ **Intensité** (puissance acoustique)

Elle peut être faible (par ex. en cas d'emphysème ou d'obésité) ou forte (par ex. chez les enfants). On parle d'accentuation d'un bruit quand son intensité est supérieure à la normale (par ex. la composante aortique du 2e bruit en cas d'hypertension systémique).

☐ Fréquence

Elle varie entre les basses fréquences et les hautes fréquences. Les basses fréquences naissent au niveau de grandes structures qui sont mises en vibration par une tension minime (par ex. 3e et 4e bruits cardiaques). Les hautes fréquences sont dues à la mise en vibration de petites structures exposées à de grandes tensions (par ex. 2e bruit cardiaque).

☐ Rapports chronologiques

Ils renseignent sur la séquence des différentes composantes des bruits cardiaques (dédoublement serré, large, variable, fixe, paradoxal). L'oreille humaine est capable de différencier deux bruits séparés par un intervalle de 0,02 s.

☐ Timbre

Le timbre est issu de la réunion des fréquences et des intensités d'un son. Cliniquement, on caractérise le timbre par certains termes descriptifs, par exemple « claqué », « vibrant », etc.

Souffles

Les souffles se caractérisent par une *durée prolongée* de vibrations audibles dont l'intensité, la fréquence et la chronologie varient. Ils témoignent d'une *turbulence* de l'écoulement sanguin (tourbillons). La valeur critique à laquelle apparaît une turbulence dans un tube d'un diamètre 2r est déterminée par le nombre de *Reynold* :

$$\frac{v \cdot r \cdot p}{h} > R$$

v = vitesse, r = rayon du tube, p = densité du fluide, h = viscosité du fluide, R = chiffre critique de Reynold (pour le sang env. 1 000).

Une *obstruction localisée* à l'écoulement sanguin ou une *brusque augmentation du diamètre* vasculaire peut, même en présence d'une vitesse sanguine normale, donner lieu à des *turbulences* et donc faire apparaître des souffles. Les *souffles* ont leur *maximum* d'intensité à l'endroit *où ils prennent naissance*. Ils *se propagent* dans le sens du *courant sanguin* qui les engendre.

☐ **Intensité** (puissance acoustique)

Degré 1 = souffle très léger ; s'entend difficilement ; souffle que l'on doit rechercher attentivement.
Degré 2 = souffle léger que l'on entend immédiatement en posant le stéthoscope.
Degré 3 = souffle d'intensité moyenne.
Degré 4 = souffle d'intensité forte.
Degré 5 = souffle très fort que l'on n'entend plus en éloignant le stéthoscope du thorax.
Degré 6 = souffle très fort, audible à distance, le stéthoscope ne touchant pas la paroi thoracique.
Il n'existe en général *pas* forcément *de corrélation entre l'intensité des souffles* et la gravité de la valvulopathie.

☐ **Fréquence**

Elle varie entre fréquences basses (rétrécissement mitral) et fréquences hautes (par ex. insuffisance aortique). Les souffles de forte intensité et de basse fréquence sont perceptibles à la palpation (par ex. communication interventriculaire, sténose pulmonaire, sténose aortique).

☐ **« Morphologie »**

Elle caractérise l'intensité temporelle (la « forme ») du souffle, par exemple crescendo, decrescendo, crescendo-decrescendo (en losange), rectangulaire, etc.

☐ **Rapports chronologiques**

Ils renseignent sur la place du souffle dans la systole ou dans la diastole, par exemple souffle protosystolique (= souffle d'éjection), souffle holosystolique (= souffle de régurgitation).

☐ **Timbre** (fonction de l'ensemble des vibrations et de leur intensité)

Notion clinique caractérisée par certains termes descriptifs comme par exemple « rude », « musical », « grondant », etc.

BRUITS ET SOUFFLES CARDIAQUES

Le *stéthoscope* se compose d'une *membrane* et d'une *cloche*. La *membrane* permettra de rechercher surtout les *hautes fréquences*, alors que la *cloche* permet de mettre en évidence surtout les sons de *basses fréquences* (par ex. les galops).

Le premier bruit du cœur

Selon la théorie classique, le premier bruit cardiaque (B1) est constitué de deux composantes : la première est attribuée à la fermeture mitrale (M1), la deuxième à la fermeture tricuspidienne (T1). Cette théorie valvulaire a été remise en question à la suite de travaux expérimentaux montrant qu'un premier bruit normal pouvait être enregistré alors que le battement du ventricule droit était supprimé et que la valvule tricuspidienne ne fonctionnait pas. D'autre part, la suppression du battement ventriculaire gauche s'accompagne d'une disparition du premier bruit. Il est admis que les vibrations correspondant au premier bruit proviennent surtout de la *mise sous tension* de la *valve mitrale*, des parois du *ventricule gauche* et de son contenu sanguin au moment de la montée de pression lors de la phase initiale de contraction isovolumétrique.

Le début du premier bruit survient 0,04 à 0,07 s après le début de l'onde Q de l'ECG (temps de transformation). Un allongement de l'intervalle Q-B1 se rencontre dans la sténose mitrale. Il est dû au temps que met la pression ventriculaire pour dépasser la pression auriculaire anormalement élevée avant que la mitrale se ferme. Un dédoublement physiologique du premier bruit, perçu dans le 4e espace intercostal, au bord gauche du sternum, se rencontre fréquemment chez le sujet jeune. Un *dédoublement* espacé du premier bruit suggère un bloc de branche droit (dédoublement « électrique » du premier bruit cardiaque). Le dédoublement du premier bruit fait défaut en cas de bloc de branche gauche.

☐ **Intensité**

L'intensité du premier bruit dépend essentiellement de trois éléments :
— la position des valves auriculo-ventriculaires au début de la contraction ventriculaire,
— la vitesse de montée de pression ventriculaire,
— l'état anatomique des valves auriculo-ventriculaires.
La *position des valves auriculo-ventriculaires* en fin de diastole est réglée par la place de la contraction auriculaire. En cas de raccourcissement de l'espace P-R (0,11 à 0,13 s), les valves auriculo-ventriculaires sont largement ouvertes au début de la contraction ventriculaire, et il en résulte un éclat du premier bruit (comparable au claquement d'une porte largement

ouverte). Au contraire, lorsque l'espace P-R est allongé (plus de 0,20 s), les valves sont proches de la fermeture avant le début de la montée de pression ventriculaire. La contraction du ventricule n'entraîne alors qu'un mouvement minime des valves (bruits assourdis à la fermeture d'une porte entrouverte).

Le degré d'ouverture des valves auriculo-ventriculaires, variant en fonction de l'espace P-R, permet d'expliquer l'accentuation intermittente du premier bruit (bruit de canon) dans le bloc auriculo-ventriculaire complet.

Le premier bruit est également accentué en cas d'augmentation de la *vitesse de montée de pression ventriculaire* (et vice versa). Ce mécanisme permet d'expliquer l'accentuation du premier bruit en cas d'augmentation de la contractilité myocardique (stimulation nerveuse sympathique pendant l'effort musculaire, hyperthyroïdie). Dans le rétrécissement mitral, au moment où la pression ventriculaire gauche dépasse la pression auriculaire gauche (qui est élevée), la vitesse de la montée de pression dans le ventricule au moment de la fermeture (dP/dt) est plus grande qu'au commencement de la contraction. Ce mécanisme permet d'expliquer en partie l'éclat du premier bruit de la sténose mitrale. L'accentuation du premier bruit fait défaut dans les formes grossièrement calcifiées et rigides où la mobilité de la valve n'est plus conservée.

La fermeture de *valvules épaissies* mais encore mobiles peut contribuer à une accentuation du premier bruit (rétrécissement mitral !).

Le deuxième bruit du cœur

Selon la théorie classique, le second bruit est dû à la fermeture des valves sigmoïdes. Cette explication s'est révélée utile en pratique. En fait, le deuxième bruit résulte de vibrations survenant au niveau de la paroi des gros vaisseaux, de leur contenu sanguin et des valves sigmoïdes au moment de la décélération du flux sanguin.

Le temps d'éjection ventriculaire droite d'un cœur normal est un peu plus long que celui du ventricule gauche. De ce fait, la composante du deuxième bruit correspondant à la *fermeture pulmonaire (P2) suit* à un intervalle variant de 0,02 à 0,04 s la composante attribuée à la *fermeture aortique* (A2). Cet intervalle peut atteindre 0,06 s en inspiration. Le *dédoublement inspiratoire* est dû à l'*augmentation du retour veineux*, respectivement à la diminution de l'impédance à l'éjection du ventricule droit, qui prolonge le temps d'éjection ventriculaire droite, respectivement retarde la fermeture de la valve pulmonaire. En expiration, le dédoublement est souvent trop serré pour qu'il soit décelé à l'auscultation.

La *composante aortique* du deuxième bruit cardiaque peut être repérée en enregistrant simultanément le *pouls carotidien* et un phonocardiogramme de la base du cœur. La composante aortique du deuxième bruit survient *0,02 à 0,03 s avant l'incisure* catacrote (temps de transmission de l'onde pulsatile). Cet intervalle peut être diminué à 0,01 s chez le sujet âgé.

Un *dédoublement large* du deuxième bruit avec persistance de la variation respiratoire de l'intervalle A2-P2 se voit dans les *blocs de branche droits* et les *sténoses pulmonaires* valvulaires et infundibulaires. L'intensité de la composante pulmonaire est particulièrement diminuée dans les formes infundibulaires. Un *dédoublement large sans variation respiratoire* de l'intervalle A2-P2 est un signe caractéristique de la *communication interauriculaire*. Il est dû à l'augmentation du remplissage ventriculaire droit, quel que soit le temps respiratoire : *accroissement du retour veineux* dans la cage thoracique *en inspiration, augmentation du shunt gauche-droit en expiration*. Le volume d'éjection ventriculaire droit est ainsi constamment augmenté d'un bout à l'autre du cycle respiratoire, et son temps d'éjection est constamment allongé.

Un *dédoublement large* du deuxième bruit se voit également lorsque la *composante aortique* survient *plus précocement*. Cette situation se rencontre quand le temps d'éjection ventriculaire gauche est raccourci (*insuffisance mitrale, communication interventriculaire* avec shunt gauche-droit). Dans de telles atteintes, le sang sort du ventricule gauche par *deux ouvertures*, de sorte que l'éjection se termine plus précocément.

On parle de *dédoublement paradoxal* du deuxième bruit quand la *composante aortique suit la composante pulmonaire* au lieu de la précéder. Les causes les plus fréquentes en sont les *blocs de branche gauches*, plus rarement la *sténose aortique* valvulaire *serrée* et la persistance du *canal artériel* avec shunt gauche-droit de *gros débit*. L'intervalle P2-A2 diminue en inspiration et augmente en expiration. Le *dédoublement augmente* donc *en expiration*, d'où son nom de paradoxal.

Un *dédoublement* particulièrement *serré* du deuxième bruit cardiaque, voire une fusion de ses deux composantes, est présent dans l'hypertension artérielle pulmonaire sévère (par ex. *complexe d'Eisenmenger* en cas de communication interventriculaire sans sténose pulmonaire). La systole ventriculaire droite est plus brève en présence d'une hypertension pulmonaire qu'en cas de sténose pulmonaire.

Le dédoublement physiologique du deuxième bruit est conservé en cas d'embolie pulmonaire aiguë. En cas d'embolie massive avec insuffisance ventriculaire droite aiguë, il peut même y avoir un dédoublement espacé (0,075 s sans variation inspiratoire). Le dédoublement espacé du deuxième bruit s'explique par une augmentation de la post-charge « *afterload* ». Le temps d'éjection ventriculaire droite est ainsi allongé, alors que le temps d'éjection ventriculaire gauche est lui diminué (volume d'éjection gauche plus petit).

En général, l'*augmentation* de la *pression aortique* diastolique *accentue la composante aortique* du deuxième bruit, alors que l'accentuation de la composante pulmonaire se rencontre essentiellement dans les hypertensions pulmonaires. Toutefois, l'intensité du second bruit dépend également de la position du cœur par rapport à la paroi thoracique. De ce fait, une chambre de chasse du ventricule droit étroitement accolée à la paroi thoracique (par ex. en présence d'un thorax en entonnoir) peut engendrer une accentuation de P2 alors que la pression pulmonaire est normale.

Bruits systoliques surajoutés

Il s'agit de bruits de haute fréquence appelés « clics ». On appelle *clic protosystolique* le bruit d'éjection. Sa genèse est attribuée à l'augmentation brusque de la tension dans la paroi de l'aorte et de l'artère pulmonaire au début de l'éjection. On a pu démontrer qu'en cas de sténose aortique valvulaire et de sténose pulmonaire, le clic protosystolique naît du *mouvement d'ouverture « doming »* des valves sigmoïdes altérées *« semilunar opening snap »*. Le bruit d'éjection aortique se rencontre en cas d'*anévrisme de l'aorte ascendante*, de *coarctation* de l'aorte, d'*hypertension artérielle* avec dilatation de l'aorte ascendante, de *sténose aortique valvulaire* et d'*insuffisance aortique*. Le bruit d'éjection pulmonaire se rencontre dans la sténose pulmonaire valvulaire, dans l'hypertension pulmonaire, dans la dilatation idiopathique de l'artère pulmonaire et dans l'hyperthyroïdie.

Les *clics méso- et télésystoliques* sont dus à une atteinte de la valve mitrale et éventuellement tricuspide. Le syndrome du *clic méso- ou télésystolique et souffle télésystolique* correspond à un ballonnement soudain de la valve mitrale dans l'oreillette gauche avec *insuffisance mitrale* télésystolique souvent non significative (prolapsus).

Bruits diastoliques surajoutés

☐ Claquement d'ouverture mitrale (COM)

Chez le sujet normal, l'ouverture des valves auriculo-ventriculaires se fait silencieusement. L'apparition d'un claquement d'ouverture mitrale s'explique par deux mécanismes : d'une part la *modification de l'état anatomique valvulaire* (épaississement et rétrécissement) et, d'autre part, un *mouvement d'inversion des feuillets* valvulaires d'une position convexe vers l'oreillette gauche pendant la systole ventriculaire à une *position concave* vers l'oreillette pendant l'arrivée du sang dans le ventricule gauche. Le COM peut disparaître en présence de valves totalement rigides. C'est un bruit de *haute fréquence*, séparé de *0,04 à 0,12 s de la composante aortique* du second bruit.

Cet intervalle est inversément proportionnel à la pression auriculaire gauche. Le croisement des courbes de pressions auriculo-ventriculaires pendant la phase de relaxation est d'autant plus précoce que la pression auriculaire est plus élevée. Un intervalle *A2-COM court* est donc le signe d'une *sténose mitrale serrée*. Pour identifier le claquement d'ouverture mitrale, l'apexogramme est d'un apport précieux : le COM est synchrone au point 0 ou nadir de l'apexogramme. Des enregistrements simultanés de phono- et échocardiogrammes montrent que le COM ne correspond pas au commencement de la séparation des valves mitrales, mais à leur séparation maximale.

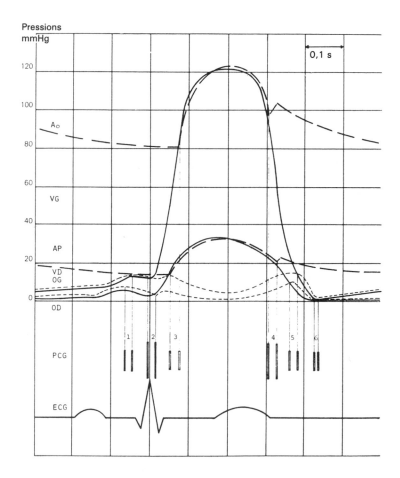

1 Galop présystolique (4ᵉ bruit)
2 1ᵉʳ bruit (fermeture atrio-ventriculaire)
3 Clic d'éjection
4 2ᵉ bruit (fermeture sigmoïdienne)
5 Ouverture atrio-ventriculaire (év. claquement d'ouverture)
6 Galop protodiastolique (3ᵉ bruit)

Ao pression aortique
VG pression ventricule gauche
AP pression artère pulmonaire
VD pression ventricule droit
OG pression oreillette gauche
OD pression oreillette droite

Fig. 1. — *Schéma synoptique des pressions et des bruits cardiaques*

☐ Claquement d'ouverture tricuspidienne (COT)

D'intensité plus faible que le COM, il est en général plus tardif que son homologue. Souvent, un rétrécissement mitral est associé au rétrécissement tricuspidien, de sorte que le claquement d'ouverture tricuspidienne est masqué par le roulement diastolique du rétrécissement mitral, qui peut ainsi échapper à l'auscultation. Le COT coïncide avec le point 0 de l'apexogramme du ventricule droit si celui-ci peut être enregistré.

☐ Troisième bruit physiologique

Au cours de la phase rapide de remplissage ventriculaire (dont la fin se situe de *0,12 à 0,20 s de A2*), l'augmentation rapide du volume provoque une brusque mise sous tension des valves mitrales, de leurs cordages et des muscles papillaires. Les vibrations qui en résultent correspondent au troisième bruit, de *basse fréquence*, perçu à l'auscultation. Ce bruit est *physiologique* chez les *enfants* et les *jeunes adultes*. En général, seul le troisième bruit physiologique d'origine gauche est audible (à l'apex). Son intensité varie au cours du cycle respiratoire ; elle augmente en expiration, en raison d'un remplissage ventriculaire gauche accru. Le troisième bruit est *synchrone* au sommet de l'*onde de remplissage rapide* protodiastolique.

☐ Galop protodiastolique

Sa chronologie et sa fréquence sont *comparables* à celles du *troisième bruit physiologique*. Chez les *sujets plus âgés*, il traduit habituellement une *défaillance ventriculaire*. De plus, il est souvent présent lors d'une régurgitation auriculo-ventriculaire. Le galop protodiastolique gauche ne subit pratiquement pas de variation respiratoire. Le galop protodiastolique droit augmente à l'inspiration (brusque « surcharge en volume » du ventricule droit), mais ne disparaît pas en expiration.

L'examen de malades porteurs de valves artificielles mitrales montre que le galop protodiastolique disparaît après le remplacement de la valve. De ce fait, la genèse du bruit de remplissage est aujourd'hui attribuée à des vibrations prenant naissance au niveau des feuillets mitraux, des cordages et des muscles papillaires.

☐ Galop présystolique (4e bruit, galop auriculaire)

Le quatrième bruit est dû principalement à des vibrations des valves et de leur appareil de soutien pendant le remplissage ventriculaire présystolique. Mises sous tension une première fois pendant le remplissage ventriculaire rapide, ces structures subissent une nouvelle distension au moment de la contraction auriculaire. Dans le flutter auriculaire, les contractions auriculaires coïncidant avec une systole ventriculaire produisent des bruits plus accentués. Cette constatation suggère que les vibrations audibles proviennent également du myocarde auriculaire (mise sous tension des parois de l'oreillette au cours de la contraction auriculaire précédant l'ouverture des valves).

Le quatrième bruit n'est que rarement perçu chez le sujet normal. En cas d'allongement de l'espace P-R et dans le bloc auriculo-ventriculaire complet, on retrouve fréquemment des bruits auriculaires de faible intensité suivant le commencement de l'onde P de l'ECG d'environ 0,20 s. En présence d'un espace P-R normal, un 4e bruit survenant 0,10 à 0,20 s après le commencement de l'onde P peut être le signe d'une diminution de la compliance myocardique. Il traduit une résistance élevée au remplissage ventriculaire. On rencontre un *4e bruit* cardiaque gauche dans l'*hypertension artérielle*, les *cardiopathies ischémiques*, surtout après un infarctus antérieur, dans les *cardiomyopathies* et la *sténose aortique*. Dans la sténose aortique valvulaire, un gradient systolique supérieur à 70 mmHg s'accompagne toujours d'un 4e bruit. Un 4e bruit est parfois présent dans la surcharge chronique en volume, sans que la résistance au remplissage ventriculaire soit élevée (anémie sévère, hyperthyroïdie, fistule artério-veineuse périphérique à gros débit). La présence d'un 4e bruit est inhabituelle en cas d'insuffisance mitrale chronique. Cependant, il apparaît souvent dans l'insuffisance mitrale d'évolution rapide due à une rupture de cordages. Un 4e bruit d'origine droite se retrouve surtout en cas de surcharge chronique en pression du ventricule droit. Il augmente à l'inspiration.

On admet généralement que le *galop présystolique*, contrairement au galop protodiastolique, *n'est pas un signe d'insuffisance cardiaque.*

□ Galop de sommation

Quand la *fréquence* cardiaque *dépasse 100/min*, la *superposition* d'un *galop protodiastolique* et d'un *galop présystolique* peut donner naissance à un seul bruit, dont l'intensité sera plus grande que celle de ses deux composantes : c'est le galop de sommation. Ce phénomène permet d'expliquer pourquoi le clinicien peut poser le diagnostic d'un rythme à 3 temps, notamment en cas de tachycardie.

□ Bruit protodiastolique d'origine péricardique (« pericardial knock »)

C'est le signe classique d'une péricardite constrictive. Il survient 0,04 à 0,12 s après la composante aortique du 2e bruit, et coïncide donc approximativement avec le claquement d'ouverture mitrale dont il se distingue par deux éléments : sa *fréquence est moins haute* et il varie en fonction du cycle respiratoire. Ce bruit est attribué à l'arrêt précoce, en diastole, du remplissage ventriculaire par le gobelet péricardique. Il s'inscrit avant le début du plateau de la courbe de pression ventriculaire.

☐ Frottement péricardique

Dans les formes typiques, le *frottement a trois temps* correspondant aux trois mouvements principaux du cœur : contraction auriculaire, contraction ventriculaire et phase de remplissage rapide protodiastolique du ventricule, de timbre rude. Il correspond plutôt à un souffle et peut être comparé à un « bruit de locomotive ».

Le frottement péricardique peut être présent également en cas d'épanchement. En effet, l'accumulation de liquide dans la cavité péricardique n'empêche pas un contact entre péricarde viscéral et pariétal à certains endroits.

☐ Souffles d'éjection

Il s'agit de souffles protomésosystoliques dus en général au passage du sang à travers les valves semi-lunaires. Ils *apparaissent* au moment où la pression ventriculaire dépasse la pression diastolique pulmonaire ou aortique. Ils sont donc *distants du premier bruit* et *se terminent bien avant le 2e bruit* du ventricule correspondant. En général, les souffles d'éjection ont une forme *losangique (crescendo-decrescendo)*. Les *souffles fonctionnels d'éjection* ont leur maximum d'intensité situé *dans le premier tiers* de la phase d'éjection. Leur intensité décroît ensuite rapidement. Quand le degré de sténose valvulaire est modéré, le maximum d'intensité des souffles d'éjection se situe avant le milieu de la phase d'éjection.

Dans les **sténoses serrées**, *il se déplace vers la fin* de la phase d'éjection. En général, le maximum d'intensité des souffles d'éjection coïncide avec la plus grande vitesse d'écoulement.

Pendant le cycle respiratoire, les souffles d'éjection ventriculaires droits augmentent en inspiration (débit augmenté par augmentation du retour veineux), alors que les souffles d'éjection ventriculaires gauches ne présentent guère de variations respiratoires.

Le souffle d'éjection de la **sténose aortique valvulaire** est maximal au *2e espace intercostal droit*. Il irradie dans les *carotides*. Il est souvent aussi audible vers la région de la pointe où son intensité est diminuée par rapport au foyer aortique classique (2e espace intercostal droit) et au foyer d'Erb (3e espace intercostal gauche). Il est alors difficile d'éliminer l'existence d'une insuffisance mitrale associée à la sténose aortique. Quand la durée du cycle cardiaque varie (extrasystoles, fibrillation auriculaire), l'intensité d'un souffle d'éjection irradiant vers l'apex est fonction de la durée de la diastole précédente. En revanche, l'intensité d'un souffle de régurgitation mitrale ne change que très peu. Dans la sténose aortique valvulaire, l'existence d'un clic d'éjection au début du souffle systolique est souvent un signe de valves bicuspides et de mobilité valvulaire. L'existence d'un souffle systolique dont l'intensité maximale est située au milieu de la systole, associée à un dédoublement paradoxal du 2e bruit cardiaque (temps d'éjection ventriculaire gauche nettement prolongé) est un critère de rétrécissement aortique serré.

Dans la **cardiomyopathie hypertrophique avec obstruction** (sténose hypertrophique idiopathique sous-aortique), le *souffle* aortique débute assez *tardivement*, environ 0,1 s après le premier bruit cardiaque, et a une forme crescendo-decrescendo. Le clic d'éjection est inhabituel dans cette atteinte. Pendant la manœuvre de *Valsalva*, le souffle systolique de la cardiomyopathie obstructive, contrairement à celui de la sténose aortique valvulaire, *augmente* d'intensité pour diminuer ensuite à la reprise de la respiration. On l'explique par une augmentation de l'obstruction lorsque le volume du ventricule gauche diminue sous l'effet de la réduction du retour veineux (manœuvre de Valsalva). L'aspect particulier du *carotidogramme* est le signe le plus caractéristique de la cardiomyopathie obstructive. Il comporte typiquement une *ascension* précoce d'une *rapidité inhabituelle* et un second sommet à montée lente. Dans la sténose aortique valvulaire, le tracé n'a pas d'ascension précoce et rapide, mais au contraire une montée lente et crénelée (vibration à basse fréquence). L'*échocardiogramme* montre, comme signes pathognomoniques, un septum interventriculaire épaissi et peu mobile, un mouvement systolique antérieur (SAM) du feuillet antérieur de la mitrale et des vibrations et une fermeture précoce de la valve aortique.

Dans l'**insuffisance aortique**, le souffle systolique d'éjection débute par un bruit d'éjection très proche du premier bruit (temps de montée de pression raccourci en raison d'une pression aortique diastolique diminuée).

Le souffle de la **coarctation aortique**, généralement de haute fréquence, est retardé par rapport au souffle aortique d'éjection et *dépasse la composante aortique du deuxième bruit*. Son maximum d'intensité est souvent interscapulaire. Il est dû soit au passage du sang à travers le rétrécissement de la lumière aortique (sténose), soit à une augmentation du débit à travers les vaisseaux collatéraux dilatés.

Le souffle d'éjection de la **sténose pulmonaire valvulaire** a également une forme losangique. Dans les formes serrées, il dépasse la composante aortique (ceci est dû au raccourcissement de la phase de contraction isovolumétrique). Cette diminution de la durée de contraction isovolumétrique est consécutive à la diminution de la pression diastolique dans l'artère pulmonaire et à l'élévation de la pression télédiastolique du ventricule droit. Dans les *sténoses très sévères*, la pression télédiastolique ventriculaire peut être supérieure à la pression de l'artère pulmonaire. Dans de tels cas, les valves pulmonaires s'ouvrent avant le début de la contraction ventriculaire *(ouverture de la valve pulmonaire par la contraction auriculaire)*. Le bruit d'éjection est absent en cas d'ouverture précoce des valves pulmonaires. Dans les sténoses pulmonaires infundibulaires pures (à septum interventriculaire intact), à l'exception des formes peu serrées, le bruit d'éjection est absent et la composante pulmonaire du 2e bruit n'est souvent pas audible.

Chez les porteurs d'une **tétralogie de Fallot**, l'intensité et la durée du *souffle d'éjection pulmonaire* sont proportionnelles à la gravité de la sténose infundibulaire ou valvulaire. La fraction du volume d'éjection ventriculaire droit shunté de droite à gauche à travers la communication interventriculaire est d'autant plus grande que l'obstruction est sévère. En cas de communication interventriculaire large, ce shunt ne produit pas de souffle. Le bruit d'éjection pulmonaire est absent dans la tétralogie avec sténose infundibulaire. En revanche, un bruit d'éjection aortique n'est pas rare dans les formes sévères. L'augmentation du débit à travers les *artères bronchiques* peut donner naissance à un *souffle continu* de haute fréquence.

Toute *augmentation du débit* ventriculaire droit peut donner naissance à un *souffle d'éjection*, à *maximum protosystolique*, se terminant dans la deuxième partie de la systole, même en présence d'une valve pulmonaire normale. Les étiologies les plus fréquentes d'un tel souffle sont : l'effort ; la fièvre ; l'anémie ; la grossesse ; la communication interauriculaire.

Un *souffle d'éjection protosystolique* est fréquent chez l'enfant, sans qu'on puisse détecter une anomalie, et *physiologique* aussi chez l'adulte.

Dans l'hypertension pulmonaire avec dilatation de l'artère pulmonaire ou en cas de simple dilatation idiopathique de l'artère pulmonaire, on peut avoir un souffle qui débute par un bruit d'éjection.

Souffles holosystoliques de régurgitation

Ils sont dus au passage du sang d'une cavité à haute pression dans une cavité à basse pression. Les exemples classiques sont : l'insuffisance mitrale, l'insuffisance tricuspidienne et la communication interventriculaire.

Dans de telles atteintes, le début et la durée du souffle sont conditionnés par le gradient de pressions. C'est pourquoi les souffles systoliques *commencent avec le premier bruit* et *dépassent la composante aortique du deuxième bruit*.

Le souffle systolique de l'*insuffisance mitrale* est de *haute fréquence et irradie de la pointe vers la région axillaire*. Son intensité ne varie pas avec le cycle respiratoire. Un galop protodiastolique et un bref roulement protodiastolique sont les signes d'un remplissage « torrentiel » du ventricule gauche et signent une insuffisance mitrale sévère.

Le souffle de régurgitation de l'**insuffisance tricuspidienne** est maximal dans le *4e espace intercostal* à droite et à gauche du sternum. Il n'irradie pas dans l'aisselle. Son caractère principal est son *augmentation inspiratoire*. Ce signe peut faire défaut en cas de défaillance cardiaque. En présence d'un rythme sinusal, le collapsus systolique du pouls veineux est remplacé par un mouvement d'expansion systolique des veines du cou.

Le souffle systolique dû à une *petite communication interventriculaire* est très fort et s'accompagne d'un important frémissement que l'on palpe dans l'aire précordiale. Son timbre est râpeux et il est en général holosystolique. Rarement, quand la communication est petite et qu'elle est située dans le septum musculaire, le souffle peut se terminer avant le 2e bruit aortique. Le souffle de communication interventriculaire ne subit pas de variation respiratoire.

Souffles partiels de régurgitation

Les angiographies ventriculaires et l'écho-Doppler ont montré qu'un *souffle télésystolique* commençant souvent par un clic traduit une *insuffisance mitrale* modérée (prolapsus mitral). Il s'agit d'une forme particulière d'insuffisance mitrale consécutive soit à une anomalie du tissu valvulaire et/ou à un allongement des cordages, soit à une contraction insuffisante du muscle papillaire. Une *dysfonction du muscle papillaire* peut être la conséquence d'une ischémie ou d'un infarctus. Dans ces formes d'insuffisance mitrale, l'anomalie hémodynamique typique consiste en une régurgitation du sang dans l'oreillette gauche qui ne survient qu'en fin de systole, au moment où la diminution de la taille ventriculaire n'est pas accompagnée d'un raccourcissement approprié du muscle papillaire. Ces clics méso- ou télésystoliques intenses, suivis d'un souffle, ont une tonalité particulière qui peut varier d'un examen à l'autre. Dans la dysfonction des muscles papillaires d'origine *ischémique*, le souffle diminue en post-extrasystole. Ce phénomène s'explique par un raccourcissement plus fort des muscles papillaires consécutifs à l'augmentation post-extrasystolique de la contractilité.

Souffles de remplissage diastoliques (roulements diastoliques)

Ils sont dus soit à un *débit sanguin augmenté à travers une valve auriculo-ventriculaire normale, soit* au passage d'un volume sanguin normal à travers une *valve rétrécie*. Ces roulements sont tributaires des phases principales du remplissage ventriculaire. Ils sont audibles en début de diastole, après l'ouverture des valves auriculo-ventriculaires, et en fin de diastole lors de la contraction auriculaire. Les *roulements diastoliques d'origine droite augmentent en inspiration*. Ce signe permet de différencier un roulement tricuspide d'un roulement mitral. Les souffles de remplissage sont de *basse fréquence*, d'où leur nom de « roulement ».

L'*augmentation du débit à travers une valve auriculo-ventriculaire non sténosée* peut se rencontrer du côté droit en cas de communication interauriculaire, et du côté gauche en cas de communication interventriculaire ou d'insuffisance mitrale. Ces souffles de remplissage, habituellement *très brefs*, peuvent à l'auscultation simuler l'aspect d'un bruit de remplissage (galop protodiastolique). Un 3e bruit suivi d'un roulement protodiastolique est un signe typique d'insuffisance mitrale sévère. Il est donc important de rappeler que la présence d'un roulement diastolique bref dans une valvulopathie mitrale n'est pas toujours le signe d'une sténose associée.

Le *roulement diastolique du rétrécissement mitral* débute par le claquement d'ouverture mitrale. Il est d'abord intense dans la protodiastole pour diminuer ensuite d'*intensité parallèlement à la diminution du gradient des pressions* auriculo-ventriculaires.

Un roulement presque holodiastolique est un signe de sténose sévère. En présence d'un *rythme sinusal*, le roulement se renforce en fin de diastole parallèlement à l'augmentation du gradient de pression (contraction auriculaire). Ce renforcement de type crescendo vers le premier bruit est appelé *roulement* ou renforcement *présystolique*. En cas d'allongement de l'espace P-R, le roulement présystolique peut avoir un aspect crescendo-decrescendo.

Dans les insuffisances aortiques sévères, l'arrivée diastolique du sang en provenance à la fois de l'oreillette gauche et de l'aorte produit une vibration du feuillet antérieur de la valve mitrale. Il en résulte un souffle de remplissage (roulement d'Austin-Flint), qui débute par un 3e bruit et non par un claquement d'ouverture mitrale.

Souffles de régurgitation diastoliques des valves sigmoïdes

Il s'agit de souffles de haute fréquence. Dans l'*insuffisance aortique*, le souffle commence immédiatement après la composante aortique du 2e bruit. Dans les petites insuffisances aortiques, il n'occupe que la première partie de la diastole, alors que dans les *insuffisances aortiques moyennes*, le *souffle est holosystolique*, d'aspect decrescendo. Enfin, dans l'insuffisance aortique très sévère, l'équilibre entre les pressions aortiques et ventriculaires gauches peut déjà s'établir dans la seconde partie de la diastole, le souffle se terminant donc avant la fin de la diastole. Dans ces formes, la pression ventriculaire tend à dépasser la pression auriculaire gauche déjà dans la mésodiastole. Il peut en résulter une fermeture précoce des valves mitrales se traduisant par un bruit de fermeture et la présence d'une petite onde supplémentaire à l'apexogramme. D'autre part, cette fermeture précoce fait disparaître le premier bruit cardiaque.

Les **insuffisances pulmonaires** sont le plus souvent secondaires à une hypertension pulmonaire chronique. Le souffle diastolique d'insuffisance pulmonaire qui survient dans le rétrécissement mitral très serré est appelé souffle de Graham-Steel. Il *ne débute qu'après la composante pulmonaire du 2e bruit.*

Dans l'insuffisance pulmonaire d'origine organique et en l'absence d'hypertension pulmonaire, l'intensité maximale du souffle diastolique peut être retardée par rapport à P2, et ne revêt donc pas toujours l'aspect typique d'un decrescendo progressif. De forme crescendo-decrescendo, il atteint rapidement son maximum pour ensuite diminuer progressivement. Sa fréquence est plus basse que celle du souffle de Graham-Steel puisque le gradient de pressions responsable de la régurgitation est plus petit.

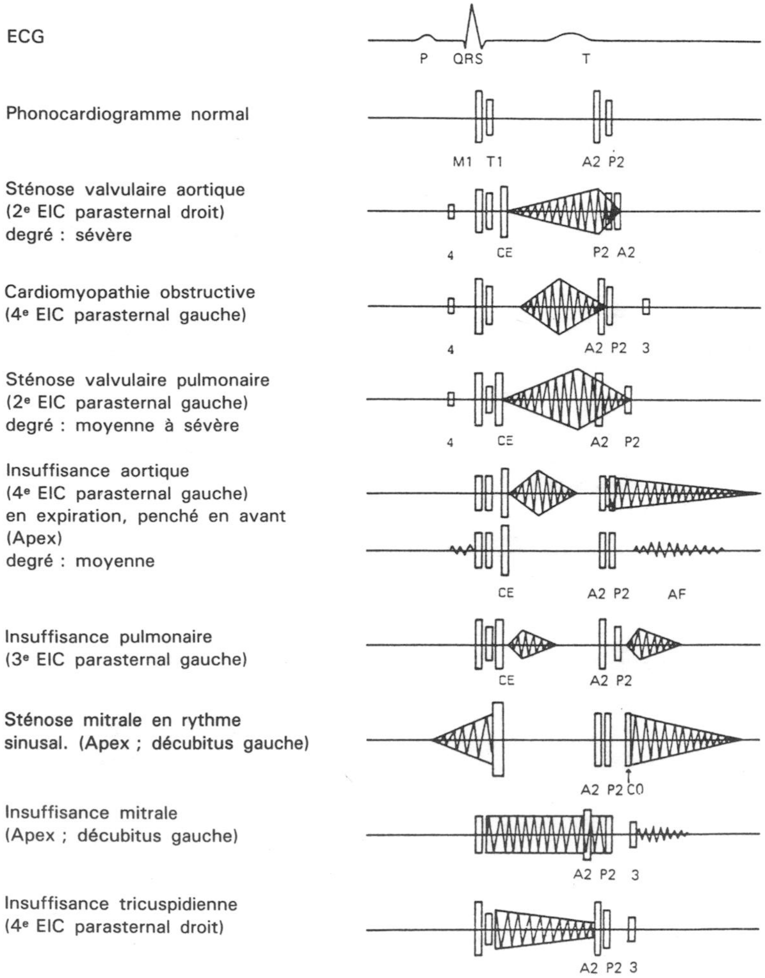

ECG

Phonocardiogramme normal

M1 T1   A2 P2

Sténose valvulaire aortique
(2e EIC parasternal droit)
degré : sévère

4   CE   P2 A2

Cardiomyopathie obstructive
(4e EIC parasternal gauche)

4   A2 P2   3

Sténose valvulaire pulmonaire
(2e EIC parasternal gauche)
degré : moyenne à sévère

4   CE   A2 P2

Insuffisance aortique
(4e EIC parasternal gauche)
en expiration, penché en avant
(Apex)
degré : moyenne

CE   A2 P2   AF

Insuffisance pulmonaire
(3e EIC parasternal gauche)

CE   A2 P2

Sténose mitrale en rythme
sinusal. (Apex ; décubitus gauche)

A2 P2 CO

Insuffisance mitrale
(Apex ; décubitus gauche)

A2 P2   3

Insuffisance tricuspidienne
(4e EIC parasternal droit)

A2 P2 3

FIG. 2. — *Schéma des auscultations cardiaques habituelles*

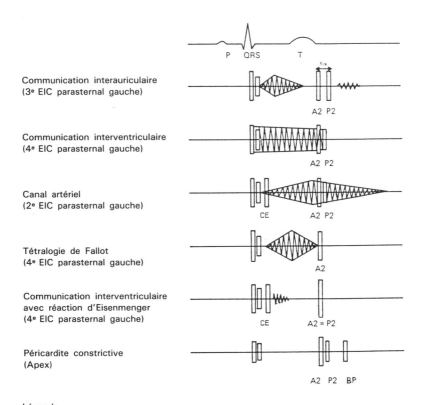

Communication interauriculaire
(3e EIC parasternal gauche)

Communication interventriculaire
(4e EIC parasternal gauche)

Canal artériel
(2e EIC parasternal gauche)

Tétralogie de Fallot
(4e EIC parasternal gauche)

Communication interventriculaire
avec réaction d'Eisenmenger
(4e EIC parasternal gauche)

Péricardite constrictive
(Apex)

Légende

ECG :	Électrocardiogramme	**4** :	4e bruit — galop présystolique
MI :	Composante mitrale du 1er bruit	**3** :	3e bruit — galop protodiastolique
TI :	Composante tricuspidienne du	**CO** :	Claquement d'ouverture
	1er bruit	**AF** :	Austin Flint
CE :	Clic d'éjection	**BP** :	Bruit péricardique
A2 :	Composante aortique du 2e bruit		
P2 :	Composante pulmonaire du 2e bruit		

FIG. 2. — *Schéma des auscultations cardiaques habituelles (suite).*

Souffles continus

Ils sont dus au passage continu du sang tant en systole qu'en diastole d'un système à haute pression dans un système à basse pression. Les exemples classiques sont la persistance du *canal artériel*, la *fenêtre aortopulmonaire*, la *rupture du sinus de Valsalva* dans le ventricule droit ou dans l'oreillette droite, la *fistule artério-veineuse* coronaire. On peut également rencontrer des souffles continus en cas de *coarctation* de l'aorte, et en présence d'une augmentation de débit dans les *artères bronchiques* (par ex. tétralogie de Fallot sévère).

Le *bruit de rouet* (« de bourdon ») est un souffle continu perçu à l'auscultation de la région sous-claviculaire chez des sujets jeunes et asthéniques. Maximal dans la protodiastole, il prend *naissance dans les veines* au moment de leur entrée dans le thorax. Ce bruit augmente pendant l'inspiration et disparaît pendant la manœuvre de Valsalva.

Valves artificielles

Les différentes valves prothétiques induisent des phénomènes auscultatoires caractéristiques dus à des décélérations ou des accélérations de leurs composantes, et à une altération de la vitesse du flux sanguin. L'intensité, le caractère et la séquence temporelle de ces phénomènes acoustiques sont fonction du type de valve, de son ouverture et de sa fermeture normales ou anormales ; ils sont naturellement influencés par le rythme et la condition hémodynamique du patient. Les quatre principaux types de valves artificielles sont : bille, disque, double feuillet, et les valves d'origine animale (surtout porcine).

☐ Valves à bille

Les valves à bille (Starr-Edwards, McGovern) ont des composantes d'ouverture et de fermeture très fortes, et de haute fréquence (métalliques), dues à l'impact de la bille sur sa cage après l'ouverture et à son arrêt dans son siège dans l'anneau lors de la fermeture. En *position mitrale*, il en résulte des bruits secs dans la protodiastole (0,07-0,11 s après A2) après l'ouverture et au commencement de la systole lors de la fermeture. Un raccourcissement de l'intervalle à moins de 0,05 s indique une obstruction de la prothèse ou une sévère régurgitation mitrale. Un souffle d'éjection en losange est pratiquement toujours présent ; il est dû à l'encombrement de la chambre de chasse du ventricule gauche par la cage. En *position aortique*, un bruit d'ouverture métallique s'entend en protosystole (0,07 s après la fermeture mitrale), suivi quelquefois de multiples clics, et toujours d'un souffle d'éjection dû à l'encombrement de la bille dans la racine de l'aorte, et naturellement un bruit de fermeture aortique très distinct. Un débit cardiaque bas diminue surtout le bruit d'ouverture.

☐ Valves à disque

Les disques relativement légers des valves de Björk-Shiley et Lillihei-Kaster n'ont pas de bruit d'ouverture audible puisqu'il n'y a pas d'impact d'une masse importante sur une structure résonnante quand ils se balancent vers la position d'ouverture, mais le bruit de fermeture est très distinct. Néanmoins, les bruits des valves à disque sont généralement moins forts que ceux des valves à bille métallique. En *position mitrale*, le bruit de fermeture peut être diminué lors d'une dysfonction ventriculaire, et même absent en cas de diminution du mouvement du disque lors de thrombose ou de fibrose. Un souffle systolique d'éjection et un roulement diastolique sont souvent audibles. En *position aortique*, il n'y a que très rarement un clic protosystolique, mais souvent un souffle d'éjection en losange et, puisque la valve ne se ferme pas de façon absolument étanche, un très faible souffle diastolique.

☐ Valves à double feuillet

La valve de St-Jude est de loin la valve avec la meilleure hémodynamique parce que, pour un diamètre extérieur donné, elle a la plus grande surface d'ouverture, ce qui crée un gradient de pression minimal. Le bruit d'ouverture peut faire défaut, mais on distingue nettement le bruit de fermeture, comme pour toutes les valves artificielles fonctionnant bien. En *position mitrale et en position aortique*, les souffles dus au passage du sang par la valve lors du remplissage et de l'éjection sont peu intenses, même avec un haut débit cardiaque, ou absents vu l'absence de turbulences avec un gradient de pression très faible.

☐ Valves tissulaires

La plupart sont d'origine porcine (Carpentier-Edwards, Hancock). Le tissu valvulaire, préservé par du glutaraldéhyde, n'étant pas viable, il perd sa souplesse et son élasticité. L'arrêt brusque après l'ouverture et lors de la fermeture crée des bruits « croquants » et plutôt de haute fréquence, quoique moins forts et distincts que ceux des valves mécaniques. Souvent, on entend des souffles dus aux turbulences lors du passage, puisque la surface d'ouverture n'atteint pas, de loin, une valeur normale. En *position mitrale*, un bruit d'ouverture est présent chez la moitié des patients environ ; en *position aortique*, un clic d'éjection peut également être présent. Un souffle éjectionnel en forme de losange fait rarement défaut en position aortique.

☐ Dysfonction des valves artificielles

Il faut admettre que, pour toutes les valves artificielles, une dysfonction significative peut être présente, sans qu'il y ait toujours des altérations stéthacoustiques pathognomoniques. Ceci augmente la difficulté du contrôle des patients avec valve prothétique.

BIBLIOGRAPHIE

DAVIES H., NELSON W. — *Understanding cardiology*. Butterworths, London, 1979.
DELMAN A., STEIN E. — *Dynamic cardiac auscultation and phonocardiography*. Saunders, Philadelphia, 1979.
RAVIN A., CRADDOCK L., WOLF P., SHANDER D. — *Auscultation of the heart*. Year Book Medical Publ., Chicago, 1977.
RUTISHAUSER W., KRAYENBÜHL H.P. — Herz. *In : Klinische Pathophysiologie*, 6. Auflage, Hrsg. W. Siegenthaler, Thieme, Stuttgart, 1987, p. 576.

2

Méthodes d'investigation
non invasives

RADIOLOGIE
P. Wettstein et W. Rutishauser

Méthodes d'investigation

Radiographie standard
Radioscopie : conventionnelle ou avec amplificateur de brillance (télévisée avec magnétoscope ou radio-cinéma).
Ultrasonographie : échocardiographie.
Angiocardiographie gauche et droite, coronarographie.
Examens radio-isotopiques.
Scanographie = tomodensitométrie aux rayons X, « CAT Scan ».

Anatomie radiologique normale (fig. 3)

☐ Incidences habituelles

Thorax de face, de profil, en oblique antérieure droite (OAD), en oblique antérieure gauche (OAG).

☐ Incidence de face

Bord gauche constitué par 3 arcs (éventuellement 4) :
— supérieur ou aortique,

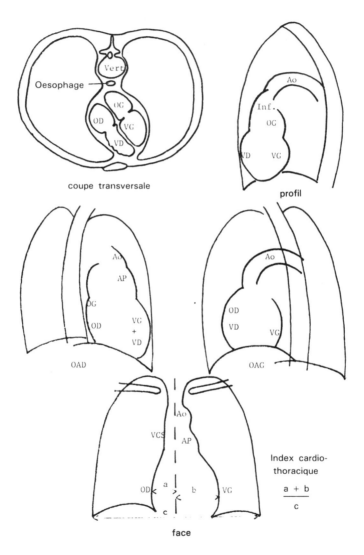

FIG. 3. — *Incidences radiologiques standard.*

— moyen ou pulmonaire,
— éventuellement auricule,
— inférieur ou ventriculaire.
Bord droit constitué par 2 arcs :
— supérieur ou cave,
— inférieur ou auriculaire droit.

☐ **Incidence oblique antérieure droite**

Bord gauche et antérieur :
— arc supérieur ou aortique,
— arc moyen ou pulmonaire,
— arc inférieur ou ventriculaire.
Bord droit et postérieur :
— arc supérieur ou auriculaire gauche,
— arc inférieur ou auriculaire droit.

☐ **Incidence oblique antérieure gauche**

Bord droit et antérieur :
— arc supérieur ou aortique,
— arc moyen ou auriculaire droit,
— arc inférieur ou ventriculaire droit.
Bord gauche et postérieur :
— arc supérieur ou auriculaire gauche,
— arc inférieur ou ventriculaire gauche.

Remarque : En OAG, le carrefour bronchique a ses éléments bien dissociés ; la crosse aortique est séparée de l'artère pulmonaire par la bronche-souche gauche. Cette zone claire doit être visible, c'est la fenêtre aortique.
Le profil permet d'apprécier le ventricule droit selon le critère du comblement de l'espace rétrosternal.

☐ **Opacification de l'œsophage**

Toutes ces incidences peuvent se pratiquer avec opacification de l'œso-phage (transit œsophagien). L'oreillette gauche est en contact étroit avec l'œsophage, de même que l'aorte.

☐ **Particularités des diverses incidences**

Face : vue d'ensemble de la silhouette cardiaque, mensurations cardiaques, situation du bouton aortique. Appréciation de la vascularisation pulmonaire, dimension de l'oreillette droite.
Profil : dimension du ventricule droit.
OAD : dimension de l'oreillette gauche.
OAG : dimension du ventricule gauche, état de l'aorte.

Mensurations cardiaques

La mesure habituelle est l'*index cardio-thoracique*, c'est-à-dire le rapport du diamètre auriculaire + diamètre ventriculaire divisé par le diamètre thoracique mesuré à la hauteur de l'angle cardiophrénique droit.

Index à la naissance < 0,7
jusqu'à 2 mois < 0,58
jusqu'à un an < 0,53
au-dessus de 3 ans < 0,5

Projection des valves et des prothèses valvulaires

Cinétique cardiaque

☐ **Radioscopie**

On étudie systématiquement la mobilité de chaque arc, de chaque cavité.

Le ventricule gauche se juge de face ou en *OAG* : mouvement systolique plus bref que le mouvement diastolique.

Arc aortique : pulsations aortiques synchrones, mais en sens contraire de l'arc inférieur gauche.

Arc pulmonaire (arc moyen gauche sur AP et OAD) : faible amplitude, augmentation considérée comme pathologique. En général, hypertension pulmonaire ou augmentation du débit.

Oreillette gauche : meilleure incidence OAD : mouvements minimes, accentuation en cas de valvulopathie mitrale.

Pulsations du bord droit du médiastin — synchrone avec systole ventriculaire. Déplacement minime vers la ligne médiane. Difficile de différencier le mouvement de l'oreillette droite de celui du ventricule droit. La cave supérieure peut être animée de mouvements ondulants. L'aorte ascendante vient faire saillie sur cet arc. Une aorte ascendante avec nette saillie sur le bord droit du médiastin est pathologique.

La structure hilaire est normalement peu mobile ; elle se déplace par choc des ventricules. Fixation et expansion exagérée en relation avec le débit pulmonaire.

☐ **Echocardiographie**

Voir chapitre « Échocardiographie et examen Doppler », p. 50.

☐ **Angiocardiographie**

Voir chapitres « Angiocardiographie » et « Coronarographie », p. 68 et 72.

Agrandissement électif des cavités cardiaques

Ventricule gauche : hypertension artérielle systémique, insuffisance aortique, insuffisance mitrale, maladie coronarienne après infarctus, anévrisme du ventricule gauche, sténose aortique (en phase de décompensation). Distinguer : hypertrophie et dilatation.

Oreillette gauche : sténose mitrale, insuffisance mitrale, myxome ou thrombus de l'oreillette gauche.

Ventricule droit : cœur pulmonaire, sténose pulmonaire en phase de décompensation, insuffisance tricuspidienne.

Oreillette droite : sténose ou insuffisance tricuspidienne, anomalie d'Ebstein (congénitale).

Agrandissement global de l'ombre cardiaque

Lésions polyvalvulaires, insuffisance cardiaque, épanchement péricardique.

Calcifications cardiaques

Valvulaire(s) ou annulaire(s), péricardique(s), coronaire(s), myocardique(s), thrombus(i), tumeur(s).

Atteinte des gros vaisseaux

Veines caves ; artères pulmonaires ; veines pulmonaires ; aorte.

Silhouette cardiaque

Agrandissement du ventricule gauche
A.P. : arc inférieur gauche arrondi, plongeant,
OAG : arcs inférieur et postérieur empiètent sur la colonne vertébrale.
Agrandissement du ventricule droit
A.P. : image peu spécifique,
profil : comblement de l'espace rétrosternal.
Agrandissement de l'oreillette gauche
A.P. : double contour droit,
déplacement de l'œsophage opacifié,
arc moyen avec double convexité (artère pulmonaire + auricule gauche),
bronche-souche gauche surélevée,
hiles augmentés.
OAD et profil : déplacement postérieur de l'œsophage opacifié.

Agrandissement de l'oreillette droite
A.P. : augmentation de l'arc inférieur droit.

Syndromes valvulaires

Un seul signe radiologique direct : calcification des valvules lésées. A reconnaître en radioscopie, surtout avec amplificateur de brillance, et beaucoup plus important que ne le laissent supposer les rayons X. Mouvements synchrones avec la cavité cardiaque. L'échocardiographie et l'angiographie permettent de mettre en évidence la fonction et la configuration des valves.

☐ Valvulopathies aortiques

Sténose aortique : Premiers stades : hypertrophie ventriculaire gauche peu visible aux rayons X, puis hypertrophie + dilatation du ventricule gauche.dilatation post-sténotique de l'aorte ascendante ; en cas de sténose aortique valvulaire, dilatation souvent excentrique. Echocardiographie : ouverture réduite en systole, hypertrophie du ventricule gauche.

Insuffisance aortique : Dilatation du ventricule gauche, expansion systolique ou aorte pulsatile. Echocardiographie : vibration du feuillet antérieur de la valve mitrale (signe indirect de la régurgitation aortique).

☐ Valvulopathie mitrale

Sténose mitrale : augmentation OG modérée, diminution VG et aorte (petit débit), secondairement augmentation VD puis OD.
Echocardiographie : idem + amplitude diminuée du mouvement du feuillet mitral antérieur.
Insuffisance mitrale : augmentation OG importante, augmentation VG (augmentation du travail VG), diminution aorte (petit débit), secondaire augmentation VD puis OD.
Echocardiographie : idem.

☐ Valvulopathie tricuspide

Exceptionnellement isolée dans sa forme acquise, sauf chez des toxicomanes.

☐ Valvulopathie pulmonaire

Pas de répercussion sur le cœur en cas d'insuffisance légère. La sténose pulmonaire se caractérise par une augmentation du ventricule droit en phase de décompensation droite, une dilatation artérielle pulmonaire par dilatation post-sténotique, et une diminution du lit vasculaire pulmonaire.

Pathologie de l'arc aortique

Déroulement de l'aorte, anévrisme de l'aorte. Bouton calcifié parfois visible. La crosse de l'aorte se déplace vers le haut.
Face : l'arc supérieur gauche est saillant. En radiologie standard, le signe de la silhouette facilite sa distinction et, en tomographie (conventionnelle ou scanographie), confirme son identité.
Œsophage opacifié : élargissement de l'empreinte du bouton.

☐ Anévrisme de l'aorte ascendante

Le disséquant ne peut être différencié radiologiquement de l'anévrisme simple. Seuls l'échocardiographie, surtout transœsophagienne, le CAT-scan et l'aortographie peuvent montrer la dissection.

☐ Anévrisme de la crosse aortique

De face : trachée, œsophage déplacés vers la droite, ascension de l'aorte, arc supérieur gauche saillant, bronche-souche abaissée.
En OAD : l'arc supérieur gauche bombe vers le haut, œsophage repoussé vers le rachis.
En OAG : Ascension de l'aorte.
La scanographie avec injection d'un bolus de produit de contraste distingue l'aorte des autres structures médiastinales.

☐ Aorte thoracique descendante

A.P. : double contour du médiastin gauche ; éventuellement érosion des corps vertébraux. Portion médiane de l'œsophage déplacée à droite et en avant, bas de l'œsophage dévié à gauche.
Scanographie (comme précédemment).
Diagnostic de certitude par l'aortographie.

Péricardite

☐ Péricardite avec épanchement

Pour que les signes radiologiques soient nets, il faut 300 cm³ de liquide. En A.P., forme globuleuse du cœur, tendance à la forme sphérique. Forme globuleuse accentuée en décubitus dorsal.

Épanchement important : l'angle cardio-phrénique tend à devenir plus obtus.

Sur un cliché de profil, la présence de liquide peut entraîner l'écartement de la graisse épicardique de la rétrosternale (« epicardial fat-pad sign »). Lorsqu'il existe, il est quasi pathognomonique d'un épanchement. En radioscopie, les arcs ne présentent plus de pulsation. Arcs cardiaques inférieurs gauche et droit s'effacent quand le volume de l'épanchement dépasse 400 cm³. L'image radiologique de l'épanchement est proche de celle du gros cœur.

L'examen de choix pour détecter un épanchement est l'échocardiographie. La scanographie et l'examen par résonance magnétique ont l'avantage qu'il n'y a pas de zone péricardique mal visible, comme c'est le cas pour l'échocardiogramme.

☐ Péricardite constrictive

Adhésive, maladie de Pick, pulsatilité cardiaque diminuée, arcs effacés par épanchement. Arc moyen droit souvent rectiligne. Dilatation de la veine cave supérieure, soulèvement diaphragmatique droit par la stase hépatique. Parfois, calcifications péricardiques visibles.

PHONOCARDIOGRAPHIE

W. Rutishauser

L'enregistrement des phénomènes acoustiques du cœur et des vaisseaux s'effectue à l'aide d'un *microphone*. Ce microphone recueille les bruits thoraciques par contact direct avec la peau (microphone à contact).

Les phénomènes acoustiques qui prennent naissance au niveau du système cardiovasculaire sont liés à des *vibrations atténuées* de structures cardiaques (mise sous tension, par exemple claquement d'ouverture), ou sont dus à un *écoulement turbulent* de la colonne sanguine (souffles d'écoulement). Les vibrations qui en résultent ont une fréquence qui varie entre 10 et 1 000 Hz. La plupart des souffles cardiaques ont une fréquence qui se situe en dessous de 250 Hz. Les souffles de haute fréquence ont une amplitude (intensité) plus faible due à l'amortissement par le thorax. D'autre part, les basses fréquences sont mieux transmises que les hautes, phénomène qui est lié à la fréquence de résonance du thorax, qui est de 100 Hz environ.

Incidences cliniques

Le phonocardiogramme permet d'objectiver des phénomènes sonores, d'analyser la composition de leur fréquence, et de déterminer la *chronologie exacte* des bruits et des souffles du cœur par rapport au tracé de référence (ECG, mécanogramme, échocardiogramme). Le phonocardiogramme ne remplace toutefois pas l'auscultation. En particulier, les souffles de haute fréquence (par ex. souffles de régurgitation aortique) sont mieux détectés par l'oreille que par certains enregistrements phonocardiographiques.

Les bruits du cœur correspondent à des vibrations de brève durée dont l'intensité et la fréquence varient. Le *premier bruit* est formé habituellement de trois composantes, deux de basse fréquence et une, médiane, de haute fréquence. Il coïncide avec la première partie de la contraction ventriculaire isovolumétrique. Sa genèse est attribuée à la mise en vibrations, pendant la montée de pression rapide, de la colonne sanguine et des structures valvulaires et vasculaires. Son intensité varie en fonction de la position de la valve mitrale au début de la systole ventriculaire, de la vitesse de montée de pression ventriculaire gauche et de l'état anatomique de la valve mitrale. Le *deuxième bruit* correspond à des vibrations produites en fin de systole par la décélération brutale du débit sanguin au niveau des valves sigmoïdes, de la paroi des grands vaisseaux et de la colonne sanguine. Le second bruit est formé d'une composante aortique et d'une composante pulmonaire. Ce dédoublement physiologique augmente pendant l'inspiration en raison de l'augmentation du débit dans le ventricule droit par augmentation du retour veineux.

Les *bruits d'éjection* protosystoliques sont liés à une brusque augmentation de la tension dans la paroi des grands vaisseaux au début de la phase d'éjection, ou sont dus à des altérations anatomiques des valves sigmoïdes. Ils se rencontrent au cours de l'hypertension artérielle ou pulmonaire, de l'augmentation du débit transvalvulaire, et en présence d'une sténose aortique ou pulmonaire. Ce sont des bruits de haute fréquence dont l'intensité est souvent supérieure à celle du premier bruit.

Les *bruits surajoutés systoliques* sont appelés des clics. On distingue les clics protosystoliques des clics méso- ou télésystoliques.

Les *bruits surajoutés diastoliques* sont parfois difficiles à distinguer, en particulier lors d'une tachycardie. Dans ces cas, l'enregistrement simultané d'un phonocardiogramme et d'un tracé de référence tel que l'apexogramme peut faciliter leur identification.

Le claquement d'ouverture mitrale ne se rencontre qu'en présence de valves mitrales épaissies mais encore mobiles. C'est un bruit de haute fréquence qui coïncide avec le point 0 de l'apexogramme (0,04-0,12 s après la composante aortique du deuxième bruit). Il est attribué au mouvement d'inversion d'une position concave vers une position convexe des feuillets valvulaires vers la cavité ventriculaire.

Le *bruit de remplissage* coïncide avec l'onde de remplissage rapide de l'apexogramme et se situe 0,12 à 0,20 s après la composante aortique du deuxième bruit cardiaque. C'est un bruit de basse fréquence, qui est physiologique chez les enfants et les jeunes adultes (3e bruit physiologique). Chez les sujets plus âgés, il traduit habituellement une insuffisance myocardique ou une régurgitation mitrale ou tricuspide.

BIBLIOGRAPHIE

BLOEMER H. — *Auskultation des Herzens und ihre haemodynamischen Grundlagen.* Urban & Schwarzenberg, München, 1969.
DELMAN A., STEIN E. — *Dynamic cardiac auscultation and phonocardiography.* Saunders, Philadelphia, 1979.

MÉCANOCARDIOGRAPHIE

W. Rutishauser

Les mécanocardiogrammes sont des *enregistrements graphiques à la surface du corps des mouvements ou des vibrations nées de l'activité mécanique du cœur ou des vaisseaux.* La mécanocardiographie complète et confirme l'examen clinique (inspection, palpation, auscultation) en permettant :
— de *définir la chronologie* des événements mécaniques par rapport à un tracé de référence (ECG),
— d'*identifier l'origine* de certains phénomènes mécaniques,
— de *quantifier* approximativement l'*amplitude et le timing* des mouvements,
— d'*enregistrer des documents*, ce qui permettra une comparaison *objective.*
La mécanocardiographie est une méthode indirecte, simple et reproductible. Elle a pour but de réunir, avec l'examen clinique et radiographique, l'ECG, l'échocardiogramme, le test d'effort, les examens isotopiques et les courbes de dilution, un maximum d'informations sur des données hémodynamiques, et de permettre ainsi une indication spécifique et orientée pour des investigations spécialisées telles que le cathétérisme cardiaque et l'angiocardiographie. Il est donc indispensable de bénéficier de tracés d'une qualité technique irréprochable. De tels tracés nécessitent un appareillage perfectionné, la collaboration du malade et, de la part du médecin, une certaine dextérité, de la patience et de l'expérience.
Tous les appareils utilisés en mécanocardiographie sont basés sur le principe permettant la transformation de phénomènes mécaniques en potentiels électriques (grâce à un *transformateur mécano-électrique*), leur ampli-

fication, éventuellement leur filtrage et leur enregistrement simultané avec une dérivation de l'électrocardiogramme. Leur constante de temps doit correspondre à $\geqslant 4$ s. On s'aide d'un oscilloscope pour obtenir des courbes parfaites avant leur enregistrement.

Carotidogramme

Cet enregistrement s'effectue en apnée, le sujet étant placé en décubi tus dorsal, avec un coussin sous le cou. On enregistre les variations de volume de la carotide à l'aide d'un capteur placé directement sur l'artère, ou d'un dispositif piézographique fixé à l'aide d'un « collier pneumatique ». Quelle que soit la technique utilisée, l'aspect et la chronologie des tracés que l'on obtient sont très proches des courbes de pressions intracarotidiennes. Toutefois, l'évaluation en mmHg n'est pas possible.

☐ Carotidogramme normal

Son interprétation morphologique et chronologique se fait en fonction de tracés de référence enregistrés simultanément (voir fig. 4).

Analyse morphologique

On a tout d'abord un segment *ascendant rapide* (branche anacrote) dont le point de départ est nettement marqué. La courbe atteint un premier sommet (« percussion wave »). On a ensuite un segment descendant rapide (branche catacrote) marqué par une « incisure (fermeture de la valve aortique). Cette incisure est dirigée vers le bas. Elle permet d'identifier les deux composantes du deuxième bruit cardiaque du phonocardiogramme. A2 est situé 0,02-0,03 s avant l'incisure. L'incisure est suivie d'une petite réascension, puis d'une descente lente, et enfin d'un élément d'amplitude modeste, l'onde a correspondant à la systole auriculaire.

Incidences cliniques

Sténose valvulaire aortique

Dans le rétrécissement aortique, la phase d'éjection ventriculaire gauche est prolongée. Le pouls carotidien présente une *ascension lente* suivie de *vibrations systoliques* correspondant aux fréquences basses du souffle d'éjection. L'incisure est souvent mal visible, surtout quand les valves sont rigides et calcifiées. Les *temps de demi-montée*, de montée et d'éjection sont allongés. La présence d'un clic d'éjection aortique suivant immédiatement le premier bruit et contemporain du point de départ du carotidogramme est un signe de mobilité valvulaire. L'incisure permet d'identifier les deux composantes du deuxième bruit. L'intensité du deuxième bruit est souvent diminuée. On peut également avoir un dédoublement paradoxal du deu-

xième bruit en cas de sténose serrée ou de bloc de branche gauche. Il
n'existe cependant pas de relation précise entre la sévérité de la sténose
et les modifications du carotidogramme.

Cardiomyopathie obstructive
Le carotidogramme obtenu lors d'une telle affection est typique. Il rend
compte de l'obstruction à l'éjection ventriculaire gauche. Cette obstruction, qui n'est pas présente au commencement de la systole, augmente progressivement au cours de celle-ci. Le tracé présente donc une première
ascension souvent *très rapide, suivie* d'un premier sommet, puis d'une
dépression suivie soit d'un *second sommet*, soit d'un plateau ou d'un épaul-
ement. Les temps d'ascension et de demi-ascension sont normaux ou diminués. Le temps d'éjection est allongé dans 40 % des cas. Le phonocardiogramme peut montrer un souffle systolique d'éjection débutant tardivement et contemporain du premier sommet du carotidogramme. Il est souvent associé à un souffle d'insuffisance mitrale. Dans les cas douteux, les
modifications du carotidogramme et du phonocardiogramme peuvent être
augmentées par la manœuvre de Valsalva, l'inhalation de nitrite d'amyle
ou par une perfusion d'isoprotérénol.

Insuffisance aortique
Le carotidogramme présente les modifications suivantes : *ascension
rapide*, diminution, voire *disparition de l'incisure* suivie parfois de vibrations. Une dépression mésosystolique suivie d'un deuxième sommet traduit
une insuffisance aortique sévère. Habituellement, le temps d'éjection est
légèrement augmenté (volume d'éjection augmenté).

Apexcardiogramme

L'apexocardiogramme est enregistré en apnée, le sujet étant placé en
décubitus latéral gauche. Un capteur transforme les vibrations de basse fréquence du choc apexien en phénomène électrique. Par rapport au carotidogramme, l'apexogramme a l'avantage d'enregistrer les événements mécaniques du ventricule gauche sans délai de transmission. Alors que le carotidogramme est surtout utile pour étudier la phase d'éjection, l'apexogramme permet surtout d'étudier la phase de remplissage ventriculaire gauche. De ce fait, les altérations morphologiques de l'apexogramme se voient
en présence d'anomalies du remplissage ventriculaire gauche.

☐ **Apexogramme normal** (voir fig. 4)

L'*onde a* correspond à l'arrivée du sang dans le ventricule gauche lors
de la contraction auriculaire. Elle suit le début de l'onde P de l'électrocardiogramme, et précède la phase rapide d'ascension qui correspond au
début de la contraction ventriculaire. Le premier sommet de l'apexcardiogramme survient en moyenne 0,04 s après le début de l'éjection ventriculaire gauche. Après une chute rapide, la courbe atteint le point 0 (point

le plus bas de la courbe) ; il *correspond à l'ouverture mitrale* et au début du remplissage ventriculaire. Le remplissage ventriculaire rapide se traduit par une montée rapide suivie par une montée plus lente correspondant au remplissage lent. Puis survient la prochaine contraction auriculaire. La relation des hauteurs de l'onde a à l'amplitude totale de l'apexcardiogramme ne dépasse pas 16 % chez le sujet normal.

☐ Incidences cliniques

Sténose mitrale et insuffisance mitrale

La *sténose mitrale* pure se caractérise par un retard de remplissage ventriculaire gauche dû à l'obstacle au niveau de la valvule mitrale. Quand la sténose est importante, l'onde de remplissage rapide de l'apexogramme est pratiquement inexistante, et ce même en présence d'un rythme sinusal. Le *claquement d'ouverture* mitrale *correspond au point 0* de l'apexogramme.

En cas d'*insuffisance mitrale*, le volume de régurgitation dans l'oreillette gauche vient s'ajouter au volume arrivant normalement dans l'oreillette. L'*onde de remplissage* sera donc *rapide et ample*. Elle survient simultanément au galop protodiastolique.

Cardiomyopathie obstructive

L'hypertrophie marquée du septum interventriculaire provoque, avec la valve mitrale, une obstruction progressive de la chambre de chasse du ventricule gauche au cours de la systole. L'apexogramme comporte d'une part une *augmentation* marquée de *l'onde a* (supérieure à 16 % de l'amplitude totale de l'apexogramme) consécutive à une compliance diminuée due à l'hypertrophie musculaire. On note, d'autre part, un second sommet mésotélésystolique dû à l'obstruction de l'éjection ventriculaire gauche. De tels mouvements télésystoliques se rencontrent également dans l'anévrisme pariétal du ventricule gauche.

Jugulogramme

Le jugulogramme traduit les variations de volume des grandes veines du cou. On l'obtient soit en appliquant un capteur en cupule sur le renflement jugulaire (une chambre interne transmet à un microphone à cristal les variations de volume causées par les pulsations veineuses), soit en utilisant une cellule photo-électrique. Les deux méthodes permettent l'enregistrement de courbes dont la morphologie est très proche de la courbe de pression auriculaire droite, avec cependant un retard de 0,03 à 0,05 s. Le microphone à cristal enregistre en général des ondes c moins prononcées et un creux x plus précoce que la méthode photo-électrique.

Jugulogramme normal (fig. 4)

L'*onde a*, positive, suit le début de l'onde P de l'électrocardiogramme. Elle correspond à l'augmentation de la pression consécutive à la contraction auriculaire. Elle est absente en cas de fibrillation auriculaire. L'*onde c*, également positive, suit l'onde a. Elle est contemporaine du débit de l'ascension rapide du carotidogramme et serait produite par un bombement de la valve tricuspide dans l'oreillette droite au début de la contraction ventriculaire droite. Le *creux x* (collapsus systolique) est dû à l'abaissement du plancher tricuspidien en direction de la pointe du cœur au cours de la systole ventriculaire droite, et à la relaxation auriculaire droite. Le point x représente la dépression la plus négative de la courbe. Il précède le deuxième bruit. L'*onde v*, positive, est due à l'afflux du sang dans l'oreillette droite,

Légende pour le synopsis des mécanocardiogrammes

ECG : Electrocardiogramme

PCG :   Phonocardiogramme
4	:	4e bruit
M1	:	Composante mitrale du 1er bruit
T1	:	Composante tricuspidienne du 1er bruit
CE	:	Clic d'éjection
A2	:	Composante aortique du 2e bruit
P2	:	Composante pulmonaire du 2e bruit
CO	:	Claquement d'ouverture
3	:	3e bruit

Pouls carotidien
EF	:	Temps de transmission centrale	(0,02-0,04 s)
AB	:	Temps de transformation	(0,04-0,07 s)
AC-EF	:	Temps de prééjection	(0,07-0,11 s)
CD	:	Temps de demi-montée	(0,02-0,045 s)
CF	:	Temps d'éjection (dépend de la fréquence cardiaque ; exprimé en pourcentage de la valeur normale)	

Apexcardiogramme
a	:	Contraction auriculaire
O	:	Nadir, ouverture de la valve mitrale
ORR	:	Onde de remplissage rapide
ORL	:	Onde de remplissage lente

Pouls veineux
a	:	Contraction auriculaire
c	:	Contraction isovolumétrique du ventricule droit
x	:	Collapsus systolique, relaxation de l'oreillette, abaissement du plan atrio-ventriculaire
v	:	Remplissage de l'oreillette
y	:	Collapsus diastolique, remplissage du ventricule

Fig. 4. — *Mécanocardiogramme.*

la tricuspide étant fermée. Le *creux y* fait suite à l'ouverture de la tricuspide, la partie la plus négative marque la fin de la phase de remplissage rapide.

☐ Incidences cliniques

Insuffisance tricuspidienne

Le jugulogramme n'est pas nécessairement modifié de façon significative en cas d'insuffisance tricuspidienne faible. L'onde c peut parfois augmenter et le creux x se combler. En cas d'insuffisance majeure, le *creux x est remplacé par un plateau systolique* ou par une onde positive de régurgitation systolique qui englobe l'onde v. En cas de fibrillation auriculaire,

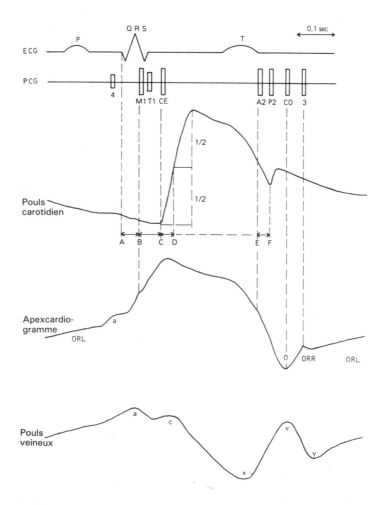

l'onde a et le creux x sont absents (la contraction et la relaxation auriculaires manquent).

Péricardite constrictive

Le remplissage ventriculaire est limité au début de la diastole. Le jugulogramme reproduit les modifications des courbes de pressions auriculaires et ventriculaires : brusque collapsus protodiastolique très accentué (dip) suivi d'un plateau horizontal mésodiastolique en l'absence de tachycardie. Le *creux y* est donc l'élément le plus *marqué* de la courbe.

BIBLIOGRAPHIE

DELMAN A., STEIN E. — *Dynamic auscultation and phonocardiography* (a graphic guide). Saunders, Philadelphia, 1979.
DUCHOSAL P.W., FERRERO C., LEUPIN A., URDANETA E. : Evaluation of aortic stenosis by arterial pulse recording of the neck. *Am. Heart J. 51 ;* 861, 1956.
MANOLAS J., RUTISHAUSER W. : Relation between apexcardiographic and internal indices of left ventricular relaxation in man. *Br. Heart J. 39 ;* 1324, 1977.
MANOLAS J., RUTISHAUSER W. : Use of apexcardiography in the assessment of myocardial function in aortic stenosis. *Am. Heart J. 98 ;* 321, 1979.

ÉCHOCARDIOGRAPHIE ET EXAMEN DOPPLER

R. Lerch

L'échocardiographie et l'examen Doppler sont des techniques non invasives d'investigation cardiologique se servant des ultrasons.

PRINCIPE DES MÉTHODES AUX ULTRASONS

La fréquence d'un ultrason est supérieure à 20 000 cycles/s et celle des ultrasons utilisés en cardiologie est comprise entre 2 et 5 millions de cycles/s (2-5 mégahertz). L'ultrason se propage dans les tissus mous à une vitesse de 1 560 m/s et subit une réfraction et une réflexion à l'interface entre des milieux dont l'impédance acoustique diffère. C'est le phénomène de réflexion que l'on utilise en échocardiographie et au Doppler. Un transducteur piézo-électrique posé sur le thorax émet des « trains » d'ultrasons d'une durée d'une microseconde (= durée de l'impulsion), et ce environ mille fois par seconde (= fréquence de répétition des impulsions). En mesurant le temps entre l'émission d'un « train » d'ultrasons et le retour des ondes réfléchies, on peut reconstruire la distance entre les différentes structures cardiaques et le transducteur (*écho en mode-M* et *écho bidimensionnel*). En mesurant la différence de fréquence entre l'ultrason émis et l'ultrason réfléchi par les globules rouges dans les cavités cardiaques et les grands vaisseaux, on peut calculer la vitesse sanguine (examen *Doppler*).

Échocardiographie en mode-M (fig. 5a)

Cette technique représente la distance des structures situées dans la direction du faisceau d'ultrasons en fonction du temps. Elle permet de mesurer des dimensions avec précision et de suivre les mouvements des structures cardiaques avec une bonne résolution temporelle. Les tracés sont enregistrés sur papier photographique à la vitesse de 50 mm/s.

Échocardiographie bidimensionnelle (fig. 5b)

Dans cette technique, l'appareil effectue un balayage rapide du faisceau d'ultrasons couvrant un angle de 90°, et permet ainsi la reconstruction de coupes tomographiques du cœur. Cette approche bidimensionnelle facilite l'appréciation de l'anatomie du cœur, et permet de visualiser des anomalies de contraction de toutes les régions du ventricule gauche. L'image obtenue sur un écran de télévision peut être enregistrée sur bande vidéo.

Le Doppler cardiaque (fig. 5c)

La différence entre la fréquence de l'ultrason émis par le trans ducteur et la fréquence de l'ultrason réfléchi par les globules rouges (DF, appelée aussi « fréquence Doppler ») dépend de la fréquence de l'ultrason émis (Fo), de la vitesse du sang (v), de la vitesse de l'ultrason dans le tissu (c), et de l'angle entre le faisceau d'ultrasons et la direction du sang (α) selon l'équation de Doppler

$$\Delta F = (2\ F_0 \cdot v\ \cos\alpha)/c$$

Si le faisceau d'ultrasons est aligné par rapport à la direction du flux sanguin, la vitesse du sang est directement proportionnelle à la fréquence Doppler ΔF, car F_0 et c sont constants.

Il existe actuellement deux techniques Doppler : Le *Doppler pulsé* permet d'analyser des « trains » d'ultrasons réfléchis à partir d'un point dont la profondeur dans l'organisme est prédéfinie. Cette technique permet de mesurer la vitesse du sang à chaque endroit de l'image bidimensionnelle. Néanmoins, cette approche ne permet pas de mesurer de très hautes vitesses survenant par exemple en cas de valve sténosée. Pour la mesure des

a) Echo en mode-M

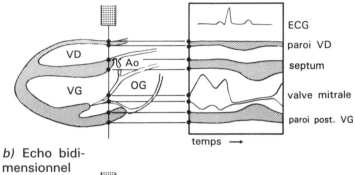

b) Echo bidi-
mensionnel

c) Doppler

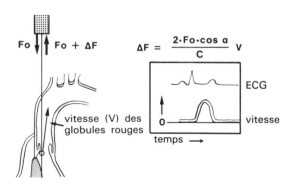

$$\Delta F = \frac{2 \cdot F_o \cdot \cos \alpha}{C} \, V$$

Fig. 5. — *Principes des enregistrements échocardiographiques.*

hautes vitesses, il faut avoir recours au *Doppler continu* qui donne la vitesse maximale dans la direction du faisceau d'ultrasons, mais sans fournir d'informations sur la profondeur de leur origine.

Dans la *cartographie par Doppler couleur*, un grand nombre de points de mesure pulsés sont répartis dans le secteur interrogé par le faisceau d'ultrasons, et les vitesses mesurées sont reproduites sur les images bidimensionnelles par un code de couleur.

TECHNIQUE D'EXAMEN

Le patient est en général en décubitus latéral gauche. Le transducteur est placé successivement aux différents endroits où il n'existe pas d'interposition des os ou des poumons entre le transducteur et le cœur. Ces « fenêtres échocardiographiques » sont le 3e ou le 4e espace intercostal, dans la région parasternale gauche, la région de la pointe du cœur, la région sous-xyphoïdienne et la région suprasternale. L'examen aux ultrasons se compose idéalement de l'échocardiographie en mode-M, de l'échocardiographie bidimensionnelle (2D) et du Doppler. Ces trois techniques donnent des informations complémentaires.

Dans certains cas (par ex. si la fenêtre échocardiographique est mauvaise), un transducteur miniaturisé, monté sur un instrument semblable à un gastroscope, est avancé dans l'œsophage, ce qui permet d'examiner le cœur sans interposition des os et des poumons (échocardiographie transœsophagienne).

APPORT CLINIQUE DE L'EXAMEN ULTRASONIQUE

L'échocardiographie peut être utile pour des décisions cliniques dans de nombreuses maladies cardiaques, en particulier dans les maladies congénitales, les valvulopathies, les cardiomyopathies, les péricardites et la maladie coronarienne. Mais, dans chaque cas, l'indication doit être le résultat d'une analyse de la *question à laquelle on souhaite répondre*, et de l'*information pouvant découler de cet examen*.

L'échocardiographie en mode-M permet de :

— mesurer les diamètres de l'oreillette gauche, du ventricule gauche, de l'aorte, ainsi que l'épaisseur de la paroi postérieure du ventricule gauche et celle du septum interventriculaire ;

— calculer le raccourcissement de diamètre du ventricule gauche pendant la systole (index de la fonction du ventricule gauche) ;

— apprécier l'épaisseur des valves et suivre leurs mouvements.

L'enregistrement simultané de l'échocardiogramme en mode-M et du phonocardiogramme, du carotidogramme ou de l'apexogramme (*échopolymécanocardiographie*) peut faciliter la compréhension de certains phénomènes acoustiques ou mécaniques (par ex. claquement d'ouverture mitrale).

L'échocardiographie bidimensionnelle (2D) permet de :

— définir les repères anatomiques dans les malformations congénitales ;
— apprécier la morphologie des valves (malformation congénitale, remaniement rhumatismal, sclérose, prolapsus, végétations, dégénérescence mucoïde, rupture de cordages mitraux ;
— mesurer la surface d'ouverture d'une valve mitrale sténosée ;
— mettre en évidence un thrombus intracavitaire ou une tumeur cardiaque ;
— détecter et localiser un épanchement péricardique et estimer la quantité de liquide.

La *cartographie par Doppler couleur et le Doppler pulsé* permettent de :

— détecter une insuffisance valvulaire et d'apprécier la sévérité de la régurgitation ;
— détecter des shunts au niveau du cœur et des gros vaisseaux.

Le *Doppler continu* permet de :

— mesurer la vitesse maximale dans une sténose valvulaire et d'estimer le gradient de pression en utilisant une simplification de la formule de Bernoulli

$$p = 4 \ (v_2^2 - v_1^2)$$

où p = gradient de pression en mmHg ; v_1 = vitesse du sang proximal à la sténose ; v_2 = vitesse du sang dans la sténose en m/s ;
— mesurer la vitesse dans l'aorte ascendante et l'artère pulmonaire et calculer le débit cardiaque.

L'*avantage* principal des méthodes aux ultrasons est leur innocuité. La méthode peut être appliquée de façon répétée et sans risque ou inconvénient pour le patient.

Le *désavantage* principal est la mauvaise pénétration des ultrasons à travers les os et les poumons, limitant par conséquent l'accès au cœur. Pour cette raison, la visualisation du cœur est parfois incomplète, surtout chez les personnes âgées, chez les obèses et chez ceux qui présentent une déformation thoracique ou un emphysème.

BIBLIOGRAPHIE

CALLAHAN J.A., TAJIK A.J., SEWARD J.B. — Echocardiography. *In : Cardiology. Fundamentals and practice.* Edited by R.O. Brandenburg, V. Fuster, E.R. Giuliani, D.C. McGoon, Year Book Medical Publ., 1987, pp. 323-339.

FARCOT J.C. — *Comprendre l'échocardiographie.* Éditions Médicales Merck, Sharp & Dohme, Paris, 1986.

FEIGENBAUM H. — *Echocardiography. In :* Braunwald E. ed., *Heart Disease,* 1988, pp. 83-139.

HAGAN A.D., DI SESSA T.G., BLOOR C.M., CALLEJA H.B. : *Two-dimensional echocardiography.* Little Brown Company, Boston, 1983.

HATLE L., ANGELSEN B. — *Doppler ultrasound in cardiology,* Lea & Febiger, Philadelphia.

LAURENCEAU J.L., MALERGUE M.C. — *L'essentiel sur l'échocardiographie.* Collection Tardieu. Masson-Paris, 1980-1981.

PERRENOUD J.J., DARDEL E., BISE A.C., MEIER S. — Utilité de l'enregistrement simultané du phonomécanoéchocardiogramme. *Ann. Cardiol. Angéiol,* 31 : 177, 1982.

ÉPREUVE D'EFFORT

W. Rutishauser

Pour déterminer correctement l'aptitude physique d'un individu, il faut mesurer de façon précise l'effort qu'il fournit. Cela est possible avec les appareils employés couramment aujourd'hui (bicyclette, tapis roulant, év. manivelle ergométrique). Si on utilise un escalier à une ou deux marches standardisées, on peut également déterminer l'effort fourni en tenant compte de la hauteur des marches, du rythme imposé et du poids du sujet. L'aptitude physique varie principalement en fonction de l'âge, de la constitution (taille et poids), du sexe et de la capacité cardiaque. On distingue, selon l'intensité de l'effort :

Épreuves maximales

Le sujet devant fournir un effort qui sollicite toutes ses réserves mobilisables, ces épreuves ne peuvent être exécutées pendant plusieurs minutes. Le système cardiovasculaire, la respiration et le métabolisme ne peuvent être maintenus en régime stable (« steady state ») lors d'un tel effort.

Épreuves sous-maximales

Elles peuvent être réalisées en « steady state » pendant 5 à 10 minutes quant au système cardiovasculaire et à la respiration. Un tel effort correspond à environ *90 % d'un travail maximal*. Lors des épreuves sous-maximales, la fréquence cardiaque atteint également *90 % de la fréquence maximale*.

EFFORT ET FRÉQUENCE CARDIAQUE

La fréquence cardiaque augmente dès le début de l'effort et atteint, au cours d'une épreuve sous-maximale, une valeur à peu près constante après 2 à 3 minutes. A la fin de l'épreuve, le pouls diminue rapidement, puis revient à sa valeur initiale en suivant une courbe exponentielle. La durée de la phase de récupération dépend de la durée et de l'intensité de l'effort ; elle peut varier de quelques minutes à quelques heures. Il existe une relation linéaire entre la fréquence cardiaque en régime stable et le degré d'activité physique. Pour un effort d'une intensité donnée, la période d'adaptation (temps qui s'écoule jusqu'à ce que la fréquence cardiaque ait atteint une valeur constante) et la période de récupération (temps nécessaire pour que la fréquence cardiaque revienne à sa valeur initiale) seront d'autant plus courtes et la fréquence cardiaque moins élevée pendant l'effort que l'aptitude cardiaque du sujet est meilleure.

La détermination d'un *effort maximal* par un test ergométrique est difficile puisqu'une partie considérable du travail est fournie en anaérobie et, de ce fait, ne dépend pas uniquement de l'aptitude cardiaque. En outre, une telle épreuve exige du sujet un effort pénible qui dépend de sa coopération et, chez certains malades, elle peut s'avérer dangereuse. Au cours d'un travail maximal, la fréquence cardiaque se situe entre 200 et 210 par minute chez un sujet normal âgé de 20 ans ; elle est moins élevée chez l'homme que chez la femme, et diminue progressivement avec l'âge pour atteindre une valeur de 140 à 160 par minute chez des sujets normaux de 70 ans. Au cours d'un *effort sous-maximal*, la *fréquence cardiaque* s'élève à environ *170 par minute* chez des sujets âgés de 35 à 40 ans.

La *capacité de travail* est *définie par Sjœstrand et Wahlund* comme la puissance *pour laquelle la fréquence cardiaque atteint 170 par minute*, alors qu'il existe un « steady state » relatif quant à la fréquence cardiaque et à la respiration. Grâce à la relation linéaire existant entre la fréquence cardiaque et la puissance, la capacité de travail peut être déterminée par intra- ou extrapolation de la fréquence sous-maximale au cours d'une épreuve d'effort comprenant deux ou trois charges différentes. Du fait que les fréquences sous-maximales et maximales dépendent de l'âge du sujet, la capacité de travail doit être déterminée en fonction de la fréquence cardiaque moyenne de son propre groupe démographique. La *fréquence cardiaque sous-maximale* peut être estimée de façon approximative *en déduisant, du chiffre 210, l'âge du sujet (en années)* ; ainsi, un sujet de 40 ans aura une fréquence cardiaque sous-maximale de 170 par minute environ.

INCIDENCES CLINIQUES

Quelle que soit la méthode choisie pour déterminer l'aptitude cardiaque (consommation sous-maximale d'oxygène, capacité de travail, etc.), cette dernière diminue dès l'âge de 25 ans. L'aptitude cardiaque est plus grande chez l'homme que chez la femme ; elle varie en fonction de la taille et du poids du sujet et peut être améliorée par l'entraînement physique. Enfin, elle diminue en cas de valvulopathie (par ex. rétrécissement mitral), en présence de cardiomyopathie et, naturellement, chez le coronarien.

Une *évaluation* quantitative *de l'aptitude cardiaque* est *souvent indispensable pour pouvoir juger de l'état cardiovasculaire d'un sujet*, en particulier avant et après une opération cardiaque, dans la phase de réadaptation post-infarctus, lors de l'appréciation de la capacité de travail, et pour juger du stade d'entraînement physique dans les sports de compétition.

Il faut *enregistrer l'électrocardiogramme* et *mesurer la tension artérielle à chaque palier du test d'effort*. La visualisation continue de l'électrocardiogramme pendant le test permet de détecter chaque trouble du rythme et une altération de la phase terminale (segment ST) de manière précoce. Défibrillateur et matériel de réanimation doivent être sur place.

Le test d'effort est exécuté le plus souvent sur une *bicyclette calibrée*. On commence avec un premier palier au-dessous de la charge sous-maximale, puis *on augmente la charge toutes les deux minutes* de 50 ou 25 watts jusqu'à l'atteinte de la fréquence sous-maximale ou un critère d'arrêt.

Les *critères d'arrêt* sont :
— L'atteinte de l'effort sous-maximal ;
— L'épuisement, fatigue marquée, dyspnée excessive, pâleur, confusion ;
— Des douleurs précordiales (angine de poitrine) ;
— Des troubles du rythme : fibrillation auriculaire, flutter, extrasystoles ventriculaires (plus de 10 % des complexes) polymorphes, tachycardie supra- ou ventriculaire ;
— ST sous-décalé $\geqslant 3$ mm ou susdécalé $\geqslant 2$ mm ;
— L'absence d'augmentation ou diminution de la pression systolique avec un nouveau palier.

Le test d'effort est souvent utilisé pour démontrer ou exclure une *ischémie du myocarde*. Celle-ci est probable si un *sous-décalage horizontal ou descendant* du segment *ST de plus de 0,15 mV* ($> 1,5$ mm) apparaît dans l'une ou l'autre des dérivations. Un sous-décalage massif lors d'un effort modéré fait penser à une maladie coronaire des trois vaisseaux ou à une sténose du tronc commun de la coronaire gauche. Les tests isotopiques permettent de préciser la localisation de l'ischémie, et d'améliorer la valeur diagnostique (voir p. 58).

BIBLIOGRAPHIE

BROUSTET J.-P., DOUARD H. — *Épreuve d'effort.* Documenta Geigy, Tome 1,
    Paris, 1989, pp. 1-264.
RUTISHAUSER W., KRAYENBÜHL H.P. — Herz. *In : Klinische Pathophysiologie* (éd.
    W. Siegenthaler), Thieme, Stuttgart, 1987, p. 576.

TESTS ISOTOPIQUES

A. Righetti

Classés parmi les méthodes dites « non invasives », les tests isotopiques
sont actuellement utilisés pour évaluer la perfusion myocardique régionale,
détecter et localiser des infarctus myocardiques, et mesurer la fonction
ventriculaire.
Les tests isotopiques sont devenus des examens fiables. Ils sont atraumatiques et ne délivrent qu'une irradiation très modérée. Les isotopes
radioactifs les plus utilisés en cardiologie émettent des rayonnements qui
sont captés par une gamma caméra, transformés en impulsions électriques
puis en images scintigraphiques.

SCINTIGRAPHIE DE LA PERFUSION MYOCARDIQUE

Le thallium-201, qui présente des caractéristiques analogues à celles du
potassium, est l'isotope radioactif qu'on utilise le plus souvent pour déterminer la perfusion myocardique. Administré par voie i.v. périphérique, il
se concentre dans le myocarde proportionnellement au flux coronarien et
au métabolisme cellulaire myocardique. Les régions du myocarde nécrosées ou ischémiques montrent sur l'image scintigraphique des « zones froides » où la radioactivité est absente ou diminuée. Une hypocaptation visible sur les images scintigraphiques enregistrées immédiatement après l'effort,
et qui disparaît 4 heures plus tard, lors de la redistribution, sur les images
enregistrées au repos, est probablement due à une ischémie transitoire.
La scintigraphie myocardique au thallium-201 est couplée à un test
d'effort habituellement effectué sur cycloergomètre en position couchée.
Les contre-indications au test au T1-201 sont donc les mêmes que celles
du test d'effort en position assise. Toutefois, si l'effort physique est impossible, la scintigraphie au T1-201 peut s'effectuer 4 minutes après injection
i.v. lente de dipyridamol (0,568 mg/kg en 4-5 minutes).

Une nouvelle substance (MIBI, Cardiolite) marquée au Tc-99m est utilisée depuis peu pour étudier la perfusion myocardique, et permet d'obtenir des images statiques, dynamiques ou tomographiques du muscle cardiaque. Toutefois, vu que le MIBI ne redistribue pas, la détection d'une ischémie nécessite deux injections, une au repos, l'autre à l'effort.

Les **indications** à la scintigraphie myocardique peuvent se résumer comme suit :
— Détecter une ischémie myocardique chez des patients avec :
a) des douleurs thoraciques typiques ou atypiques avec un ECG d'effort normal ;
b) un angor avec ECG de repos anormal (BBG, digitale) ;
c) ECG d'effort anormal mais sans angor.
— Confirmer la présence d'une perfusion myocardique diminuée chez des patients avec angor instable ou spasme coronarien. Le T1-201 est alors injecté au repos.
— Détecter la répercussion sur la perfusion de sténoses connues mais modérées (50-60 %).
— Évaluer l'efficacité d'un traitement médical, d'une dilatation coronarienne ou d'un pontage aorto-coronarien.
— Documenter la présence d'un infarctus transmural et étudier sa localisation et son étendue.

Il n'est pas utile d'effectuer une scintigraphie myocardique dans un but diagnostique chez un patient présentant un angor typique et un ECG d'effort positif.

DÉTECTION D'UN INFARCTUS AIGU DU MYOCARDE

Cette technique est basée sur le principe que le tissu myocardique lésé de façon aiguë présente des anomalies cellulaires qui permettent l'entrée de composés radioactifs habituellement exclus des cellules. Les composés radioactifs, dont le plus couramment employé est le Technetium-99m-pyrophosphate, vont par la suite se fixer sur les dépôts de calcium intracellulaires. Avec cette technique, l'infarctus aigu est visualisé comme une zone de captation augmentée ou « zone chaude ».

Depuis peu, une technique basée sur l'injection d'anticorps antimyosine marqués à l'Indium-111 qui se fixent à l'endroit des cellules nécrosées est utilisée pour la détection d'un infarctus aigu du myocarde. Son apport dans le dépistage des rejets de greffe cardiaque est en cours d'évaluation.

Les **indications** à la scintigraphie cardiaque sont les suivantes :
— Lorsque la clinique est équivoque et les enzymes élevés ;
— Lorsque l'ECG et les enzymes font défaut :
a) ECG d'interprétation difficile (BBG) ou d'évaluation atypique au stade aigu ;
b) enzymes ininterprétables si le patient est vu 3-5 jours après l'infarctus ;

c) dans la période post-opératoire où la clinique, l'ECG et les enzymes sont souvent modifiés par l'opération elle-même.
— Pour détecter un infarctus du ventricule droit.

ÉTUDE DE LA FONCTION VENTRICULAIRE

Pour mesurer la fonction ventriculaire par angiographie isotopique, il existe essentiellement deux méthodes : méthode du « premier transit » et méthode « à l'équilibre ». Les deux méthodes sont utiles pour mesurer les volumes ventriculaires, pour calculer la fraction d'éjection, et pour visualiser et quantifier le mouvement global et régional des parois ventriculaires.

Les indications à la ventriculographie isotopique sont les suivantes :
— Détecter une maladie coronarienne latente : la diminution ou l'absence d'augmentation de la fraction d'éjection globale, ainsi que l'apparition d'une anomalie de contraction régionale lors d'un effort sont souvent une manifestation d'une ischémie myocardique.
— Détecter une dysfonction ventriculaire gauche ou droite dans l'infarctus du myocarde à sa phase aiguë. La répercussion cinétique de la nécrose pourra apporter des arguments pronostiques de grande valeur. L'examen isotopique est bien entendu effectué au repos.
— Détecter un anévrisme ventriculaire dans la phase tardive post-infarctus.
— Diagnostiquer une cardiomyopathie.
— Évaluer l'effet d'un traitement médical (vasodilatateur), chirurgical ou d'une dilatation coronarienne.
— Détecter des shunts intracardiaques.
— Évaluer la réserve fonctionnelle du ventricule gauche dans les valvulopathies.

BIBLIOGRAPHIE

BAILEY I.K., GRIFFITH L.S.C., ROULEAU J., STRAUSS H.W., PITT B. — Thallium-201 myocardial perfusion imaging at rest and during exercise : Comparative sensitivity to electrocardiography in coronary artery disease, *Circulation 55*, 79, 1977.
BELLER G., GIBSON R. — Sensitivity, specificity and prognostic significance of noninvasive testing for occult or known coronary disease. *Progr. Cardiovasc. Dis. 29*, 241, 1987.
PARKEY R.W., BONTE F.J., MEYER S.L., ATKINS J.M., CURRY G.L., STOCKELY E.M., WILLERSON J.T. — A new method for radionuclide imaging of acute myocardial infarction in humans, *Circulation 50*, 540, 1974.
PITT B., STRAUSS H.W. — Current concepts : Evaluation of ventricular function by radioisotopes. *N. Engl. J. Med. 296*, 1097, 1977.

Rocco T., Dilsizian V., Fishman A., Strauss W. — Evaluation of ventricular function in patients with coronary artery disease. *J. Nucl. Med. 30*, 1149, 1989.

Righetti A., O'Rourke R.A., Schelbert H., Henning H., Hardason T., Daily P.O., Ashburn W., Ross J., Jr. — Usefulness of preoperative and postoperative Tc-99m (Sn)-Pyrophosphate scans in patients with ischemic and valvular heart disease. *Am. J. Cardiol. 39*, 43, 1977.

TOMODENSITOMÉTRIE CARDIAQUE (CAT SCAN)

P. Wettstein et H. Hauser

Cette technique se base sur un ensemble tube-détecteur, qui effectue un mouvement rotatif autour du patient. Des multiples profils d'atténuation aux rayons X ainsi obtenus permettent à l'ordinateur la reconstruction d'une coupe transverse.

☐ Sans produit de contraste

Cette méthode permet d'apprécier la taille et la configuration du cœur, la présence de calcifications valvulaires, coronariennes et péricardiques, et la délimitation du cœur, d'une lésion paracardiaque.

☐ Avec l'injection intraveineuse de produit de contraste iodé

On obtient une opacification des cavités cardiaques et des gros vaisseaux, ainsi qu'une bonne délimitation du myocarde.

☐ Les indications par ordre décroissant pour cette technique sont :

— Le diagnostic de lésions paracardiaques : kyste pleuropéricardique, hernie transdiaphragmatique de l'épiploon ou d'autres organes abdominaux.
— La pathologie des gros vaisseaux médiastinaux : anévrisme, dissection et malformation de l'aorte, obstruction ou anomalie des veines cave et azygos.
— L'investigation d'une pathologie péricardique : épaississement, péricardite constrictive, épanchement, empyème, tamponade, infiltration tumorale.
— La recherche de lésions expansives intracardiaques : thrombus, myxome, autre tumeur ou kyste.
— Le contrôle de la perméabilité des pontages aorto-coronariens.
— L'analyse des cavités cardiaques : dilatation des ventricules et oreillettes, anévrisme, hypertrophie myocardique.

3

Méthodes d'investigation et de traitement invasives

MESURE DE PRESSIONS

W. Rutishauser

En introduisant des sondes par les veines fémorales ou cubitales, on peut cathétériser les cavités droites du cœur et une partie de la circulation pulmonaire *(« cathétérisme droit »)*.

L'introduction de sondes par les artères fémorales ou cubitales, voire axillaires, dans le sens rétrograde, permet de cathétériser l'aorte et le ventricule gauche *(« cathétérisme gauche »)*. La pression pulmonaire bloquée (« capillaire pulmonaire »), obtenue lors du cathétérisme droit, est représentative de la pression de l'oreillette gauche. Mais il est possible d'accéder directement à l'oreillette gauche (et au ventricule gauche) par ponction du septum interauriculaire au moyen d'une aiguille spéciale *(« cathétérisme transseptal »)*.

Lors de la mesure de pressions par la méthode conventionnelle, la pression qui règne dans une cavité cardiaque ou un vaisseau est transmise, par une colonne hydrostatique de liquide (solution de NaCl physiologique), sur une membrane d'un transducteur mécano-électrique (par ex. Statham). Ceci provoque un retard et un affaiblissement des changements réels de pressions intracorporelles, qui dépendent principalement de la qualité du cathéter et du liquide (il ne doit absolument pas y avoir de bulles !). Pour obtenir des *pressions correctes* dans le temps et dans l'amplitude, et surtout des valeurs différentielles précises (comme par exemple le dP/dt max.), il faut utiliser des petits transducteurs mécano-électriques montés à la pointe du cathéter (« *tip-manomètre* », par ex. Millar).

Le zéro de chaque mesure de pression doit être défini. Le *point d'indifférence hydrostatique* se trouve près de la valve tricuspide et peut être apprécié par 3/5 du diamètre postéro-antérieur du thorax en décubitus dorsal, dans le 4ᵉ espace intercostal.
Avec 3/5 du diamètre postéro-antérieur, en décubitus dorsal, on obtient les valeurs normales de pressions suivantes (voir fig. 6).

	mmHg	kPa
— oreillette droite moyenne	⩽ 6	⩽ 0,8
— ventricule droit syst./télédiast.	⩽ 25/7	⩽ 3,3/0,9 __
— artère pulmonaire syst./diast./moy.	⩽ 25/ ⩽ 13/ ⩽ 16	⩽ 3,3/1,7/2,1
— capillaire pulmonaire moyenne	⩽ 11	⩽ 1,5
— oreillette gauche moyenne	⩽ 10	⩽ 1,3
— ventricule gauche syst./télédiast.	125/ ⩽ 13	16,6/1,7 __
— aorte syst./diast./moy.	125/75/90	16,6/10/12

Le facteur de conversion entre mmHg et kPa est 0,133.

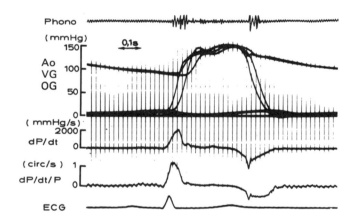

FIG. 6. — *Pressions chez un homme de 52 ans dans l'aorte (Ao), le ventricule gauche et, par méthode transseptale, dans l'oreillette gauche.* Chacune des pressions est mesurée par la méthode conventionnelle et par tip-manomètre. Les tip-manomètres n'ayant pas de délai, ils précèdent les tracés conventionnels. les valeurs différentielles (dP/dt et dP/dt/P) sont dérivées des tip-manomètres du ventricule gauche.

BIBLIOGRAPHIE

GEDDES L.A. — *The direct and indirect measurement of blood pressure.* Year Book Medical Publ., Chicago, 1970.
RUTISHAUSER W. — Druck- und Flussmessung. In : *Kardiologie in Klinik und Praxis* (H.P. KRAYENBÜHL, W. KÜBLER eds), Thieme, Stuttgart, 1981, p. 221.

DÉBIT CARDIAQUE ET SHUNTS

W. Rutishauser

MÉTHODE DE FICK

Elle dérive de la formule générale :

$$\text{Débit} = \frac{\text{consommation d'une substance/unité de temps}}{\text{concentr. artérielle} - \text{concentr. veineuse}}$$

Ainsi, le débit pulmonaire ($\dot{Q}p$) (en 1/min) correspond à :

$$\dot{Q}_p = \frac{\text{consommation } O_2/\text{min}}{\text{concentr. } O_2 \text{ veine pulm.} - \text{concentr. } O_2 \text{ art. pulm.}}$$

équation dans laquelle la consommation d'O_2 est exprimée en ml/min et la concentration d'oxygène dans la veine pulmonaire et l'artère pulmonaire en ml/l de sang.

S'il n'y a pas de shunt intracardiaque, le débit pulmonaire est égal au débit systémique. En cas de shunt, le débit systémique ($\dot{Q}_s$) doit également être déterminé :

$$\dot{Q}_s = \frac{\text{consommation } O_2/\text{min}}{\text{concentr.} O_2 \text{ aorte} - \text{concentr. moyenne } O_2 \text{ veines caves}}$$

La concentration moyenne d'O_2 dans les veines caves est égale aux 2/3 de la concentration d'O_2 dans la veine cave inférieure et au 1/3 de la concentration d'O_2 dans la veine cave supérieure.

La méthode de Fick permet d'évaluer le débit cardiaque avec une marge d'erreur variant de 5 à 15 %, imprécision due à la méthode de détermination de la consommation d'oxygène et à la mesure de la saturation en oxygène. Plus la différence artério-veineuse de la concentration d'oxygène est grande (dans les petits débits), plus la mesure est précise.

Pour obtenir un échantillon de sang veineux mêlé, il est nécessaire d'effectuer, par cathétérisme, un prélèvement dans l'artère pulmonaire. La mesure du débit cardiaque selon la méthode de Fick se fait à partir d'une consommation d'oxygène pendant 2 à 5 minutes.

Ainsi, un brusque changement du débit cardiaque échappe à la méthode. Seules des modifications durables (« steady state ») du débit cardiaque sont perçues avec cette méthode.

La consommation d'oxygène d'un individu normal adulte au repos est d'environ 250 ml/min ; elle s'élève, lors d'un effort maximal, vers 2 500 à 3 000 ml O_2/min. Ceci est dû à une augmentation de la fréquence cardiaque de 3 à 4 fois, de la différence artério-veineuse de 3 fois et d'un débit systolique n'augmentant guère en position couchée. La consommation maximale d'oxygène est la mesure la plus fiable pour juger l'aptitude physique.

Les équations suivantes s'appliquent en cas de shunt unidirectionnel :

shunt droit-gauche = débit systémique − débit pulmonaire
shunt gauche-droit = débit pulmonaire − débit systémique

En général, on exprime le shunt droit-gauche en % du débit systémique, alors que le shunt gauche-droit est exprimé en % du débit pulmonaire.

Quand le shunt est bidirectionnel, on applique l'équation suivante :

débit systémique + shunt gauche droit = débit pulmonaire
+ shunt droit-gauche

BIBLIOGRAPHIE

GROSSMAN W. — *Cardiac catheterisation and angiography*. Lea & Febiger, Philadelphia, 1974.

RUSHMER R.F. — *Cardiovascular dynamics*. Saunders, Philadelphia, 1976.

RUTISHAUSER W., KRAYENBÜHL H.P. — Herz. In : *Klinische Pathophysiologie* (W. Siegenthaler ed.), Thieme, Stuttgart, 1987, p. 576.

DILUTION D'UN INDICATEUR

W. Rutishauser

PRINCIPE

On obtient une courbe de dilution d'un indicateur en *injectant rapidement un colorant* dans la circulation *et en mesurant*, à l'aide d'un système de détection (par ex. une source lumineuse, une cellule photo-électrique, un amplificateur et un système inscripteur), en un point de prélèvement situé en aval, *sa concentration en fonction du temps.* Indifféremment du point d'injection et de prélèvement, toutes les courbes présentent un aspect similaire caractérisé par une *augmentation progressive* de la concentration peu après l'injection jusqu'à un *maximum*, puis par une *descente plus lente* correspondant à la diminution de la concentration ; sur cette partie descendante s'ébauche un second sommet qui concorde avec la *première recirculation* du colorant. Surviennent ensuite éventuellement d'autres recirculations avant que ne se stabilise la courbe lorsque l'indicateur est réparti de façon homogène dans le sang circulant.

MÉTHODOLOGIE CLINIQUE

Le *temps de circulation* est *proportionnel au volume* intravasculaire entre le point d'injection et le point d'enregistrement ; il est *indirectement proportionnel au débit.* S'il n'y a pas de variation, le temps de circulation varie en fonction de la vitesse d'écoulement de la colonne sanguine. Ainsi, sur une distance précise parcourue par l'indicateur, une diminution du temps de circulation correspond à une augmentation de la vitesse d'écoulement. Dans la circulation centrale, une telle augmentation est en général l'indice d'un grand débit. Inversément, un *temps de circulation allongé indique un petit débit.* La relation inversément proportionnelle entre le temps de circulation et le débit est moins bonne dans la circulation périphérique du fait que le calibre vasculaire périphérique subit des variations beaucoup plus importantes. Néanmoins, dans la circulation centrale, la simple mesure du temps de circulation permet d'apprécier le débit cardiaque.

En général, on détermine le temps bras-oreille et le temps poumon-oreille pour évaluer le réseau vasculaire central.

La mesure du *temps bras-oreille* s'effectue chez le sujet en position couchée. On le détermine en injectant un colorant dans la veine basilique et en mesurant le temps qui s'écoule avant l'apparition du colorant au niveau de l'oreille hyperémiée.

Temps poumon-oreille : Il se détermine après une apnée. Pendant l'apnée, la saturation artérielle en oxygène diminue progressivement. Elle augmente de nouveau après quelques fortes inspirations. On détermine ce temps en mesurant, à partir de la première inspiration post-apnée, le temps qui s'écoule jusqu'à l'arrivée de sang resaturé en oxygène au niveau de l'oreille. Si l'on soustrait le temps poumon-oreille du temps bras-oreille, on obtient le temps bras-poumon.

Chez les sujets normaux, à partir de 20 ans, on admet comme *temps de circulation normaux* : temps d'apparition *bras-oreille : 8 à 12 s*, temps d'apparition *poumon-oreille : 3 à 5 s*, temps d'apparition bras-poumon : 5 à 7 s. Ces valeurs sont moins élevées chez les sujets âgés de moins de 20 ans.

INCIDENCES CLINIQUES

Un *raccourcissement des temps de circulation* s'observe en cas d'*hyperthyroïdie*, d'anémie grave ou de *syndrome hyperkinétique*. Les temps de circulation sont également raccourcis pendant l'effort physique et en cas de fièvre. Le temps bras-oreille peut être légèrement diminué dans les cardiopathies avec shunt gauche-droit important, phénomène lié à un passage pulmonaire accéléré. Le temps d'apparition bras-oreille est raccourci dans les *cardiopathies avec shunt droit-gauche*, une partie du débit atteignant la circulation gauche sans traverser le circuit pulmonaire.

Le *temps bras-poumon* varie essentiellement en fonction du travail du *cœur droit*, alors que le *temps poumon-oreille* traduit l'activité du *cœur gauche*.

L'*allongement des temps de circulation* doit en premier lieu faire suspecter une *insuffisance cardiaque congestive*. Ceci s'explique parce que, dans l'insuffisance cardiaque congestive, il n'y a pas seulement un débit bas, mais surtout un volume intravasculaire et intracavitaire augmenté. La mesure des temps poumon-oreille et bras-poumon permet de différencier l'insuffisance gauche de l'insuffisance droite. Les temps de circulation sont également allongés dans l'*hypothyroïdie* et la *polycythémie*, sans toutefois atteindre les valeurs caractérisant l'insuffisance cardiaque congestive.

La mesure des temps de circulation est d'un apport précieux pour le diagnostic clinique. Dès lors, il est possible de différencier des états circulatoires à fort et à faible débit, ainsi qu'une insuffisance à prédominance gauche ou droite.

BIBLIOGRAPHIE

HEGGLIN R., RUTISHAUSER W. — *Kreislaufdiagnostik mit der Farbstoffverdünnungsmethode,* Thieme, Stuttgart, 1962.

ANGIOCARDIOGRAPHIE

W. Rutishauser

L'intérêt de l'angiocardiographie s'explique par la possibilité qu'offre cette méthode d'enregistrer, en fonction du temps, la distribution spatiale d'un produit de contraste injecté dans le système cardiovasculaire. Un tel enregistrement permet de *visualiser des anomalies morphologiques* des vaisseaux et de *comprendre le comportement dynamique* du cœur. L'*injection sélective* du produit de contraste au moyen d'un cathéter facilite la mise en évidence d'un détail précis (valve, shunt, artère coronaire), et ce avec un *minimum de produit de contraste.* Les importantes améliorations apportées à l'appareillage radiologique ont favorisé le développement des méthodes de cathétérisme. Le progrès le plus important a été l'introduction de systèmes d'*amplificateur de brillance* et l'observation en temps réel par la télévision. Les *films de 35 mm* à grande vitesse (50-100 clichés par seconde), associés à l'injection de produit de contraste (cinéangiographie), permettent l'étude du comportement dynamique du cœur et des mouvements des valves.

L'enregistrement simultané, sur *bande magnétique*, d'un film de télévision est un procédé couramment utilisé en angiocardiographie ; ce système de vidéo permet d'avoir immédiatement à disposition des images sans développement et de les revoir pendant l'examen. Par la digitalisation de l'image à la source et son stockage sur disque et/ou bande, il sera possible, dans le futur, d'éviter le film.

Il est recommandé d'injecter le produit de contraste au moyen d'une pompe guidée par l'ECG. Les produits de contraste non ioniques sont préférables puisqu'ils perturbent moins la circulation que les produits ioniques. Le calibre du cathéter utilisé doit être aussi adéquat afin que le produit de contraste puisse être injecté en bolus en un temps aussi bref que possible.

VOLUME VENTRICULAIRE

W. Rutishauser

Le volume de la cavité ventriculaire peut être calculé au moyen de méthodes radiologiques ou de méthodes de dilution d'un colorant. Après avoir injecté un indicateur dans un ventricule, on évalue son volume télédiastolique à partir de la courbe de dilution enregistrée au niveau de l'aorte ou de l'artère pulmonaire. Cette méthode repose sur l'hypothèse implicite d'un brassage parfait du sang intraventriculaire. En fait, un mélange parfaitement homogène de l'indicateur n'est pas réalisable et le mélange se fait encore au niveau de l'aorte, d'où une surestimation habituelle des volumes ventriculaires calculés sur la base des concentrations avec des indicateurs colorés ou isotopiques.

Les méthodes angiocardiographiques sont largement utilisées aujourd'hui (fig. 7). Elles sont basées sur des formules assimilant le volume de la cavité ventriculaire gauche à un ellipsoïde. Ces méthodes permettent en principe de calculer le volume ventriculaire à partir de la formule suivante :

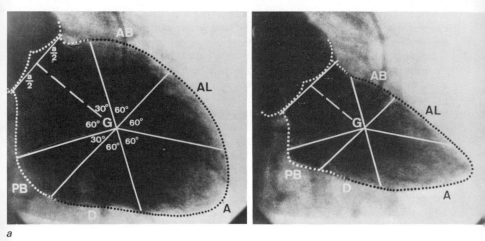

a

Fɪɢ. 7. — *Angiocardiographie du ventricule gauche chez un homme de 53 ans en télédiastole. (a) et télésystole (b).*

On distingue principalement les parties suivantes du ventricule gauche :
AB : antéro-basale ; AL : antéro-latérale ; A : apicale : D : diaphragmatique ;
PB : postéro-basale ; G : centre de gravité.

$$V = \frac{r}{6} \cdot L \cdot M \cdot N$$

où L est le diamètre longitudinal, M et N les diamètres transversaux du ventricule.

Une autre méthode est basée sur la densité du produit de contraste dans une « fenêtre » englobant le ventricule et sa variation dans le temps.

INCIDENCES CLINIQUES

Le volume ventriculaire est étroitement lié à la mécanique ventriculaire. Sa détermination est donc importante pour évaluer l'état de pompe ventriculaire. La relation débit systolique/volume télédiastolique ventriculaire (= *fraction d'éjection*, valeurs normales > 0,6) et les valeurs hémodynamiques telles que la pression systolique ou diastolique permettent de mieux caractériser la circulation physiologique ou pathologique.

INSUFFISANCE VALVULAIRE

W. Rutishauser

La meilleure preuve d'une insuffisance valvulaire consiste à visualiser, après injection d'un *indicateur* en aval de la valve insuffisante, son *apparition en amont de cette valve*. Cette méthode permet non seulement de déceler la valvulopathie, mais elle offre également la possibilité d'évaluer le volume de régurgitation (fig. 8). La mesure des pressions intracardiaques peut à elle seule faire soupçonner l'existence d'une insuffisance valvulaire. Ainsi, une *onde v anormalement saillante* sur la courbe de pression auriculaire doit faire évoquer l'existence d'une *insuffisance de la valve auriculo-ventriculaire*, alors qu'une *insuffisance des valves sigmoïdes* se traduit par une *pression artérielle différentielle élargie* dans l'aorte ou l'artère pulmonaire.

INCIDENCES CLINIQUES DE LA MESURE DU DEGRÉ D'INSUFFISANCE VALVULAIRE

L'*insuffisance valvulaire* s'accompagne d'une *surcharge en volume* qui aboutit à une dilatation des cavités en aval et en amont de la valve déficiente. Il est à noter que l'augmentation de la cavité cardiaque ne dépend pas uniquement de l'importance de la régurgitation, mais également de la fonction myocardique. La simple mise en évidence d'une insuffisance valvulaire ne suffit donc pas pour évaluer la valvulopathie, surtout s'il s'agit de décider d'une éventuelle intervention chirurgicale. Seules l'évaluation quantitative de l'importance du débit de régurgitation et la détermination de la fonction myocardique permettent d'imputer la détérioration de la mécanique cardiaque soit à la régurgitation, soit à la perturbation de la fonction myocardique. Une *fraction de régurgitation (volume régurgité par rapport au volume total d'éjection)* inférieure à 30 % correspond à une insuffisance valvulaire mineure et n'entraîne en général pas d'incapacité fonctionnelle. Par contre, une fraction de régurgitation supérieure à 50 % traduit une insuffisance valvulaire importante qui, au cours des années, aboutit infailliblement à une atteinte myocardique. Elle relève donc d'un traitement chirurgical.

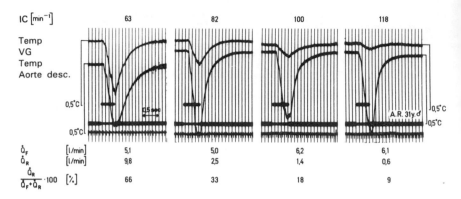

FIG. 8. — *Mesure de la régurgitation aortique chez un homme de 31 ans par thermodilution en fonction de la fréquence cardiaque.* 10 ml de solution physiologique de 14,3°C sont infusés à chaque fréquence (FC) induite par entraînement de l'oreillette droite dans la racine de l'aorte, et la température est mesurée dans le ventricule gauche et dans l'aorte descendante, ce qui permet de mesurer la régurgitation ($\dot{Q}_R$), le débit cardiaque ($\dot{Q}_F$) et la fraction de régurgitation. Il y a une forte dépendance de la fraction de régurgitation de la fréquence cardiaque.

CORONAROGRAPHIE

P. Urban

Cet examen, introduit en clinique en 1959 par Sones aux États-Unis, consiste à opacifier les artères coronaires gauche et droite par injection de produit de contraste après avoir sélectivement cathétérisé leurs ostia respectifs. Il est devenu très utilisé actuellement et près de 2 000 coronarographies sont effectuées chaque année à l'Hôpital Cantonal Universitaire de Genève.

TECHNIQUE

L'abord est percutané, le plus souvent par ponction de l'artère fémorale, mais aussi parfois par voie axillaire ou brachiale. Les cathéters utilisés le plus fréquemment (cathéters de Judkins) sont préformés pour faciliter l'intubation sélective des ostia, et leur calibre varie entre 5 et 7 French (1,7 et 2,3 mm). On filme plusieurs vues consécutives dans différentes incidences, et les images sont enregistrées sur film (12,5 ou 25 images/s) et sur vidéo pour permettre une estimation dynamique du flux coronarien et de la sévérité des sténoses. Il est vraisemblable que dans un avenir peu éloigné ces images seront stockées sous forme digitalisée.

La coronarographie est presque toujours précédée d'un cathétérisme gauche (mesures des pressions dans le ventricule gauche et dans l'aorte), avec ventriculographie gauche qui, ensemble, permettent d'apprécier les répercussions myocardiques d'une éventuelle pathologie coronarienne.

INDICATIONS

— Définir l'anatomie coronarienne chez un patient avec ischémie myocardique documentée (par ex. angor typique avec ergométrie positive) en vue d'évaluer l'indication anatomique à une revascularisation chirurgicale ou par angioplastie.

— Évaluer la progression d'une maladie coronarienne connue et documentée en cas d'aggravation de la symptomatologie (avec ou sans intervention de revascularisation au préalable).

— Contribuer à poser ou à écarter le diagnostic de cardiopathie ischémique (par ex. symptomatologie atypique mais invalidante avec test d'effort non concluant).

— Après un infarctus, qu'il ait été ou non traité par thrombolyse, la coronarographie sera pratiquée dans les jours ou les semaines qui suivent chez les patients avec angor résiduel ou ergométrie positive.

— Évaluer les coronaires, même en l'absence de symptômes ischémiques, avant une chirurgie cardiaque pour une pathologie valvulaire ou congénitale. Cette indication est surtout retenue chez les patients de plus de 40 ans avec un ou plusieurs facteurs de risque cardiovasculaire.

CONTRE-INDICATIONS

Il n'y a pas de contre-indication absolue, les bénéfices potentiels de l'examen devant toujours être mis en rapport avec les risques inhérents à chaque situation clinique particulière. Les contre-indications relatives concernent l'insuffisance cardiaque sévère décompensée, les arythmies majeures non contrôlées, une insuffisance rénale avancée (péjoration possible après injection de contraste), une allergie clairement établie au produit de contraste, un traitement anticoagulant qui ne peut pas être interrompu.

COMPLICATIONS

Les complications sont devenues rares, et la mortalité imputable à la coronarographie est de l'ordre de 1 o/oo à 2 o/oo malgré des indications actuellement étendues à des patients dans un état clinique instable.

— L'injection de produit de contraste (surtout lorsqu'elle est trop vigoureuse ou lorsque le cathéter est en « wedge » dans l'ostium) peut entraîner une fibrillation ventriculaire qui nécessitera alors une défibrillation électrique immédiate.

— La manipulation des cathéters dans les ostia coronaires peut rarement entraîner des lésions de contact ou la déstabilisation d'une plaque athérosclérotique préexistante. Les conséquences peuvent être graves, surtout dans le tronc commun de la coronaire gauche.

— L'injection accidentelle de bulles d'air ou de thrombi peut également entraîner une ischémie généralement transitoire ou des arythmies au niveau cardiaque, ainsi que des symptômes neurologiques déficitaires le plus souvent transitoires.

— La ponction de l'artère fémorale nécessite une hémostase soigneuse après l'examen pour éviter la formation d'un hématome. Celui-ci sera plus fréquent si la ponction a été difficile, si la pression artérielle est élevée, ou si le patient a reçu une médication anticoagulante ou thrombolytique.

BIBLIOGRAPHIE

DAVIS K., KENNEDY W., KEMP H.G., JUDKINS M.P., GOSSELIN A.J., KILLIP T. — Complications of coronary arteriography from the Collaborative Study of Coronary Artery Surgery (CASS). *Circulation 59* : 1105, 1979.

FINCI L., MEIER B., de BRUYNE B., URBAN P., STEFFENINO G., FOURNET P.-C., BOPP P., RUTISHAUSER W. — Changement des indications à la coronarographie au cours d'une décennie. *Schweiz. med. Wschr. 117* : 1213, 1987.

LEVIN D.C., GARDINER G.A. — Coronary arteriography. *In : Heart Disease*, E. Braunwald ed., W.B. Saunders, Philadelphia, 1988, pp. 268-310.

DILATATION CORONAIRE AU BALLONNET

B. Meier

La dilatation coronaire au ballonnet *(« angioplastie coronaire percutanée »)* s'est développée dans les années 1970 à Zurich grâce au Dr Grüntzig, à la suite de dilatations au ballonnet d'artères périphériques. En 1991,

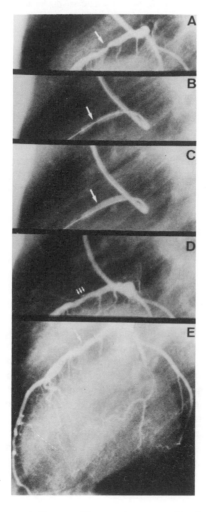

F<small>IG</small>. 9. — *Dilatation au ballonnet d'une sténose sur l'artère interventriculaire antérieure d'une femme de 53 ans (incidence latérale).*
A : sténose avant dilatation ;
B : rétrécissement sur le ballon gonflé à 2 atmosphères créé par la sténose ;
C : disparition de l'encoche après augmentation de la pression dans le ballon à 8 bars ;
D : résultat immédiat avec augmentation de la lumière au prix d'une déchirure de la plaque (flèches) ;
E : bon résultat 7 mois plus tard.

au niveau mondial, plus de 500 000 dilatations coronaires ont été effectuées, dont 3 000 en Suisse et 600 à Genève. 80 % des patients traités sont des hommes, et l'âge moyen est de 55 ans.

TECHNIQUE

Sous anesthésie locale, un guide métallique de 0,5 mm de diamètre environ est avancé dans la coronaire et à travers le rétrécissement à traiter. Sa pointe est flexible et en forme de J. Sous radioscopie, elle est dirigée par rotation. La sonde au ballonnet est ensuite avancée sur ce guide métallique. La longueur du ballon est d'environ 20 mm. Dégonflé, son diamètre est d'environ 1 mm et, gonflé, de 2-4 mm selon le calibre de l'artère à dilater.

Afin de dilater le rétrécissement, le ballonnet est rempli avec du liquide de contraste dilué sous une pression qui peut monter jusqu'à 20 bars si nécessaire. La forme du ballon rempli est celle d'un saucisson. Le remplissage du ballonnet est normalement maintenu pendant 60 secondes, mais peut aussi être prolongé si la perfusion du myocarde concerné est maintenue par des collatérales. Sinon, des changements électrocardiographiques et des douleurs s'installent habituellement après 30 secondes d'occlusion de l'artère.

Le résultat de la dilatation est contrôlé par une angiographie et éventuellement par la diminution du gradient de pression transsténotique. La figure 9 montre les phases principales d'une dilatation.

Le point de ponction est refermé par pression manuelle. Le patient est en général pleinement mobilisé le lendemain de l'intervention, et peut reprendre sa vie normale. Un test d'effort est généralement effectué avant la sortie de l'hôpital.

Le seul traitement de routine après une angioplastie réussie est 100 mg d'Aspirine, dans le but de prévenir une occlusion coronaire ultérieure par rupture de plaque et thrombose.

MÉCANISME

Le *mécanisme principal* du gain de lumière consiste en une *dissection de la plaque athéromateuse et des couches internes de la media* (fig. 10). Une dilatation de la paroi artérielle peut aussi créer de l'espace. La dissection interne peut donner lieu à une occlusion mécanique/thrombotique de la lumière, ce qui constitue la complication la plus fréquente et la plus importante de la dilatation. En outre, elle peut provoquer une fibrose abondante qui crée une nouvelle sténose dans les premiers mois après l'intervention. Dans la plupart des cas, la dissection se « reendothélialise » en laissant une lumière interne correcte.

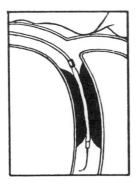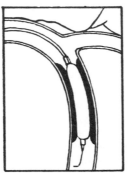

Fig. 10. — *Diagramme schématique du mécanisme de la dilatation au ballonnet. La dissection de la plaque et des couches internes de la paroi vasculaire et la dilatation du vaisseau sont évidentes sur le cliché droit.*

INDICATIONS

Une *dilatation coronaire n'est indiquée que chez des patients symptomatiques.* Un test d'effort positif peut justifier une telle intervention chez des patients asymptomatiques dans la vie quotidienne. Il n'est pas nécessaire que le patient soit rebelle au traitement médicamenteux maximal. L'*indication classique est la sténose isolée et courte sur un tronc principal* d'une artère coronaire qui n'a pas encore causé d'infarctus ou seulement un infarctus partiel. Les sténoses distales sont abordables avec le matériel moderne. Elles ne justifient une dilatation que si elles sont à l'origine d'une ischémie documentée. L'*atteinte pluritronculaire* constitue une indication à la dilatation au ballonnet s'il y a bon espoir que toutes les régions myocardiques importantes puissent être revascularisées de façon adéquate. Si un territoire important ne peut pas être d'emblée attaqué par une dilatation au ballonnet (par ex. longue et ancienne occlusion sur le vaisseau responsable de ce territoire), une opération de pontage est préférable, car elle peut assurer une revascularisation plus complète. Trois sténoses semblent la limite supérieure pour la dilatation au ballonnet.

Une **sténose du tronc commun** de l'artère coronaire gauche est un cas particulier. Malgré son accessibilité facile, une angioplastie n'est indiquée que si au moins un des deux vaisseaux principaux est protégé soit par un pont chirurgical mis en place auparavant, soit par des collatérales généreuses de la coronaire droite. L'occlusion aiguë d'un tronc commun non protégé risque d'entraîner la mort du patient avant qu'une opération d'urgence n'ait pu être effectuée.

Les **vaisseaux complètement et chroniquement occlus** peuvent être recanalisés selon le même principe si l'occlusion date de quelques mois au maximum. Le taux de succès est cependant dépendant de la durée de l'occlusion ; il est d'environ 50 %.

Des **rétrécissements sur des pontages veineux ou mammaires** sont souvent une bonne indication à une dilatation au ballonnet, car une réintervention chirurgicale présente davantage de complications et de difficultés techniques qu'une première opération de pontage.

Lors de l'**infarctus aigu**, le vaisseau en cause, qui est habituellement bouché par un thrombus se fixant sur une plaque rompue, peut être reperméabilisé dans environ 80 % des cas. Selon la rapidité de cette intervention, une partie du myocarde en train de s'infarcir peut être sauvée. Dans ce contexte, la dilatation a cependant été largement remplacée par la fibrinolyse intraveineuse qui, elle, est logistiquement beaucoup plus simple.

La **morphologie de la sténose** n'est que **rarement une contre-indication** à la dilatation. En présence de sténoses longues, les échecs et les récidives sont plus fréquents. Les sténoses excentriques et coudées sont particulièrement sujettes à des complications dues à des dissections étendues. Les sténoses impliquant un branchement important doivent parfois être abordées simultanément par deux systèmes afin d'éviter l'occlusion d'un vaisseau à la suite de la dilatation de l'autre. Des thrombi frais ont une forte tendance à une nouvelle thrombose, qui peut devenir plus importante que le thrombus initial, et constituent généralement une contre-indication à la dilatation.

MESURES DE SÉCURITÉ

La complication typique de l'angioplastie — l'occlusion subite du vaisseau dilaté — survient soit pendant, soit peu après l'intervention. Parfois, elle peut être traitée par une nouvelle dilatation ou par implantation d'un ressort métallique (stent). Mais, quelquefois, on ne peut éviter l'infarctus et, si celui-ci risque d'être très important, on recourt à une opération de pontage en urgence, ce qui permet souvent de diminuer la taille de l'infarctus, sans pour autant l'éviter.

RÉSULTATS

Résultats immédiats

On parle d'un *succès primaire* si le rétrécissement a pu être réduit, s'il y a amélioration de la capacité physique (test d'effort), et si le patient a quitté l'hôpital sans complication majeure (infarctus, nécessité d'une opération de pontage). En cas de dilatation pluritronculaire, il n'est pas toujours nécessaire de réussir sur toutes les sténoses attaquées pour que ce but soit atteint.

Le taux de succès primaire varie entre 70 et 95 % selon l'expérience des centres qui pratiquent ces interventions, et les indications. Les résultats principaux de 521 dilatations coronaires effectuées à Genève en 1989 sont résumés dans le tableau I.

TABLEAU I. — *Résultats immédiats chez 521 patients avec dilatation coronaire à l'Hôpital Universitaire de Genève en 1989.*

	Nombre	*%*
Succès primaire	*472*	*91*
Échec sans complication	*20*	*3*
Échec avec complication	*29*	*6*
par ex. — décès	*6*	*1*
— opération en urgence	*6*	*1*
— infarctus	*19*	*4*

Le taux d'infarctus de 4 % inclut toutes les élévations de la CPK audelà de 2 x la norme. La moitié de ces infarctus sont sous-endocardiques et souvent peu importants.

Résultats à moyen et long terme

La *grande majorité des récidives* surviennent *dans les six premiers mois* après l'intervention. Elles sont à attendre *dans environ un tiers des lésions traitées*. On n'a pas encore trouvé de facteur technique, ni de médicament pour diminuer ces récidives.

La plupart des récidives sont traitées par une nouvelle dilatation, dont le taux de succès primaire et le taux de complication sont très favorables mais, dans environ 30 % des cas, on constate également des rechutes.

Les résultats obtenus une année après l'intervention dans notre service sont les suivants (tableau II) :

TABLEAU II. — *Événements cardiaques et état du patient un an après une dilatation coronaire réussie (282 patients).*

Récidives	:	33 % des patients contrôlés angiographiquement
		23 % de tous les patients
Redilatations	:	71 % des patients avec récidive
		18 % de tous les patients
Opérations	:	22 % des patients avec récidive
de pontage	:	5 % de tous les patients
Infarctus	:	1 % de tous les patients
Décès	:	1 patient

Une amélioration clinique, voire l'absence de symptômes 1 an après l'intervention a été constatée chez 86 % des patients, si les patients avec redilatation sont inclus.

PERSPECTIVES DE LA DILATATION CORONAIRE

La dilatation coronaire reste, malgré son raffinement technique, une *méthode limitée pour des indications spécifiques.* Lors des réussites, elle amène une amélioration immédiate et spectaculaire qui est durable, à l'exception des récidives dans les premiers mois. Toutefois, le taux de complications n'est pas négligeable. La mortalité de l'angioplastie est faible, mais néanmoins présente.

Un effet favorable sur la longévité n'a pas été démontré jusqu'à présent, et la cible principale de cette intervention est la qualité, et non la durée de vie.

Les avantages économiques, tels que la brièveté du séjour hospitalier, l'absence de convalescence, et la petite équipe nécessaire sont évidents, mais en partie anéantis par la survenue des complications et des resténoses, qui constituent les deux handicaps majeurs de l'angioplastie coronaire.

Les nouvelles méthodes actuellement en cours d'évaluation clinique comme le laser, l'athérectomie, l'ultrason intravasculaire et l'angioscopie coronaire n'ont pas fait preuve, jusqu'à présent, d'une amélioration des résultats ou d'une diminution des récidives. Elles restent donc réservées à des indications bien restreintes. Seul le stent s'est créé une place importante pour remédier à des dissections obstructives après dilatation.

DILATATION VALVULAIRE AU BALLONNET

B. Meier

La dilatation au ballonnet des valves cardiaques est également appelée « valvuloplastie transluminale ». Cette procédure a été introduite en médecine humaine en 1982, pour le traitement des rétrécissements pulmonaires chez des enfants. En 1983, l'indication a été étendue à des sténoses aortiques congénitales. Depuis 1985, l'application de la valvuloplastie transluminale pour des sténoses aortiques calcifiées chez les personnes âgées a suscité un grand intérêt, mais elle s'est avérée très peu effective. Des dilatations au ballonnet par voie percutanée des sténoses mitrales se font depuis 1985.

STÉNOSE PULMONAIRE

Les *sténoses pulmonaires*, qui sont quasiment toujours des sténoses congénitales, constituent *actuellement l'indication la plus largement acceptée* de la valvuloplastie transluminale. La valvuloplastie par ballonnet est devenue la thérapie de choix pour cette affection. Seuls les échecs vont conduire à une chirurgie ultérieure. L'accès se fait par une veine fémorale ; le passage avec un grand ballon ne pose ainsi pas de problème d'hémostase. Sur le plan mondial, plusieurs milliers de patients ont déjà été traités selon cette méthode, et aucun décès consécutif à l'intervention n'est rapporté. Les échecs sont limités aux valves fortement dysplasiques et résistant à la force du ballonnet, et aux patients avec une sténose infundibulaire sévère qui, cependant, peut s'améliorer dans les mois qui suivent une ouverture fructueuse de la valve elle-même.

Le *mécanisme de la valvuloplastie* consiste en la *séparation des feuillets*, qui se fait pratiquement toujours au niveau des commissures. L'intervention peut créer une insuffisance valvulaire, ce qui a peu d'importance au niveau de la valve pulmonaire. De véritables récidives (synéchies des feuillets séparés) n'ont pas été constatées jusqu'à maintenant.

Par cette intervention, on peut s'attendre à une diminution du gradient transvalvulaire, et ainsi de la pression dans le ventricule droit, en moyenne d'au moins la moitié de la valeur préexistante. En cas d'hypertrophie infundibulaire, celle-ci peut s'aggraver immédiatement après la valvuloplastie à cause de l'absence de sténose valvulaire, mais elle a tendance à s'améliorer pendant les mois qui suivent, suite à une certaine atrophie du muscle soulagé.

STÉNOSE AORTIQUE

La *valvuloplastie transluminale des sténoses aortiques* se trouve toujours *au stade d'évaluation.*

Dans les cas de sténoses congénitales, la valve peut être ouverte selon le même mécanisme que les sténoses pulmonaires congénitales. L'insuffisance valvulaire éventuellement créée par la valvuloplastie est cependant cliniquement plus importante que celle au niveau de la valve pulmonaire, et peut même nécessiter un remplacement valvulaire. De plus, l'accès se fait par une artère fémorale, et l'hémostase au point de ponction, qui peut mesurer (selon la taille du ballon utilisé) jusqu'à 7 mm, peut poser des problèmes. De faux anévrismes, des fistules artério-veineuses, des occlusions de l'artère fémorale et même des hémorragies rétro-péritonéales avec issue fatale ont été décrits.

Un danger supplémentaire est celui des embolisations (fragments de valve, bulles d'air, caillots de sang) vers les artères coronaires, voire les artères cérébrales.

Ces risques sont surtout présents en cas de dilatations de sténoses aortiques calcifiées. Quoique quelques études aient présenté des résultats favorables de cette intervention chez des patients dont la plupart étaient considérés comme difficilement opérables en raison de leur âge ou d'autres maladies, les résultats à long terme sont très décevants. La valvuloplastie aortique chez des personnes avec sténose aortique sévère, qui sont trop âgés ou trop malades pour être opérés, comporte une mortalité intrahospitalière de 10 %, et une mortalité dans l'année qui suit de presque 50 % ; elle n'est pas forcément meilleure que l'histoire naturelle de ces patients. Malgré les quelques améliorations immédiates et spectaculaires du gradient et de la clinique observées, nous avons complètement abandonné la valvuloplastie de la sténose aortique dégénérative de la personne âgée.

Chez les patients avec sténose aortique congénitale, sans insuffisance importante, la valvuloplastie peut être discutée en lieu et place d'une opération de remplacement ou de réparation de la valve. Un fonctionnement généralement de moins longue durée des valves artificielles que l'espérance de vie de ces jeunes patients peut justifier cette procédure.

STÉNOSE MITRALE

La valvuloplastie transluminale d'une sténose mitrale rappelle les valvuloplasties que les chirurgiens faisaient dans le temps avec le doigt ou des instruments à thorax ouvert, mais sans inspection de la valve. Comme les résultats étaient souvent décevants et de courte durée, les méthodes ont été abandonnées en faveur des réparations visuelles ou des remplacements valvulaires.

Un argument pour retenter ces ouvertures valvulaires à l'aveugle est que le ballon peut être mis en place sans sternotomie et sans anesthésie générale. Par contre, il faut être conscient que les résultats seront forcément incomplets, et peut-être aussi de durée limitée. De plus, on risque de créer ou d'aggraver une insuffisance valvulaire qui peut elle-même nécessiter un remplacement de valve.

L'accès se fait par voie transseptale, en utilisant une veine ; le risque d'embolisation systémique est à considérer et présent. Le passage transseptal du ballon peut en outre produire des saignements intrapéricardiques et des tamponades.

En analogie avec la valve aortique, il est plus facile de dilater une sténose mitrale non calcifiée et avec un appareil de cordages peu épaissi. Dans ces conditions, les résultats de la valvuloplastie mitrale sont très satisfaisants.

COMMENTAIRES

La valvuloplastie pulmonaire et la valvuloplastie mitrale et aortique de valves peu altérées (jeunes patients) sont devenues des interventions de routine. On y a recours pour des anomalies congénitales rares ou des séquelles de la fièvre rhumatismale, qui est quasiment éradiquée dans notre pays. Il s'agit donc d'interventions rares. Dans la seule sténose valvulaire fréquente chez nous, celle de la valve aortique vieille et dégénérée, la valvuloplastie est inefficace.

BIBLIOGRAPHIE

CRIBIER A., SAVIN T., SAOUDI N., ROCHA P., BERLAND J., LETAC B. — Percutaneous transluminal valvuloplasty of acquired aortic stenosis in elderly patients : An alternative to valve replacement ? *Lancet 1 :* 63-67, 1986.

KAN J.S., WHITE R.I., Jr., MITCHELL S.E., GARDNER T.J. — Percutaneous transluminal balloon valvuloplasty for pulmonary valve stenosis. *New Engl. J. Med. 307,* 540-542, 1982.

LABABIDI Z., WU J.R., WALLS J.T. — Percutaneous balloon aortic valvuloplasty : Results in 23 patients. *Am. J. Cardiol. 53,* 194-197, 1984.

LOCK J.E., KHALILULLAH M., SHRIVASTAVA S., BAHL V., KEANE J.F. — Percutaneous catheter commissurotomy in rheumatic mitral stenosis. *New Engl. J. Med. 313,* 1515-1518, 1985.

RAHIMTOOLA S.H. — Catheter balloon valvuloplasty of aortic and mitral stenosis in adults, *Circulation 75,* 895-901, 1987.

4

Phénomènes électriques du cœur

VOIES DE CONDUCTION

M. Zimmermann

NŒUD SINUSAL (nœud de Keith et Flack)

Situé à la jonction de la veine cave supérieure et de l'oreillette droite, il est irrigué par l'artère du même nom, branche de l'artère coronaire droite (60 %) ou de l'artère circonflexe (40 %). Il est composé de trois types de cellules : a) cellules nodales (petites, pauvres en organelles et myofibrilles) génératrices de l'influx sinusal normal (cellules automatiques) ; b) cellules transitionnelles (assurant la distribution de l'influx sinusal au myocarde auriculaire) ; c) cellules musculaires atriales. Le nœud sinusal reçoit une riche innervation sympathique et parasympathique, essentiellement à prédominance droite.

VOIES INTERNODALES

Elles relient le nœud sinusal au nœud atrio-ventriculaire : faisceaux internodal antérieur, moyen et postérieur. Il ne s'agit pas de voies de conduction spécialisées histologiquement mais de banales cellules myocardiques atriales ; cependant, une conduction préférentielle internodale existe et paraît plutôt liée à l'orientation et à la forme ou la géométrie des fibres qu'à leurs propriétés électrophysiologiques.

NŒUD ATRIO-VENTRICULAIRE (nœud de Tawara)

Situé juste sous l'endocarde de l'oreillette droite, dans le septum inter-auriculaire, antérieurement à l'ostium du sinus coronaire, et au-dessus de l'insertion du feuillet septal de la tricuspide, le nœud AV est irrigué par une branche de la coronaire droite dans 90 % des cas. Le nœud AV est composé de quatre types de cellules : a) transitionnelles, b) nodales moyennes, c) nodales basses, d) de type Purkinje, qui reçoivent une riche innervation sympathique et parasympathique (à prédominance gauche).

LE FAISCEAU DE HIS ET SES BRANCHES

Naissant de la partie distale du nœud AV, le faisceau de His perfore l'anneau fibreux avant de pénétrer le septum membraneux. Il est constitué de fibres de Purkinje alignées en bandes longitudinales, séparées par du collagène, et irrigué par des branches de l'artère coronaire droite et de l'artère interventriculaire antérieure. Du faisceau de His partent la branche droite (se divisant en un réseau sous-endocardique à la base du muscle papillaire antérieur) et la branche gauche (se subdivisant rapidement en plusieurs rameaux sans constituer de véritables faisceaux individualisés, tout au moins sur le plan anatomique pur).

FIBRES DE PURKINJE

Elles forment un réseau sous-endocardique complexe, chargé de transmettre l'influx cardiaque quasi simultanément à l'ensemble du myocarde.

VOIES ACCESSOIRES (fig. 11)

Faisceau de Kent

Faisceau de fibres myocardiques reliant l'oreillette au ventricule directe-

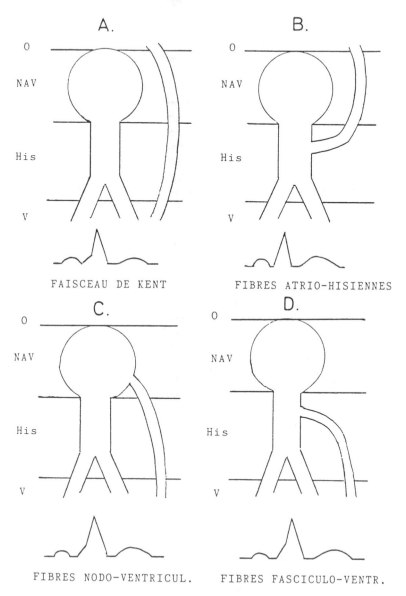

FIG. 11. — *Connexions atrio-ventriculaires.*

ment, au travers de l'anneau fibreux sans traverser le nœud AV ; il produit une préexcitation ventriculaire (antérograde) ou auriculaire (rétrograde). Il est donc responsable d'un aspect ECG particulier avec P-R court, onde delta et élargissement du QRS (aspect de Wolff-Parkinson-White) en cas de préexcitation ventriculaire *(Kent patent)*. La préexcitation ventriculaire peut être absente (ECG normal) lorsqu'il existe une conduction rétrograde exclusive par le Kent *(Kent latent)* ou lorsque la conduction antérograde est inapparente (*Kent masqué*, par exemple en cas de troubles de conduction intraauriculaire). Le terme de *syndrome de Wolff-Parkinson-White* est utilisé lorsqu'à la présence d'un faisceau de Kent sont associés des accès de tachycardie. Ces derniers peuvent être : — des accès de tachycardie réciproque orthodromique (QRS fin, conduction antérograde par la voie nodo-hisienne, conduction rétrograde par le faisceau de Kent) ; — des accès de tachycardie réciproque antidromique (QRS large par préexcitation ventriculaire majeure, conduction antérograde par le faisceau de Kent, conduction rétrograde par la voie nodo-hisienne) ; — des accès de tachyarythmie auriculaire (tachysystolie, flutter, fibrillation) à conduction rapide aux ventricules par le faisceau de Kent.

Faisceau atrio-nodal ou atrio-hisien

Court-circuitant le nœud AV normal, ce type de faisceau est associé à un intervalle P-R court avec QRS normal. Plutôt qu'un véritable faisceau accessoire, il s'agit plus d'une voie de facilitation, pouvant conduire à des accès de rythme réciproque (tachycardie par réentrée) intra- ou paranodal.

Faisceau nodo- ou fasciculo-ventriculaire (fibres de Mahaim)

Reliant le nœud AV ou le faisceau de His directement au ventricule, ce type de fibres produit un intervalle P-R normal, une onde delta d'amplitude fixe et un QRS large constant.

ÉLECTROPHYSIOLOGIE

R. Adamec

Le myocarde des mammifères contient deux sortes de fibres : les fibres musculaires communes assurant la contraction auriculo-ventriculaire, et les fibres myocardiques spécifiques assurant et l'initiation et la conduction de l'impulsion provoquant la contraction. Ces dernières constituent le *système de conduction cardiaque*, qui comprend le nœud sinusal, la jonction auriculo-ventriculaire et le système de conduction intraventriculaire.

Le *nœud sinusal* est situé à la jonction de la veine cave supérieure et de l'oreillette droite.

La *jonction auriculo-ventriculaire* est une entité physiologique qui comprend les structures suivantes : les approches des trois tractus (t. antérieur-Bachman, t. moyen-Wenckebach, t. postérieur-Thorel) dans le nœud auriculo-ventriculaire (NAV), le NAV lui-même, le faisceau de His avec sa partie pénétrante et non pénétrante.

Le *système de conduction interventriculaire* est constitué par les deux branches du faisceau de His et par le réseau ventriculaire terminal de Purkinje. La *branche gauche* se ramifie d'emblée en plusieurs rameaux qui peuvent être regroupés en *faisceau antérieur* pour le septum antérieur, la paroi antérieure et latérale du ventricule gauche et le muscle papillaire antérieur, *faisceau postérieur* pour la paroi latérale et postérieure du ventricule gauche, et quelquefois un faisceau septal pour la partie inférieure du septum et la partie apicale du ventricule gauche. Cette subdivision de la branche gauche est très variable. La *branche droite* forme d'abord un tronc compact avant de se diviser pour atteindre les parois septales et libres du ventricule droit. Le *réseau ventriculaire terminal — Purkinje —* représente la partie terminale du système conducteur cardiaque au niveau endocavitaire ventriculaire et forme un réseau dense entre les dernières ramifications des branches du faisceau de His et le myocarde contractile.

Les *propriétés électrophysiologiques* des fibres myocardiques sont l'*automatisme*, la *conduction* et l'*excitabilité*. L'élément essentiel de l'activité électrophysiologique est le *potentiel de la membrane au repos*, et le *potentiel d'action*.

Au repos, pendant la diastole électrique, la cellule est polarisée avec une charge positive à la surface et une charge négative à l'intérieur. Cette polarisation de la fibre cardiaque est fonction de la concentration différente des ions dans les milieux extra- et intracellulaires (potassium 30 fois plus concentré dans la cellule, sodium 5-10 fois et calcium 100-1 000 fois plus concentré dans le milieu extracellulaire).

En activité (par exemple sous stimulation), pendant la systole électrique, le *potentiel d'action* passe par quatre phases (fig. 12).

Phase 0, phase ascendante du potentiel d'action, dépolarise la membrane qui devient ainsi négative à la surface et positive en profondeur, ce qui provoque une inversion de polarité, *phase de dépolarisation*. Cette phase 0 se termine par un sommet aigu, pic, qui correspond à un phénomène de dépassement du potentiel vers les valeurs positives (« overshoot »).

Phase 1 de repolarisation initiale, correspondant à la partie décroissante, rapide et brève du pic de dépassement.

Phase 2 qui forme un plateau.

Phase 3, descendante terminale, qui ramène le potentiel au niveau de la polarisation diastolique, termine la repolarisation.

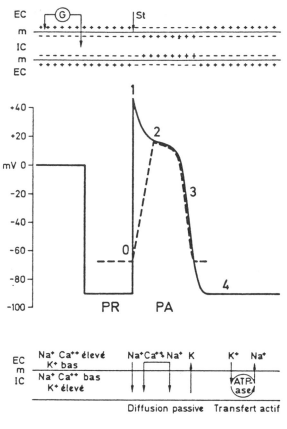

EC = espace extracellulaire   St : stimulation

PR = potentiel de repos   IC : espace intracellulaire
PA = potentiel d'action   m : membrane cellulaire
EC = espace extracellulaire   St : stimulation

Fig. 12. — *Relations entre les variations de potentiel d'action et les flux ioniques dans une fibre à « réponse rapide »* (trait plein) *et à « réponse lente »* (trait interrompu) *selon Puech.*

Phase 4 qui correspond à l'intervalle qui sépare deux potentiels d'action successifs.

Ces phases sont liées aux modifications des flux ioniques à travers la membrane. La *conductance* = la perméabilité de la membrane pour un ion, passe par une phase d'activation et une phase d'inactivation, ouverture et fermeture des « canaux » dans la membrane cellulaire. L'activation des conductances sodique et calcique correspond à un courant d'entrée du sodium et du calcium dans la cellule, l'activation de la conductance du potassium correspond à un courant de sortie dans le milieu extracellulaire. Il s'agit d'une diffusion passive qui est fonction des différences de concentration de ces ions des deux côtés de la membrane. La phase 0, de dépolarisation, est liée au début à un courant entrant rapide de sodium, *canal de Na rapide*. Ce canal est vite arrêté et relayé par l'ouverture d'un canal lent de calcium et aussi de sodium, qui correspond à une phase plus lente de la dépolarisation. Le potassium entre en jeu surtout pendant la phase 3, avec un important courant sortant qui dure jusqu'à la fin de la repolarisation. On trouve dans le myocarde deux types de fibres selon qu'elles répondent à la stimulation de manière rapide ou lente :

Les *fibres à réponse rapide* (vitesse de conduction rapide de 0,5 à 4 m/s, amplitude élevée du potentiel au repos, -80 à -95 mV, dépolarisation rapide avec pic positif de + 25 à + 35 mV) travaillant avec le canal rapide du sodium *(potentiel d'action de type sodique)*. Ce type de fibres correspond au tissu myocardique auriculaire et ventriculaire commun et au tissu spécifique du faisceau de His.

Les *fibres à réponse lente* (vitesse de conduction faible de 0,01 à 0,1 m/s, potentiel de repos de seulement -60 à -70 mV, phase 0 lente sans dépassement, « overshoot », positif). La conductance sodique rapide est pratiquement tout de suite arrêtée et la dépolarisation — lente — est liée au canal lent calcique, *potentiel d'action de type calcique*. Ces fibres se trouvent dans le nœud sinusal et la partie centrale du nœud auriculo-ventriculaire, et dans le tissu des valves mitrale et tricuspide. Dans les états pathologiques, on peut observer cette réponse lente aussi dans les fibres qui ont normalement une réponse rapide. C'est l'effet de l'ischémie, de l'anoxie, de différentes substances pharmacologiques et de tout mécanisme aboutissant à une déplétion du potassium et une augmentation du sodium dans la cellule. Pendant la *diastole électrique*, un mécanisme de transport actif ramène la concentration potassique intracellulaire à sa valeur élevée et fait sortir l'excès de sodium et de calcium. L'énergie est fournie par le métabolisme intracellulaire avec le rôle substantiel de l'ATP.

L'*automatisme cardiaque* a comme base la *dépolarisation diastolique lente spontanée* qui, lorsqu'elle atteint le seuil de dépolarisation rapide, donne naissance au potentiel d'action qui engendre une réponse propagée. Toutes les cellules qui présentent cette dépolarisation diastolique spontanée sont des cellules dites « automatiques ». Elles se situent au nœud sinusal, dans les tractus spécifiques internodaux, autour du sinus coronaire, dans la partie proximale du nœud auriculo-ventriculaire et dans le système de His-Purkinje. L'automatisme fait partie des propriétés des cellules à réponse lente comme des cellules à réponse rapide, mais l'automatisme ne se comporte pas de la même façon.

La *conduction* est un phénomène purement électrique. Elle est assurée de proche en proche, le myocarde se comportant comme un syncytium.

L'*excitabilité* d'une cellule cardiaque présente trois phases principales :

Période d'excitabilité normale (au cours de la diastole électrique — phase 4).

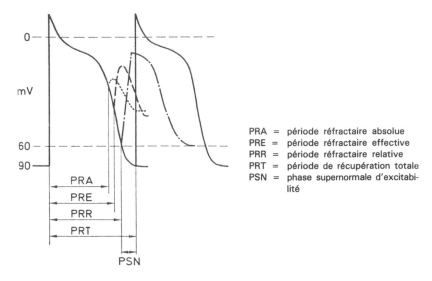

FIG. 13. — *Phase de l'excitabilité cardiaque et potentiels d'action correspondants (selon Puech).*

Période d'inexcitabilité totale (période réfractaire absolue — phases 0, 1 et 2) et entre les deux

Période d'excitabilité relative (période réfractaire relative dans la phase 3).

La *période réfractaire effective* est la période qui se termine au moment où un stimulus déclenche un potentiel d'action, mais trop faible pour être propagé, donc avoir de l'effet. Ce potentiel non propagé se révèle par son influence sur la conduction de la stimulation suivante. La *période réfractaire fonctionnelle* correspond à l'intervalle le plus court entre deux réponses normalement propagées (fig. 13).

MÉCANISMES DES ARYTHMIES

Formation anormale de l'impulsion

Automaticité : normale accélérée, défaillante ou anormale.
Activité déclenchée (« triggered »).

☐ **Automatisme**

La fréquence avec laquelle les cellules dites « automatiques » donnent naissance aux impulsions est contrôlée par le système nerveux autonome, et influencée par le changement de l'environnement local des cellules, en particulier la concentration extracellulaire du potassium, du sodium, du calcium, le pH et pO_2. L'automatisme normal peut être responsable des arythmies si l'activité sinusale est trop rapide, trop lente ou défaillante. L'automatisme anormal peut apparaître dans certaines situations (par ex. ischémie) dans les cellules qui ne font pas partie normalement des centres automatiques.

☐ **L'activité déclenchée**

Elle n'est pas une activité automatique. Elle peut devenir auto-entretenue, mais elle n'est pas auto-initiée. Elle a toujours besoin d'une activité pour être déclenchée et cette activité peut être aussi bien une activité due à un automatisme normal qu'anormal. L'activité déclenchée peut être provoquée tôt, avant que la repolarisation se termine (post-potentiel précoce, « early after-depolarisation »), ou après la fin de la repolarisation (post-potentiel retardé, « delayed after-depolarisation »). La première arrive dans les situations avec prolongement de la repolarisation, par ex. hypokaliémie, QT long, et sous effet toxique de certaines drogues. La deuxième arrive le plus souvent sous intoxication digitalique.

Conduction anormale de l'impulsion

La transmission des impulsions, conductibilité, dépend de deux facteurs majeurs :

— l'efficacité des impulsions produites par la dépolarisation des fibres en amont

— l'excitabilité des fibres en aval

L'*efficacité des impulsions* dépend de l'amplitude du potentiel d'action et de la pente de la phase 0. Donc un potentiel d'action d'une amplitude plus grande, et avec une pente 0 plus raide, est plus efficace et la conduction se fait plus vite. L'amplitude du potentiel d'action dépend de l'état de la polarisation de la membrane. Plus le niveau du potentiel de la membrane au début de la dépolarisation est négatif, plus la pente (dV/dt) de la dépolarisation est rapide. Tout ce qui hypopolarise la membrane (anoxie, augmentation du potassium, quinidine) réduit la pente de la phase 0.

Au contraire, tout ce qui hyperpolarise la membrane (diminution du potassium extracellulaire, augmentation du magnésium) augmente la pente de la phase 0. D'autre part, l'intervalle entre deux impulsions peut influencer indirectement l'efficacité du stimulus. Si la dépolarisation démarre trop tôt, c'est-à-dire avant que la fibre soit pleinement repolarisée de l'excitation précédente (dans la période réfractaire relative, phase 3), il peut en résulter une réduction de l'amplitude et de la pente de la phase 0, la stimulation est alors peu ou pas propagée. De même, si une dépolarisation survient tard dans la diastole, phase 4, et que la dépolarisation diastolique spontanée a entre-temps réduit le potentiel diastolique de la membrane, il peut en résulter une réduction de l'amplitude et de la pente de la phase 0, avec une diminution du potentiel d'action (l'explication des blocs de la phase 3 et de la phase 4).

L'amplitude du potentiel d'action et la pente de la phase 0 dépendent aussi du fait de l'utilisation par la cellule du « canal rapide sodique » ou du « canal lent calcique ». Si, dans certaines conditions pathologiques, la cellule qui travaille normalement avec le canal sodique est obligée d'utiliser seulement le canal « calcique », il en résulte une diminution de l'amplitude et de la pente de la dépolarisation et une conductibilité diminuée. L'excitabilité des fibres en aval dépend en premier lieu du seuil diastolique de stimulation (= force minimale de stimulus capable de produire une dépolarisation totale). Quand, dans certaines conditions, le seuil s'élève, les stimuli, jusqu'à présent effectifs, peuvent devenir inefficaces et la conduction se bloque.

On peut admettre d'une façon générale qu'après un cycle long, le potentiel d'action et la période réfractaire durent plus longtemps. Mais, dans différentes conditions pathologiques, le potentiel de membrane atteint à la fin de la période réfractaire effective peut différer d'une cellule à l'autre, mais aussi dans la cellule elle-même. Ainsi, dans certaines fibres, la dépolarisation peut partir d'un potentiel de membrane plus négatif et avoir une conduction normale, ou d'un potentiel moins négatif et avoir une conduction diminuée.

Des *facteurs anatomiques* influencent aussi la conductibilité, notamment le diamètre de la fibre et son arrangement géométrique. Plus le diamètre de la fibre est grand, plus la transmission des impulsions est facile et rapide. La conduction se fait plus vite dans la direction longitudinale que dans la direction transversale.

La conduction est facilitée si le potentiel de plusieurs fibres passe dans une fibre unique plus large, ou si une région rétrécie est abordée par plusieurs fronts d'ondes d'excitation (sommation des potentiels). Au contraire, la conduction peut être ralentie ou bloquée au niveau de la ramification d'une fibre large ou si un front d'ondes d'activation est distribué d'une région étroite à une région large (structure en éventail). Cela peut expliquer le fait que la conduction antérograde se bloque facilement entre le réseau ventriculaire terminal Purkinje et le myocarde ventriculaire, la conduction rétrograde entre le faisceau de His et le nœud auriculo-ventriculaire. Cela explique aussi la formation d'un bloc unidirectionnel dans les conditions pathologiques.

Tous *ces phénomènes anormaux de la conduction seuls ou combinés peuvent aboutir à* :
— *un bloc* — arrêt ou ralentissement de la propagation de la conduction ;
— *un bloc unidirectionnel* qui est souvent à l'origine de la formation d'un circuit de réentrée, par lequel on explique actuellement le mécanisme de la plupart des arythmies.
Les conditions préalables au développement d'une *réentrée* sont :

— un substrat anatomique (un circuit) ;
— l'existence d'un bloc unidirectionnel sur une partie de ce circuit ;
— un ralentissement de la conduction sur l'autre partie du parcours.
Le substrat anatomique peut être formé par deux voies de conduction
anatomiquement séparées (par ex. voie normale AV + voies accessoires
de conduction auriculo-ventriculaire), par la dissociation longitudinale fonctionnelle de la jonction auriculo-ventriculaire, autour d'une nécrose myocardique ou ectasie pariétale, tout ceci fait une *macroréentrée*, ou par un
petit groupe de fibres dans n'importe quelle région du myocarde,
microréentrée.
Le bloc unidirectionnel ne permet la propagation dans ce circuit pré-
formé que dans un sens. Le ralentissement de la conduction (conduction
lente) doit être suffisant car la durée de conduction sur la totalité du trajet emprunté (circuit) doit être plus longue que la période réfractaire du
tissu proximal à la zone de bloc unidirectionnel. L'interaction de ces facteurs peut permettre soit seulement le retour de l'impulsion à la région
d'origine (par ex. écho auriculaire dans la réentrée jonctionnelle) soit, si
le circuit arrive à se maintenir, une tachycardie par réentrée (par ex. une
tachycardie jonctionnelle) (fig. 14).

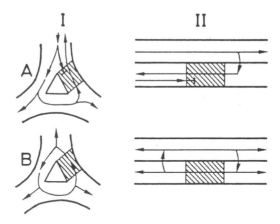

Fig. 14. — *Réentrée par circuit (I) et par dissociation longitudinale (II) (selon
Puech). La zone hachurée indique la région avec le bloc unidirectionnel.
A. phénomène d'écho ; B. réentrée entretenue.*

TRADUCTION SUR L'ECG DE SURFACE

L'activité automatique du nœud sinusal (60-90/min), qui commande normalement le cœur, n'a pas de traduction sur l'ECG de surface. La propagation de l'impulsion à travers les oreillettes se traduit par *auriculogramme*,

onde P. L'activation commence au niveau de l'oreillette droite, puis au niveau de l'oreillette gauche. La sommation donne l'onde P. La traduction de la conduction dans les tractus préférentiels internodaux n'est pas déterminée, mais son altération peut changer la forme et la durée de l'onde P. La fin de l'onde P marque l'entrée de l'impulsion dans la jonction auriculo-ventriculaire. L'intervalle entre le début de l'onde P et le début du complexe ventriculaire, QRS, *intervalle PR* (ou PQ) traduit la conduction à travers les oreillettes et la jonction auriculo-ventriculaire, le faisceau de His et ses branches jusqu'au réseau ventriculaire terminal, Purkinje. La plus grande partie de cet intervalle est due au ralentissement qui se fait physiologiquement au niveau du nœud auriculo-ventriculaire. Ce retard permet la séquence optimale de la contraction auriculo-ventriculaire.

Le *ventriculogramme*, QRS, est la sommation dans le temps des potentiels produits par l'activation du myocarde ventriculaire, en particulier du ventricule gauche, qui représente une masse musculaire plus importante. L'activation commence au niveau du septum interventriculaire et se dirige de gauche à droite et en avant (premier vecteur). Puis c'est l'activation de la paroi libre du ventricule gauche qui se fait vers la gauche en arrière (vecteur II). En dernier lieu, l'activation prend pied dans la partie postérieure du ventricule gauche (vecteur III). Ces trois vecteurs sont responsables de la forme du QRS dans les dérivations précordiales. Le myocarde est activé de l'endocarde vers l'épicarde. La fin du QRS traduit la fin de l'activation et, pendant l'intervalle entre la fin du QRS et le début de l'onde T, segment ST, le myocarde reste dépolarisé. La repolarisation qui se dirige de l'épicarde vers l'endocarde dessine l'onde T, habituellement positive.

Les centres d'automatisme secondaire, jonction auriculo-ventriculaire 40-60/min, et tertiaire, ventriculaire 20-40/min, n'entrent en action que si la fréquence de l'automatisme sinusal se ralentit suffisamment ou si l'impulsion sinusale n'arrive pas jusqu'à la région en question à la suite d'un trouble de conduction. L'automatisme sinusal, par son effet d'«overdrive», retarde habituellement l'apparition des impulsions nées dans un centre d'automatisme secondaire.

BIBLIOGRAPHIE

ARNSDORE M.F. — Membrane factors in arrhythmogenesis : concepts and definitions, *Progr. Cardiovasc. Dis. 19*, 413-429, 1977.

BIGGER J.T., Jr. — Electrophysiology for the clinician, *Eur. Heart J. 5*, suppl. B, 1-9, 1984.

CHILDERS R. — The AV node : normal and abnormal physiology, *Progr. Cardiovasc. Dis. 19*, 361-384, 1977.

CRANEFIELD P.F. et al. — Genesis of cardiac arrhythmias, *Circulation 47*, 190-204, 1973.

FOZZARD H.A. — Cardiac muscle : Excitability and passive electrical properties, *Progr. Cardiovasc. Dis. 19,* 343-359, 1977.

HECHT H.H. et al. — Atrioventricular and intraventricular conduction, *Am. J. Cardiol. 31*, 232-244, 1973.

PUECH P. — Généralités électrophysiologiques, *Revue du Praticien 25*, 3421-3445, 1975.

WATANABE Y., DREIFUS L.S. — Factors controlling impulse transmission with special reference to A-V conduction, *Am. Heart J. 89*, 790-803, 1975.

COMMENT LIRE UN ECG

R. Adamec

L'ECG est l'enregistrement en fonction du temps de la sommation des potentiels d'action émis par le myocarde lors de chacune de ses contractions. Les modifications de ces potentiels sont enregistrées sur un papier déroulé à une vitesse constante (25 mm/s ou 50 mm/s), ou sont visualisées sur un écran (monitoring).

L'*ECG clinique* comprend 12 dérivations, dont 3 dérivations bipolaires (dérivations standards, D_I, D_{II}, D_{III}) et 9 unipolaires (3 unipolaires périphériques aVR, aVL, aVF, dérivations de Goldberg et 6 dérivations unipolaires thoraciques, dérivations précordiales, dérivations de Wilson, V_1-V_6). Les *dérivations standards bipolaires* enregistrent la différence de potentiels entre les membres explorés (D_I = entre bras gauche et bras droit, D_{II} = entre jambe gauche et bras droit, D_{III} = entre jambe gauche et bras gauche). Les points d'enregistrement de ces dérivations représentent en principe les sommets d'un triangle équilatéral inscrit dans le plan frontal du corps, et au milieu duquel se trouve le cœur (triangle d'Einthoven). Les *dérivations unipolaires* enregistrent les modifications de potentiels entre une électrode exploratrice (sur un membre ou sur le thorax) et une électrode dite indifférente au potentiel constant qui correspond pratiquement à zéro. Cette électrode indifférente selon Wilson (borne centrale terminale) est obtenue par raccordement des trois extrémités par des résistances de quelques milliers d'ohms. Les *dérivations unipolaires périphériques* ainsi enregistrées auraient une amplitude trop faible. Pour les augmenter, on utilise un procédé selon Goldberg, qui déconnecte l'extrémité explorée de la borne centrale, qui n'est donc plus constituée que du raccordement de deux extrémités restantes (aVR, aVL, aVF ; a = augmented, R = right, L = left, F = foot). Les *dérivations précordiales unipolaires* de Wilson (V) ont des endroits d'enregistrement bien précisés (AHA, OMS) : V_1 = bord droit du sternum au 4e espace intercostal (EI), V_2 = bord gauche du sternum au 4e EI, V_3 = à mi-distance entre V_2 et V_4, V_4 = à l'intersection entre la ligne médio-claviculaire gauche et le 5e EI, V_5 = à l'intersection entre la ligne axillaire antérieure gauche et le 5e EI,

V_6 = à l'intersection entre la ligne axillaire moyenne gauche et la ligne horizontale passant par V_4 et V_5. On peut ajouter des dérivations complémentaires : V_7 = intersection entre la ligne axillaire postérieure gauche et la ligne horizontale passant par le V_4 ; V_8 = intersection de la ligne médioscapulaire au même niveau. A droite (R), on peut enregistrer les dérivations V_3R (même niveau que V_3 mais à droite), V_4R, etc. Les dérivations précordiales enregistrées en EI plus haut se désignent par un trait, par ex. V_4'.

L'enregistrement simultané de plusieurs dérivations facilite l'interprétation notamment des troubles du rythme. L'enregistrement de 3 dérivations simultanées devrait être un enregistrement de routine.

Pour la surveillance cardiaque (monitoring), on utilise des dérivations bipolaires thoraciques comme par exemple l'électrode positive placée dans le 4 EID, l'électrode négative sur l'épaule gauche (MCL1).

Les *appareils* utilisés en pratique clinique sont actuellement à inscription directe (par ex. plume chauffante, jet d'encre) sur un papier spécial muni d'un quadrillage composé de traits verticaux fins (distants de 1 mm = 0,04 s ou 0,02 s), de traits verticaux gras (distants de 0,5 cm = 0,2 s ou 0,10 s), et de traits horizontaux fins de 1 mm et gras de 0,5 cm. L'enregistrement doit toujours être fait de telle façon qu'une oscillation de 1 mV corresponde à 1 cm. La courbe d'étalonnage de 1 mV sert de contrôle et doit accompagner chaque enregistrement. Un enregistrement correct sans artefacts (malpositions des électrodes périphériques, courant alternatif de 50 cycles, tremblement musculaire, etc.) est la condition sina qua non d'une interprétation juste. Le bon contact des électrodes (eau salée, pâte), la mise à terre, un malade calme, évitent l'utilisation du « filtre » qui peut modifier le tracé.

Le *tracé ECG* comporte un auriculogramme (onde P 0,10 s) et un ventriculogramme (complexe QRS et ondes T et U) (fig. 15).

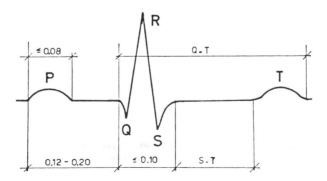

Fig. 15. — *Tracé ECG comportant un auriculogramme (onde P) et un ventriculogramme (complexe QRS et onde T).*

L'onde P correspond à l'activation des deux oreillettes. La repolarisation auriculaire (onde Ta) n'est en général pas visible sur le tracé ; de faible amplitude, elle est noyée dans le complexe QRS. Le complexe ventriculaire est composé d'une partie rapide (dépolarisation, activation) QRS (0,10 s), et d'une partie lente (repolarisation T, U). La première déflexion négative est nommée onde Q, la première déflexion positive R, la deuxième déflexion négative S. L'onde S est donc toujours précédée d'une onde R. Une seule onde négative faisant le complexe ventriculaire est dénommée QS. Une onde positive supplémentaire est R', négative S'. L'utilisation des majuscules ou minuscules veut donner dans le texte le reflet de l'amplitude des ondes. L'onde T représente la repolarisation ventriculaire. L'origine de l'onde U reste incertaine. Entre le début de l'auriculogramme (P) et le début du ventriculogramme (QRS) se trouve l'intervalle PR (ou PQ), qui correspond au temps de la conduction auriculo-ventriculaire (normale 0,12-0,20 s). Il est à sa fin horizontal et sert de référence (ligne isoélectrique) pour déterminer la positivité ou la négativité d'une onde ou d'un sous-décalage ou sus-décalage d'un segment. L'intervalle entre la fin du QRS et le début de l'onde T *(intervalle, segment ST)* témoigne de l'activation complète du myocarde ventriculaire, et il se situe au niveau isoélectrique. L'*intervalle QT* (du début du complexe ventriculaire à la fin de l'onde T) correspond à la systole ventriculaire électrique. Il dépend de la fréquence cardiaque (pour une fréquence de 70/min, il mesure 0,36 s).

Les forces d'activation (dépolarisation) et de repolarisation n'apparaissent pas simultanément, mais se propagent les unes après les autres, d'un point à un autre du myocarde. Certaines forces se développent dans la même direction et s'additionnent, d'autres s'orientent dans des directions opposées et se contrebalancent. L'équilibre qui s'établit détermine le champ électrique du cœur, et on peut le représenter par un vecteur moyen. Les vecteurs du QRS, de P et T peuvent ainsi être projetés sur des systèmes de référence : les dérivations périphériques sur un système de référence dans le plan frontal, les dérivations précordiales dans le plan horizontal. Dans la pratique clinique, on se contente d'une détermination approximative de l'*axe électrique* moyen manifeste du QRS, de P ou T, dans le plan frontal :
l'axe est perpendiculaire à la dérivation périphérique où la somme algébrique des déflexions positives et négatives est égale à zéro ;
l'axe se dirige vers la dérivation « positive » ;
l'axe est situé entre les deux dérivations voisines les plus « positives ».
L'*ECG normal* représente un enregistrement de l'activation du cœur par l'automatisme du nœud sinusal quand le cheminement de l'impulsion suit les voies de conduction normales dans un temps normal, et active la musculature auriculaire et ventriculaire jugée normale pour l'âge et le sexe, et ayant un métabolisme et un équilibre ionique normaux.
Le *rythme sinusal normal* correspond aux critères suivants :
l'onde P présente un axe normal entre 0 et 90° ;
l'intervalle PR est constant et sa durée normale (0,12-0,20 s) ;
la configuration de l'onde P reste constante dans une dérivation donnée ;
l'intervalle PP (et RR) reste constant (variation de moins de 5 %) ;

la fréquence cardiaque se situe entre 60-100/min. Au-dessus, il s'agit d'une tachycardie sinusale, en dessous d'une bradycardie sinusale.

Toute interprétation d'un ECG doit commencer par une détermination du rythme cardiaque. Le rythme peut être sinusal, le rythme sinusal peut être perturbé par une arythmie (= tout ce qui n'est pas le rythme sinusal normal), ou c'est une arythmie qui commande le cœur sans qu'on trouve de complexe d'origine sinusale.

L'interprétation des *arythmies* nécessite une analyse :

de l'onde P ;

du complexe QRS ;

du rapport entre les ondes P et QRS ;

des événements prématurés ;

des pauses et des événements tardifs.

Un enregistrement assez long dans une ou plusieurs dérivations synchrones où l'onde P est bien distincte est souvent indispensable.

1) L'*onde P* (en dehors de l'origine sinusale) peut être d'origine auriculaire (changement de morphologie et/ou de l'axe), d'origine rétrograde (P'), provenant de l'activation des oreillettes par une impulsion née dans la jonction AV ou le ventricule, et reconduite par le nœud auriculo-ventriculaire — elle est de sens opposé, son aspect est souvent négatif. Elle peut être invisible — noyée dans le QRS (P' rétrograde) —, peut être absente et remplacée par des ondes « f » de *flutter* (fréquence de 250 à 350/min) ou de *fibrillation* (plus de 350/min).

2) Il est nécessaire de déterminer si le complexe QRS est l'expression d'une impulsion supraventriculaire (du nœud sinusal, oreillettes, jonction AV) conduite aux ventricules, ou s'il s'agit d'une ectopie ventriculaire. Si le complexe QRS est large, il peut être soit d'origine ventriculaire ectopique, soit d'origine supraventriculaire et traduire une aberration de la conduction intraventriculaire momentanée, temporaire ou chronique.

3) Dans le rapport entre P et QRS, il faut déterminer si chaque complexe QRS est précédé ou suivi d'une onde P, et si l'intervalle PR (ou RP') est constant. Si le rapport est inconstant, il existe une dissociation AV ; s'il existe plus d'ondes P que de QRS, il existe un bloc AV.

4) Un complexe qui apparaît prématurément (c'est-à-dire plus tôt que prévu selon le rythme précédent) est habituellement une extrasystole (d'origine supraventriculaire ou ventriculaire), mais il peut aussi s'agir d'une parasystolie ou d'une capture.

5) Quand le rythme sinusal est interrompu par une *pause*, il peut s'agir :

d'un BAV du 2e degré — dans ce cas on trouve une onde P sinusale non conduite vers les ventricules ;

d'un BSA du 2e degré — dans ce cas, pendant la pause l'onde P manque aussi, et la pause fait le double d'un cycle sinusal normal ;

d'une extrasystole auriculaire bloquée (non conduite vers les ventricules) — on trouve une onde P prématurée et différente ;

d'une extrasystole jonctionnelle cachée ;

de l'expression d'une irrégularité sinusale (par ex. arythmie sinusale respiratoire).

La pause se termine souvent par un *échappement* (jonctionnel ou ventriculaire selon le niveau où elle se fait), ce qui n'est que l'expression de l'activité normale d'un centre d'automatisme secondaire (ou tertiaire) libéré de la domination sinusale. L'échappement est toujours un élément tardif, qui apparaît plus tard que ne devrait survenir un complexe sinusal. Si la cause responsable de la pause persiste, un *rythme d'échappement* peut s'installer.

Après avoir déterminé le rythme qui domine le cœur et la nature de l'arythmie éventuelle, nous soumettons à *l'analyse* l'*auriculogramme d'origine sinusale* (s'il existe) — l'onde P qui peut être « mitrale » ou « pulmonaire » en traduisant l'*hypertrophie de l'oreillette gauche ou droite* — et le *ventriculogramme d'origine supraventriculaire* (QRST). La partie d'activation du ventriculogramme *(complexe QRS)* présente une configuration particulière dans chaque dérivation, et l'ECG normal présente une grande variabilité (âge, sexe, constitution, influences extracardiaques, etc.). Dans les dérivations périphériques, le QRS change selon sa projection sur l'axe frontal, présentant l'onde R ou S comme sa plus grande déflexion. L'onde Q reste toujours petite, ne dépassant pas le quart de l'onde R dans la même dérivation, et durant moins de 0,04 s. Dans les dérivations thoraciques, le déroulement de l'activation du ventricule gauche (physiologiquement prédominant) fait apparaître l'image de rS dans les dérivations dites précordiales droites (V_1, V_2) et l'image de qR dans les précordiales gauches (V_5, V_6). Le rapport R/S augmente progressivement de droite à gauche (de V_1 à V_6). Les dérivations V_3 et V_4 font la zone de transition. Dans les conditions pathologiques, le QRS modifie sa projection sur le plan frontal — dans les dérivations périphériques ; le déroulement du rapport R/S et la durée de la déflexion intrinséquoïde (dans les dérivations précordiales), sa configuration (apparition de l'onde Q ou QS pathologique), son amplitude et sa durée (0,1 s). Ces conditions pathologiques sont surtout : l'hypertrophie ventriculaire gauche, droite ou biventriculaire, différents troubles de la conduction intraventriculaire (bloc de branche gauche, droit, bloc fasciculaire antérieur, postérieur, leur combinaison, troubles non spécifiques) et la nécrose de l'une ou de l'autre partie du myocarde du ventricule gauche.

Le phénomène de *repolarisation ventriculaire (onde T)* est complexe déjà par le fait que la repolarisation se déroule pendant la systole mécanique, et est par conséquent soumise à des forces de contraction et à l'augmentation du gradient de pression qui s'exerce sur la paroi ventriculaire. En général, l'onde T est normalement positive sauf en aVR et en V_1 (jusqu'à l'âge de 30 ans). Les changements de l'onde T peuvent être « *secondaires* », répondant à une perturbation de la dépolarisation (par ex. dans le bloc de branche) ou « *primaires* » liés à des altérations de la cellule myocardique. Le *segment ST* est normalement isoélectrique et horizontal. Il peut se déplacer vers le haut — surélévation (sus décalage) — ou vers le bas — sous-dénivellation (sous-décalage) — en restant horizontal ou en s'inclinant vers le haut ou vers le bas (ST oblique). Parmi les *modifications « primaires »*, c'est surtout l'ischémie (onde de Pardee, T coronaire, sous- ou sus-décalage ST horizontal), le métabolisme du potassium (hypo-

et hyperkaliémie) et du calcium, l'effet de la digitale, des antiarythmiques, l'effet toxi-infectieux, l'inflammation du péricarde, etc. Il existe aussi de nombreux facteurs physiologiques qui peuvent modifier la phase de repolarisation (l'effort, la prise de nourriture, le changement de position du corps, etc.). L'interprétation de la phase de repolarisation reste la partie la plus délicate de l'électrocardiographie. L'ECG est un examen cardiologique dont l'importance est évidente. Il nous apporte des arguments précis, parfois même décisifs dans le diagnostic. Il ne faut toutefois pas surestimer sa valeur et ses possibilités.

BIBLIOGRAPHIE

COOKSEY J., DUN M., MASSIE E. — *Clinical vectorcardiography and electrocardiography,* Year Book Medical Publ., London, 1977.
LYON L. — *Basic electrocardiography handbook.* Van Nostrand Reinold Comp., New York, 1977.

TROUBLES DU RYTHME ET DE LA CONDUCTION

R. Adamec

Le trouble du rythme le plus fréquent est l'*extrasystole.* C'est une impulsion prématurée (d'apparition plus précoce que l'impulsion sinusale attendue) qui est causée ou forcée par l'impulsion précédente, et avec laquelle elle garde en général un rapport fixe (temps de couplage). L'extrasystole peut naître dans les cellules douées d'automatisme ou dans celles qui, dans les conditions pathologiques, peuvent devenir « automatiques ». Actuellement, on explique leur mécanisme d'origine par le phénomène de réentrée. Cette réentrée peut avoir lieu en particulier dans les oreillettes, la jonction auriculo-ventriculaire (= *extrasystoles supraventriculaires*), dans les branches du faisceau de His et le réseau ventriculaire terminal (= *extrasystoles ventriculaires*).

Les *extrasystoles supraventriculaires (ESSV)* présentent une onde P' différente du P sinusal par sa morphologie et son axe, qui précède le QRS, le suit, ou qui peut être noyée invisible dedans. Le rapport entre l'onde P' et le complexe QRS (P-R ou R-P') ne dépend pas seulement du lieu d'origine de l'ESSV, mais aussi du temps que l'ESSV met pour activer les oreillettes et les ventricules (lequel dépend en particulier de la période réfractaire des voies de conduction AV). Une morphologie de l'onde P' proche de l'onde P sinusale (axe, configuration) évoque plutôt une origine auriculaire proche du nœud sinusal. Cependant, il est préférable de se contenter du diagnostic d'ESSV. Le complexe QRS est en général de type «supraventriculaire», c'est-à-dire fin (0,10), ne se différenciant pas du QRS du rythme sinusal. Bien que l'impulsion utilise la voie de conduction AV normale, l'aspect du QRS peut être modifié — aberrant, car l'impulsion, par sa précocité, peut trouver une partie de ces voies en période réfractaire. Cela arrive souvent pour une ESSV très précoce (phase 3). L'aberration du QRS a habituellement un aspect de bloc de branche droit, un vecteur initial du QRS similaire au QRS sinusal, en V_1 une image de rSR' et en V_6 de qR, qRs ou qRS. En activant l'oreillette droite, l'ESSV décharge habituellement le nœud sinusal, et provoque ainsi un décalage du rythme sinusal. La *pause* qui suit est dite « *incomplète* », moins que le double du cycle sinusal précédant l'ESSV. Une pause extrasystolique complète (« repos compensateur ») n'exclut pas l'origine supraventriculaire de l'extrasystole, elle signifie seulement que l'extrasystole n'a pas déchargé le nœud sinusal protégé par une sorte de « bloc d'entrée ». L'ESSV peut aussi être *interpolée*, c'est-à-dire entre deux complexes sinusaux sans perturber le rythme. Enfin, l'ESSV peut se bloquer complètement au niveau de la conduction AV, et l'onde P' n'est suivie d'aucun complexe QRS — *ESSV bloquée*. Le diagnostic différentiel avec un BAV du 2e degré est donné par la prématurité de l'onde P' et par sa morphologie « extrasystolique ».

Les ESSV sont habituellement isolées et bénignes, mais peuvent devenir fréquentes avec une morphologie de l'onde P' variable, et représenter ainsi un état préfibrillatoire, aboutissant à une fibrillation auriculaire.

Les *extrasystoles ventriculaires (ESV)* présentent un complexe QRS large (0,12) ressemblant à un bloc de branche, sans qu'il y ait une conduction rétrograde vers les oreillettes, donc sans P' rétrograde et sans décharge du nœud sinusal provoquant le décalage du rythme. L'ESV typique est ainsi accompagnée d'un « *repos compensateur complet* » dont la durée est le double de la période sinusale précédente. Le nœud sinusal produit une impulsion en temps voulu, active les oreillettes, mais l'onde P est noyée dans le complexe QRST de l'ESV et ne peut pas être conduite vers les ventricules, car ceux-ci se trouvent dans la période réfractaire absolue après l'activation extrasystolique. Cependant, la conduction rétrograde vers les oreillettes n'est pas rare, et une ESV peut être suivie d'une onde P' rétrograde ; cette rétroactivation auriculaire peut décharger le nœud sinusal et décaler ainsi son rythme (pause incomplète).

Le *diagnostic différentiel entre une ESV et une ESSV avec aberration du complexe QRS* peut devenir difficile. Les arguments en faveur d'une origine ventriculaire sont :

— une configuration monophasique (R ou S) ou biphasique (Rr') en V_1 ;

— un complexe QS ou rS en V_6 ;

— des complexes seulement positifs ou seulement négatifs dans toutes les dérivations précordiales ;

— un axe extrême du QRS dans le plan frontal.

(Voir plus haut pour les arguments en faveur d'une aberration). Dans le doute, le tableau clinique décide et, dans les cas où une origine ventriculaire est très probable (infarctus du myocarde, intoxication digitalique, etc.), on préfère pencher vers l'origine ventriculaire.

Les ESV deviennent importantes si elles sont fréquentes, d'aspect polymorphe (QRS de formes différentes), très précoces (tombant au sommet de l'onde T du complexe précédent — ESV R/T — dans la phase « vulnérable »), en bi- ou trigéminisme (1 systole et 1-2 ES). Plus de 3 extrasystoles de suite font une tachycardie.

Tachycardie supraventriculaire (TSV) : C'est une séquence de plus de 3 ESSV, dont elle garde les caractéristiques électrocardiographiques. Sa fréquence habituelle est de 150-220/min. Elle commence par une ESSV et elle se termine par une pause. Sa fréquence varie légèrement au début (quand elle s'installe) et souvent elle s'arrête en s'accélérant légèrement. Les ondes P' sont souvent difficiles à identifier. La TSV est fréquente chez les porteurs des voies de conduction AV accessoires (syndrome de WPW et syndrome de PR court), où le circuit de la réentrée se fait à travers la voie accessoire (macro-réentrée).

Le *flutter auriculaire* est une arythmie rare où l'activité auriculaire est rapide (fréquence de 250-350/min), mais reste coordonnée. Les ondes « F » de flutter sont donc régulières et, au moins dans une dérivation, ont l'aspect de « dents de scie » sans qu'on puisse trouver entre eux une ligne isoélectrique. La conduction vers les ventricules se fait soit régulièrement avec un blocage de 2 : 1, 3 : 1, 4 : 1, et avec un rythme ventriculaire en résultant régulier, soit irrégulièrement avec un blocage variable (le rythme ventriculaire devient ainsi irrégulier). Il n'arrive heureusement que rarement que chaque ondulation auriculaire (« F ») soit conduite aux ventricules *(flutter débloqué)*, obligeant les ventricules à suivre la cadence élevée du flutter. Le flutter auriculaire peut être aussi paroxystique, transitoire ou permanent. Il apparaît dans les mêmes circonstances que la fibrillation auriculaire (voir plus loin), mais plus rarement, et souvent il se dégrade en elle.

La *tachycardie auriculaire avec bloc (tachysystolie auriculaire)* est une arythmie particulière ressemblant au flutter auriculaire. Les signes distinctifs sont la fréquence auriculaire (entre 150-250/min) et la forme des ondes auriculaires qui garde le caractère des ondes P, ayant une ligne isoélectrique entre elles. Son importance est dans le fait qu'elle apparaît souvent comme une arythmie de l'intoxication digitalique (et/ou hypokaliémie). Elle peut aussi exister en dehors de tout traitement par digitale, sans qu'on puisse démontrer une hypokaliémie, et être dans cette forme très rebelle. Le bloc AV est de rapport différent (2-3-4 : 1), variable, quelquefois avec le phénomène de Wenckebach.

La *fibrillation auriculaire* est une arythmie où l'activation coordonnée des oreillettes est remplacée par une activation rapide et incoordonnée. Cela se traduit à l'ECG par l'absence des ondes P, qui sont remplacées par des ondes « f » d'amplitude, de morphologie et de chronologie variables et anarchiques d'une fréquence entre 350 et 600/min. Les excitations sont irrégulièrement conduites vers les ventricules, étant « filtrées » surtout au niveau du nœud auriculo-ventriculaire, et donnant des complexes QRS de type supraventriculaire qui se succèdent dans une arythmie absolue (intervalle

R-R inconstant). La fibrillation auriculaire est habituellement (au moins au début) paroxystique et rapide, avec une fréquence ventriculaire de 120-160/min, mais peut devenir une arythmie permanente, chronique. Les complexes QRS peuvent montrer une aberration plus ou moins prononcée due à la fréquence élevée et aussi à la superposition avec des ondes « f ». La fibrillation auriculaire accompagne en clinique des cardiopathies avec dilatation des oreillettes (rétrécissement mitral, maladie mitrale, insuffisance mitrale, communication interauriculaire), les hyperthyroïdies, la péricardite aiguë ou chronique (constrictive), les coronaropathies et le cœur pulmonaire chronique. Il n'est cependant pas rare de ne trouver aucun signe d'une cardiopathie quelconque, la fibrillation auriculaire peut être alors le seul symptôme d'une atteinte cardiaque. Une *fibrillation auriculaire lente* (avec une réponse ventriculaire lente) devrait faire penser à un trouble au niveau de la conduction auriculo-ventriculaire.

La *tachycardie ventriculaire (TV)* est une séquence de plus de 3 ESV de suite. Sa fréquence habituelle est de 180-250/min. Elle est souvent précédée (annoncée) par des ESV et, après son arrêt, il persiste des ESV. Son aspect classique à l'ECG est donné par :

— les complexes ventriculaires anormaux ($> 0,12$ s) ;

— la dissociation du rythme auriculaire, qui reste plus lent que le rythme ventriculaire et dont l'expression (onde P) peut être retrouvée le long du tracé plus ou moins noyée dans le QRST. Ceci provient de l'absence de conduction rétrograde aux oreillettes ;

— les ESV de forme similaire aux complexes QRS de la TV avant et après l'accès ;

— l'existence de *captures* supraventriculaires et de *complexes de fusion*.

Si, pendant la TV, une impulsion sinusale (marquée par l'onde P) survient au moment où elle peut être conduite aux ventricules (en dehors de la période réfractaire), elle y est conduite, ce qui se présente à l'ECG comme un complexe QRS fin — supraventriculaire — apparaissant plus tôt que le complexe QRS suivant de la TV *(capture).* Le *complexe de fusion* apparaît comme un complexe QRS plus fin et différent du complexe de la TV, et témoigne que l'activation des ventricules a été faite en même temps par l'impulsion supraventriculaire (sinusale) — la capture, et par l'impulsion ventriculaire (de la TV).

La tachycardie ventriculaire peut être *soutenue*, quand elle dure plus de 30 secondes (arbitraire), ou quand elle doit être interrompue plus tôt à cause d'une dégradation hémodynamique. La TV de moins de 30 secondes est appelée *non soutenue.*

Le *diagnostic différentiel ECG des TSV et TV* est souvent difficile du fait que la TV induit assez fréquemment une conduction rétrograde au niveau auriculaire, et que la TSV peut présenter les complexes aberrants. Bien que le diagnostic précis puisse être fait par l'enregistrement ECG œsophagien ou endocavitaire, la situation clinique exige souvent une décision plus rapide et, dans ce cas, *devant une tachycardie aux complexes QRS larges et avec une dissociation AV chez un coronarien* (infarctus du myocarde et ses suites), *on préfère poser le diagnostic d'une TV et la traiter comme telle.*

Le *flutter ventriculaire* représente une phase encore réversible de la fibrillation ventriculaire avec des ondulations plus régulières et plus grandes, mais néanmoins sans qu'on puisse distinguer les complexes QRS et des ondes T. La fréquence dépasse 250/min.

La *fibrillation ventriculaire* présente un tracé chaotique de fréquence rapide et irrégulière, aux déflexions qui changent constamment de forme et d'amplitude. Elle cause l'arrêt circulatoire car il n'y a plus de contractions ventriculaires coordonnées. Elle n'est pas spontanément réversible.

ARYTHMIES PAR ACCÉLÉRATION DES RYTHMES ECTOPIQUES

Les centres d'automatisme secondaire (jonction auriculo-ventriculaire) et tertiaire (réseau terminal-Purkinje) peuvent s'accélérer et prendre le commandement du cœur notamment si, en même temps, le nœud sinusal est lent ou se ralentit. On peut trouver ainsi le *rythme jonctionnel accéléré*, de fréquence entre 60-100/min. Sur le tracé, le rythme sinusal lent ou se ralentissant est remplacé progressivement par un rythme jonctionnel avec des complexes QRS fins et des ondes P rétrogrades. Quand le nœud sinusal s'accélère (ou si le rythme jonctionnel se ralentit), le rythme sinusal reprend le commandement. Le *rythme (idio) ventriculaire accéléré (RIVA)* (40-100/min) fait le même tableau, avec la différence que les complexes QRS sont larges et qu'il n'y a pas toujours une conduction rétrograde vers les oreillettes. Dans ce cas, on peut voir une dissociation auriculo-ventriculaire avec des captures et des complexes de fusion.

TROUBLES DE CONDUCTION

Les troubles de conduction peuvent se produire à n'importe quel niveau du cœur. Les plus importants (et fréquents) se situent au niveau de la *conduction sino-auriculaire, auriculo-ventriculaire* et *ventriculaire*. Le trouble de la conduction peut se présenter comme un retard (conduction retardée) ou une faillite de la conduction (« non-conduction ») et on les appelle *bloc*. On distingue *3 degrés de bloc* :
— 1er degré : *conduction retardée* ;
— 2e degré : *conduction incomplète* (chaque impulsion n'est pas conduite) et ;
— 3e degré : *non-conduction* (aucune impulsion n'est conduite) *bloc complet.*
Le bloc du 2e degré peut se présenter sous deux formes : *type I (Wen-*

kcebach) où l'impulsion bloquée est précédée d'une prolongation du temps de conduction ; *type II (Mobitz II)* où l'impulsion bloquée est précédée et suivie d'impulsions conduites avec un temps de conduction fixe.

BLOCS AU NIVEAU SINO-AURICULAIRE (BSA)

BSA du 1er degré

Existe mais n'est pas visible à l'ECG de surface, l'activité du nœud sinusal n'ayant pas de traduction ECG.

BSA du 2e degré type I (Wenckebach)

La prolongation progressive de la conduction sino-auriculaire raccourcit l'intervalle P-P jusqu'à l'apparition d'une pause sinusale qui ne fait pas complètement le double du dernier intervalle P-P.

BSA du 2e degré type II (Mobitz II)

Signifie une interruption intermittente de la conduction entre le nœud sinusal et l'oreillette. Sur un tracé sinusal, on voit l'absence soudaine de complexe cardiaque complet (PQRST), et cette pause représente le double (ou multiple) de l'intervalle P-P.

BSA du 3e degré (non discernable d'un arrêt sinusal)

Se présente comme un arrêt cardiaque complet jusqu'à ce qu'un centre d'automatisme secondaire (jonction auriculo-ventriculaire) ou tertiaire (réseau ventriculaire terminal) prenne la relève.

BLOCS AU NIVEAU AURICULO-VENTRICULAIRE (BAV)

BAV du 1er degré

Il se présente sur le tracé comme un allongement de l'intervalle P-R (P-Q) au-dessus de 0,20 s. Cette valeur n'est pas absolue, il faut tenir compte de l'âge et de la fréquence cardiaque.

BAV du 2e degré type I (Wenckebach)

Se caractérise par un allongement progressif de l'intervalle P-R aboutissant à une onde P non conduite. Le PR suivant la pause est le plus court. Dans sa forme classique, l'allongement du PR est le plus grand entre le

premier et le deuxième complexe après la pause, puis l'allongement diminue. Par conséquent, les intervalles R-R deviennent progressivement plus
courts.

BAV du 2e degré type II (Mobitz II)

Il est caractérisé par une absence de conduction de l'impulsion après
un nombre variable d'impulsions conduites avec un temps de conduction
constant. Les deux types présentent donc un rapport de conduction
auriculo-ventriculaire d'une forme générale de 3 : 2, 4 : 3, 5 : 4, etc., le
type I (Wenckebach) montrant un allongement progressif de l'intervalle P-R,
le type II ayant un intervalle P-R constant (normal ou allongé).

BAV du 2e degré 2 : 1

En présence de ce type de bloc, qui se caractérise par deux ondes P
pour un complexe QRS, on ne peut pas déterminer s'il s'agit d'un BAV
du 2e degré de type I ou II ; il suffit souvent de changer la fréquence cardiaque (accélérer ou ralentir) pour faire apparaître soit des périodes de
Wenckebach, soit les caractéristiques d'un BAV Mobitz II.

BAV de forme 3 : 1, 4 : 1, etc.

C'est une forme particulière (plus grave) d'un BAV du 2ème degré qu'on
appelle aussi BAV du 2e degré avancé (de préférence à BAV de haut degré).

BAV du 3e degré (BAV complet)

Il représente un arrêt de la conduction au niveau AV avec une activation indépendante et plus lente des ventricules. La fréquence du rythme
ventriculaire ne peut pas dépasser la fréquence propre du centre d'automatisme (secondaire ou tertiaire), assumant la relève. Sur le tracé, on voit
donc l'activité auriculaire (P) indépendante de l'activité plus lente des ventricules (QRS).
Les blocs peuvent être intermittents — occasionnels, temporaires ou chroniques. Même un malade qui présente un BAV complet peut avoir, en
dehors des accès, un ECG tout à fait normal.
La localisation du niveau du BAV revêt une importance clinique car les
blocs situés au niveau du nœud auriculo-ventriculaire ont une évolution
et un pronostic plus favorables que ceux situés en aval au niveau du faisceau de His et de ses branches. Les BAV situés en aval du nœud auriculo-
ventriculaire sont pratiquement toujours organiques, et le rythme de substitution est souvent trop lent. L'intervalle P-R, qui reflète la conduction
entière entre le nœud auriculo-ventriculaire et le myocarde des ventricules, ne nous donne pas les renseignements nécessaires pour localiser le bloc.
De plus, un P-R de durée normale peut cacher un bloc du 1er degré au
niveau His-Purkinje. Le niveau exact du bloc peut être déterminé par l'enregistrement endocavitaire du faisceau de His (voir ce chapitre). En clini-

que, on peut, dans certains cas, localiser le niveau du bloc grâce aux éléments suivants : Le *BAV du 1er* degré est habituellement situé au niveau du nœud auriculo-ventriculaire (dans 80 % des cas environ), surtout si le QRS est fin (0,08). Si, à l'effort ou sous Atropine, on arrive à raccourcir l'intervalle P-R à sa valeur minimale (120 ms), une localisation au nœud auriculo-ventriculaire est pratiquement sûre. Dans un BAV du ler degré avec un QRS large (bloc de branche), le bloc est probablement localisé au-dessous du nœud auriculo-ventriculaire. Le *BAV du 2e degré type II (Mobitz II)* est exclusivement localisé dans le faisceau de His et ses branches, si on applique avec exactitude les critères ECG de diagnostic (P-R fixe). Le *type I (Wenckebach)* peut être localisé dans n'importe quelle partie des voies de conduction AV, avec une prédominance (70 % environ) pour le nœud auriculo-ventriculaire. Le massage carotidien à gauche (stimulation vagale) augmente les blocs situés au niveau du nœud auriculo-ventriculaire, et peut améliorer (ou même faire disparaître) à droite les blocs situés en aval par le ralentissement sinusal. L'Atropine peut paradoxalement aggraver le bloc a-v au niveau H-V en améliorant la conduction dans le nœud AV. Ces manœuvres nous permettent quelquefois aussi de trancher entre le type I et II dans le BAV 2 : 1. Le *BAV complet* peut exister au niveau du nœud auriculo-ventriculaire, du faisceau de His et de ses branches. Si le rythme de substitution présente des QRS larges, et que le malade avait avant l'apparition du bloc en rythme sinusal des QRS fins, le bloc est situé en aval du nœud auriculo-ventriculaire. Le rythme de substitution est alors d'origine ventriculaire, lente (25-45) et ne s'accélère ni à l'effort, ni sous Atropine. Un BAV complet avec QRS fin signifie habituellement que le bloc siège au niveau nodal, sauf s'il s'agit d'un bloc au niveau du tronc commun du faisceau de His.

BLOCS INTRAVENTRICULAIRES (fig. 16)

Bloc de branche gauche

a) QRS 0,12 s ;
b) absence de l'onde « r » en V_1 ;
c) absence de l'onde q septale en V_5-V_6 ;
d) modifications secondaires du ST-T dans les précordiales gauches ;
e) onde R large (en M) dans les précordiales gauches.

Bloc de branche droit

a) QRS 0,12 s ;
b) onde R large ou plutôt RR' dans les précordiales droites ;
c) modifications secondaires du ST-T dans les précordiales droites ;
d) S large en V_6.

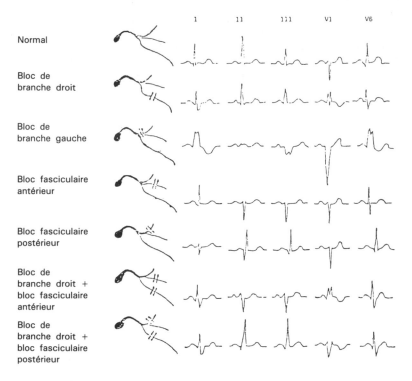

FIG. 16. — *Troubles de la coordination : blocs intraventriculaires.*

Les *blocs de branche incomplets* gardent les mêmes caractéristiques, seulement le QRS est moins large (0,10-0,12). Le *bloc de branche complet* signifie une absence de conduction dans la branche concernée ou un retard si important que l'activation du ventricule se fait exclusivement par la branche contre-latérale. Le bloc de branche incomplet indique un délai dans l'activation du ventricule tel qu'il permet l'activation partielle par la branche contre-latérale. Le *bloc fasciculaire antérieur* (hémibloc antérieur gauche) est l'image électrocardiographique d'un bloc dans le faisceau antérieur de la branche gauche (présomption) : déviation axiale gauche (- 45° et plus) avec q en aVL, QRS entre 0,08-0,10. *Bloc fasciculaire postérieur* (hémibloc postérieur gauche) : le bloc dans le faisceau postérieur (présumé) de la branche gauche : axe au-delà de 110° avec S1 S3, QRS 0,08-0,10. Une autre cause de déviation axiale droite (hypertrophie ventriculaire droite) doit être exclue.

Ces blocs fasciculaires peuvent accompagner le BBD. Cette combinaison est souvent appelée *bloc bifasciculaire* mais, dans cette dénomination, on considère la branche droite comme un faisceau, ce qui n'est pas juste. Il serait mieux de parler de bloc de branche droit et bloc fasciculaire (gauche ou droit). Le *bloc trifasciculaire* veut dire qu'en plus du bloc de branche droit et d'un bloc fasciculaire, il existe des signes de bloc (retard) dans le faisceau restant (troisième) signalé à l'ECG par un P-R long.

Par *bloc intraventriculaire non spécifique*, on entend les troubles de conduction localisés dans les ventricules qui ne font pas l'image spécifique d'un bloc (bloc de branche, bloc fasciculaire). Cette appellation est préférable à celle de bloc d'arborisation, « peri-infarction block », etc.

Dans l'*étiologie* des troubles de conduction, on trouve l'hypersensibilité aux réflexes vagaux (pendant une anesthésie, une intervention), les BAV étant situés dans le nœud auriculo-ventriculaire ; l'effet toxique de la digitale et des antiarythmiques, l'effet toxi-infectieux, l'infarctus du myocarde (diaphragmatique pour le BSA et le BAV situé au nœud auriculo-ventriculaire, antérieur pour le BAV mitranodal), une fibrose idiopathique au niveau des branches (maladie de Lenègre, de Lew) ou au niveau du nœud sinusal, les cardiomyopathies, les valvulopathies rhumatismales calcifiées et différentes formes chroniques de la maladie coronarienne. Le BAV peut aussi être congénital, ou post-chirurgical (voir aussi le chapitre pacemakers).

SIGNIFICATION CLINIQUE DES TROUBLES DU RYTHME ET DE LA CONDUCTION

L'importance des arythmies dépend en premier lieu de leur influence sur l'hémodynamique. Les plus graves, fibrillation et flutter ventriculaires, signifient un arrêt circulatoire. De même, un arrêt se produit souvent à l'occasion de l'installation d'un BAV ou d'un BSA complet avant qu'un rythme de substitution n'apparaisse. L'arrêt circulatoire d'apparition brutale se manifeste cliniquement par le syndrome d'Adams-Stokes. Le malade pâlit, tombe en perdant conscience, sa respiration devient ample, bruyante, la cyanose remplace la pâleur et les convulsions apparaissent. Dans les blocs, le rythme de substitution rétablit la circulation et le malade reprend conscience. Une bradycardie au-dessous de 20 peut donner le même tableau, ainsi qu'une tachycardie ventriculaire trop rapide, un flutter auriculaire débloqué, et aussi une fibrillation auriculaire chez un porteur du syndrome de WPW, car les impulsions rapides de la fibrillation auriculaire peuvent passer plus facilement par le faisceau de Kent sans être « filtrées » dans le nœud auriculo-ventriculaire. D'autres arythmies peuvent revêtir une importance clinique par leur capacité potentielle de provoquer des arythmies graves (par ex. des ESV R/T peuvent provoquer une tachycardie ventriculaire ou une fibrillation ventriculaire), les blocs du 1er ou du 2e degré peuvent évoluer vers des BAV complets. Enfin, les conséquences hémodynamiques des arythmies en général dépendent d'une part de la fréquence ventriculaire, de la durée de l'arythmie, de la conservation (ou non) de la séquence auriculo-ventriculaire, de l'irrégularité des cycles cardiaques et, d'autre part, de la cardiopathie sous-jacente éventuelle, de l'état fonctionnel du myocarde et de l'état circulatoire dans différents organes, notamment dans le cerveau.

Le danger particulier de la fibrillation auriculaire (moins du flutter auriculaire) consiste en des complications thrombo-emboliques ayant leur origine dans des oreillettes habituellement déjà dilatées.

EXPLORATIONS ÉLECTROPHYSIOLOGIQUES

M. Zimmermann

NON INVASIVES

Épreuve d'effort rythmologique

Elle vise à étudier le comportement d'une arythmie pendant l'effort, ou à déterminer le caractère déclenchable ou non d'une arythmie à l'effort. Elle permet d'établir une relation éventuelle entre l'arythmie et l'ischémie, entre l'arythmie et le système nerveux autonome. Enfin, elle permet de guider la thérapeutique.

Enregistrement continu de l'ECG sur 24 heures (méthode de Holter)

Cet examen, pratiqué lors des activités quotidiennes habituelles, permet de déterminer la fréquence et la complexité des arythmies, d'établir leur relation éventuelle (ou leur non-relation) avec les symptômes du patient, d'évaluer l'efficacité d'un traitement anti-arythmique, et de détecter une dysfonction transitoire d'un pacemaker. Concernant la détection d'une ischémie myocardique (sus- ou sous-décalage du segment ST), l'ECG de 24 heures se révèle parfois d'interprétation difficile, surtout chez les patients asymptomatiques. L'enregistrement se fait sur bande magnétique (cassette ou bobine), en 2-3 dérivations bipolaires thoraciques, et la lecture est effectuée à vitesse accélérée (60, 120, 240 x le temps réel) de manière semi-automatisée, avec contrôle permanent du tracé sur un écran et possibilité d'imprimer n'importe quelle partie du tracé à la vitesse de 25 mm/s. A ce type de lecture s'ajoute une analyse informatique du tracé permettant la quantification des phénomènes, une analyse des fréquences cardiaques horaires et des tableaux de corrélation.

Enregistrement ECG œsophagien

En introduisant une sonde bipolaire dans l'œsophage, on peut facilement enregistrer l'activité de l'oreillette et déterminer, en cours de tachycardie, les rapports entre les oreillettes et les ventricules, et par conséquent déterminer l'origine et même le mécanisme de l'arythmie. En disposant d'un programmeur adéquat, on peut même interrompre certaines arythmies, aussi bien que par voie endocavitaire.

Électrocardiographie à haute amplification

L'ECG à haute amplification permet, de manière non invasive, la détection de signaux électriques de très faible amplitude (1 à 50 μV), que ces derniers soient normaux (potentiel du faisceau de His) ou pathologiques (potentiels tardifs ventriculaires) ; afin d'éliminer les parasites liés à l'activité musculaire et à l'environnement électromagnétique, la haute amplification est couplée à des techniques de sommation temporelle du signal ou à des procédés de haute résolution (détection battement par battement des signaux de faible amplitude). Les applications cliniques de cette technique sont : La détection non invasive du potentiel hisien (dans les troubles de conduction).

La détection non invasive des potentiels tardifs ventriculaires, dont la présence est associée de manière significative à la survenue d'arythmies ventriculaires graves, en particulier dans la maladie coronarienne.

INVASIVES

Exploration électrophysiologique endocavitaire

Cette technique invasive implique la mise en place, par ponction fémorale, de 2 à 3 sondes multipolaires en divers sites du cœur droit (et/ou gauche). Grâce à ces sondes endocavitaires, il est alors possible d'enregistrer simultanément les divers potentiels électriques cardiaques en différents sites, aussi bien à l'état basal que sous stimulation. Cette technique est utilisée soit à but diagnostique (localisation, mécanisme des troubles du rythme et de conduction), soit à but thérapeutique (stimulation électrique), voire pronostique (troubles de conduction, de l'excitabilité ventriculaire).

Les *indications cliniques* à une exploration électrophysiologique sont les suivantes :

Troubles de conduction atrio-ventriculaire (dont le site n'a pu être déterminé sur l'ECG de surface) ou intraventriculaire.

En plaçant la sonde tripolaire à cheval sur la valve tricuspide, on peut enregistrer la déflexion du potentiel hisien et déterminer ainsi la conduction nodale, suprahisienne (A-H), et infrahisienne (H-V). Une prolongation de l'intervalle H-V à plus de 80 ms signe un trouble de conduction infrahisien dont le pronostic est souvent réservé, l'évolution se faisant non rarement vers un bloc complet. En certains cas, on peut être amené à utiliser certaines manœuvres provocatrices (test à l'Ajmaline, stimulation auriculaire) pour mettre en évidence un trouble de conduction infrahisien.

Troubles de la fonction sinusale

Le potentiel électrique du nœud sinusal ne pouvant être enregistré, deux tests indirects sont utilisés pour apprécier la fonction du nœud sinusal :
— le temps de récupération sinusale corrigé (TRSC) : on stimule l'oreillette droite pendant 2 minutes à des fréquences croissantes de 70 à 150/min, et le TRSC est calculé en soustrayant le cycle sinusal spontané du cycle séparant la dernière stimulation auriculaire de la première réactivation auriculaire d'origine sinusale ; le TRSC est normalement inférieur à 520 ms, et des valeurs supérieures à 1 000 ms signent une grave dysfonction du nœud sinusal.
— le temps de conduction sino-auriculaire, calculé de manière indirecte par la technique des extrastimuli.

Tachycardies supraventriculaires paroxystiques invalidantes malgré le traitement médical :
L'exploration endocavitaire permet de préciser le mécanisme de l'arythmie (dualité de conduction nodale, voie de facilitation, voie accessoire latente), ses modes de déclenchement et d'arrêt, sa réponse à divers agents pharmacologiques (bêta-bloqueurs, Vérapamil, Ajmaline).

Voie accessoire de type Kent (WPW)

L'exploration endocavitaire permet de déterminer la perméabilité antérograde (et donc le danger potentiel) de la voie accessoire, les périodes réfractaires effectives antéro- et rétrograde du faisceau de Kent, la localisation de ce dernier (mapping endocavitaire), les modes de déclenchement et d'arrêt des accès de tachycardie par réentrée, et enfin la présence ou non d'une vulnérabilité auriculaire associée. L'exploration endocavitaire est essentielle chez les patients fortement symptomatiques, chez ceux qui ont présenté un accident rythmique grave, en cas de WPW patent permanent ne disparaissant ni à l'effort, ni après administration d'Ajmaline, et chez les sujets exerçant une profession ou des sports dangereux.

Tachycardies ventriculaires

L'exploration s'avère nécessaire parfois pour affirmer l'origine ventriculaire de la tachycardie, pour situer avec exactitude le foyer arythmogène (mapping), pour apprécier son caractère déclenchable ou non et les modalités de ce déclenchement, enfin pour juger de l'efficacité des thérapeutiques anti-arythmiques. Tous les patients ayant présenté une mort subite et ayant été réanimés avec succès doivent être explorés complètement, une arythmie ventriculaire étant la cause la plus fréquente à l'origine de ce drame.

Syncopes inexpliquées

Lorsque tous les tests non invasifs sont restés négatifs et qu'il existe une forte suspicion de syncope d'origine cardiaque, l'exploration endocavitaire permet parfois de trancher et de guider la thérapeutique.

Notons que l'exploration endocavitaire exige un matériel spécialisé et un personnel expérimenté, que cet examen coûte cher et prend du temps, et qu'enfin, bien que rares, des complications liées au cathétérisme droit sont toujours possibles.

PACEMAKERS

R. Adamec

Le pacemaker (PM) est un appareil constitué par une *source d'énergie* (batterie, pile) *alimentant un circuit électronique*, dont le rôle est de découper en brèves décharges électriques le courant fourni par la pile. Cet appareil est mis en contact avec le myocarde par une sonde (électrode) soit par *voie endoveineuse* (par la veine céphalique dans le sillon deltopectoral, par la veine sous-clavière ou jugulaire) qui permet d'insérer la sonde entre les trabécules du ventricule droit, soit par *voie sous-xiphoïdienne-épicardique*, qui permet de fixer la sonde directement dans le myocarde du ventricule droit par une suture, par un système de crochets ou de « tire-bouchon ». Cet abord permet d'éviter l'ouverture de la cavité pleurale. La voie classique par *thoracotomie* est pratiquement abandonnée et n'est utilisée que si l'implantation du PM a lieu au cours d'une intervention thoracique ou cardiaque. Récemment introduites dans la pratique, les sondes endoveineuses munies de crochets de fixation ont diminué le nombre de déplacements de la sonde. Le boîtier contenant la pile et le système électronique sont implantés dans une poche (loge) sous-cutanée sur le thorax ou l'abdomen.

La *source d'énergie* est une pile au lithium d'une longévité présumée de 5 à 10 ans.

POSSIBILITÉS ACTUELLES DE STIMULATION CARDIAQUE

Il existe actuellement différentes possibilités de stimulation selon la cavité cardiaque où l'on stimule et où l'on fait le recueil du potentiel électrique du rythme spontané, et selon le mode de stimulation. Un *code international de 3 lettres détermine la stimulation* :

la *première lettre* définit la *cavité stimulée* (V = ventricule, A = oreillette, D = double chambre, oreillette et ventricule) ;

la *deuxième lettre* définit la *cavité où se fait le recueil («* sensing *»)* (V, A, D, 0 = aucune cavité) ;

la *troisième lettre* définit le *mode de réponse* sur le recueil (I = inhibé, T = synchrone « triggered », D = les deux modes I et T, 0 = non appliqué).

La *lettre R* ajoutée signifie qu'il s'agit d'un PM avec une adaptation du rythme de stimulation (sur activité, température, respiration, etc.).

La *lettre P* signifie que le PM est programmable (3 fonctions) *M*-multiprogrammable.

La plupart des PM actuellement utilisés fonctionnent *à la demande (PM sentinelles)* au niveau ventriculaire (VVI), c'est-à-dire qu'ils n'émettent des impulsions que si la fréquence du rythme spontané du malade s'abaisse au-dessous de la fréquence du PM. Le dispositif électronique du PM capte par l'électrode le potentiel électrique de chaque complexe ventriculaire spontané (« sensing ») et, si le complexe suivant ne survient pas dans un intervalle donné (période), il envoie le stimulus ; s'il capte un complexe spontané, il s'inhibe. Une fois le PM mis en marche, sa fréquence reste fixe, réglée d'avance. Ces PM sont actuellement « *QRS négatifs* » car ils n'émettent aucun stimulus (« spike ») en présence d'un rythme spontané dépassant la fréquence du PM et, sur l'ECG, on ne voit ainsi aucun signe du PM. Dans ce cas, pour révéler la présence du PM, et pour pouvoir le contrôler, l'application d'un aimant au-dessus du boîtier met le PM en stimulation fixe. Le rythme compétitif du PM « parasystolique » ainsi provoqué ne représente, en dehors d'un trouble métabolique grave du myocarde ou d'un infarctus récent, qu'un danger théorique de déclenchement d'une tachycardie ou d'une fibrillation ventriculaire.

Les *PM asynchrones (à rythme fixe, V00)* sont actuellement abandonnés, car on ne peut jamais prévoir avec certitude que le malade n'aura plus un rythme spontané même sous forme d'extrasystoles.

Les *PM programmables* permettent de modifier plusieurs paramètres, en particulier la fréquence, ce qui permet d'ajuster la fréquence optimale (enfants, troubles du rythme), de changer l'amplitude de l'impulsion (courant de sortie), permettant ainsi de nous renseigner sur le niveau du seuil d'entraînement, et de modifier la sensibilité du recueil (« sensing »). Cette manipulation se fait de l'extérieur par un système électromagnétique (programmeur).

Pour améliorer l'hémodynamique d'un malade stimulé et dépendant de cette stimulation (ce qui signifie que la fréquence du pacemaker est la fréquence cardiaque maximale du malade), en particulier pendant l'effort physique, la *stimulation doit être asservie aux besoins de l'organisme.* Le débit cardiaque étant le résultat du volume systolique multiplié par la fréquence, il s'agit d'un côté d'optimaliser le remplissage ventriculaire et, d'un autre côté, d'accélérer la fréquence de stimulation. La contraction auriculaire précédant la contraction ventriculaire peut apporter une augmentation du débit de l'ordre de 15 % par un meilleur remplissage ventriculaire. Ainsi, une stimulation auriculaire qui précède une stimulation ventriculaire améliore le débit (DVI). Pour adapter la fréquence de stimulation ventriculaire aux besoins de l'organisme, le meilleur indicateur est la fréquence de l'activité auriculaire engendrée par l'activité sinusale normale. Le pacemaker doit être capable de recueillir cette activité auriculaire (onde P) et, selon cette activité, d'accélérer la stimulation ventriculaire. Quand cette activité auriculaire fait défaut ou se ralentit sous une fréquence déterminée, la stimulation se fait au niveau auriculaire et ventriculaire (DDD).

Les PM qui utilisent l'oreillette pour y faire le recueil et/ou la stimulation nécessitent une deuxième électrode au niveau auriculaire droite (PM double chambre). *Chez les malades qui n'ont pas une activité auriculaire normale* pouvant être utilisée pour asservir la fréquence de la stimulation ventriculaire (fibrillation et flutter auriculaires, bradycardie sinusale et bloc sino-auriculaire, etc.), un *autre indicateur* doit être utilisé :
— la *fréquence respiratoire* (à l'effort la respiration s'accélère),
— l'*intervalle QT* (à l'effort, il se raccourcit),
— la *température* centrale (elle s'élève à l'effort) ,
— l'*activité physique* par le bruit qu'elle provoque et qui est capté par un piézomicrophone.

Les pacemakers asservis à l'activité physique ont montré une bonne adaptation de la fréquence cardiaque à l'effort, menant vers une amélioration des performances de longue durée (VVIR, DDDR).

La *connexion du PM est dite bipolaire* quand les deux pôles de l'électrode sont en contact avec le myocarde, *unipolaire* quand le deuxième pôle est constitué par le boîtier du PM.

INDICATIONS A L'IMPLANTATION D'UN PACEMAKER

☐ Indication majeure

Présence de malaises, syncopes et du syndrome d'Adams-Stokes provoqués par des pauses-arrêts cardiaques ou par un pouls lent. Dans ces cas, il s'agit habituellement d'un *bloc atrio-ventriculaire du 2e ou du 3e degré intermittent ou chronique, moins fréquemment d'un bloc au niveau sino-auriculaire.*

☐ Autre indication fréquente

Syndrome de bradycardie-tachycardie entrant dans le cadre de la *maladie de l'oreillette (maladie rythmique auriculaire)* où le malade présente des paroxysmes de tachycardies supraventriculaires, fibrillations ou flutters auriculaires suivis de pauses sinusales ou d'une bradycardie sinusale prononcée. Le traitement médicamenteux seul est difficile, voire même impossible, car soit il accentue les pauses ou la bradycardie en essayant de prévenir ou de traiter les tachycardies, soit il provoque les tachycardies en essayant d'accélérer la bradycardie excessive. Le PM, en assurant une fréquence cardiaque convenable, permet un traitement et/ou une prévention plus efficace des crises de tachycardie.

☐ Indications plus rares

Les *blocs auriculo-ventriculaires complets congénitaux*, où souvent l'implantation du PM peut être retardée car la fréquence du rythme ventriculaire de substitution reste longtemps relativement rapide.

Les *blocs auriculo-ventriculaires chirurgicaux*, qui peuvent se produire dans les corrections des cardiopathies congénitales — en particulier celles avec CIV, ou acquises — valvulopathies aortiques ; les « *torsades de pointe* », crises de tachycardies ventriculaires particulières survenant chez les malades avec un espace Q-T long, où le PM, en entraînant une fréquence cardiaque plus rapide, raccourcit le Q-T et prévient ainsi les crises.

☐ Indication prophylactique

Chez des malades sans signes cliniques de syncopes ou leurs équivalents, mais avec une conduction AV hypothéquée, qui se présentent le plus fréquemment avec l'image d'un *bloc de branche droit*, *bloc fasciculaire antérieur* ou *postérieur*, et un *allongement du PR*, plus précisément de HV à l'enregistrement hisien, l'indication reste discutable car nos moyens d'investigation ne nous donnent pas assez de renseignements sur l'évolution et la progression de la lésion de la conduction AV.

☐ Contre-indication de l'implantation d'un PM

Plutôt que l'âge, c'est l'état général du malade, car il existe toujours le risque du geste chirurgical, de l'anesthésie surtout générale si nécessaire, de l'infection, du déplacement de la sonde endoveineuse et de la réintervention en résultant, de la réaction péricardique et/ou pleuro-péricardique avec hypoventilation dans la voie sous-xiphoïdienne.

CONTRÔLE DU PACEMAKER

Les contrôles doivent s'assurer du bon fonctionnement du PM et révéler les premiers signes d'épuisement de la pile. Le meilleur contrôle, car le plus facile à faire et le plus fréquemment réalisable, est le « self-contrôle » par le malade qui a appris à compter son pouls. Un pouls de fréquence égale ou supérieure à la fréquence du PM signifie que la fréquence cardiaque est assurée soit par le PM, soit par un rythme spontané. Une fréquence du pouls inférieure est très suspecte d'une panne du PM.

Le contrôle médical

Il consiste en une *anamnèse dirigée* pour découvrir les vertiges, malaises, syncopes persistant ou réapparaissant, un *examen local* de la région de la poche du boîtier et du trajet de la sonde pour révéler les signes d'intolérance ou d'infection éventuels, un *enregistrement de l'ECG* pour vérifier la bonne stimulation et le bon fonctionnement à la demande, une *mesure exacte de la fréquence du PM* et une *mesure de la largeur d'impulsion* du PM.

L'activité du PM se manifeste à l'ECG par une décharge rapide s'inscrivant comme un trait vertical (« spike »). Chaque « spike » qui tombe en dehors de la période réfractaire du ventricule doit avoir une réponse ventriculaire (complexe QRS large de type BBG à cause de l'implantation dans le ventricule droit). Sinon, il s'agit d'un *défaut de stimulation* (« failure to capture »). La pause entre deux « spikes » ou entre un complexe spontané et un « spike » ne peut dépasser la période du PM (sa fréquence exprimée en ms), sinon il s'agit d'un défaut de « sensing » (« oversensing ») ou d'un défaut de production des « spikes » (« failure to pace »). Si cette pause est plus courte, le PM n'a pas recueilli le complexe spontané et il s'agit d'un défaut de « sensing » (« undersensing », « failure to sense »).

L'épuisement de la batterie se traduit par un ralentissement de la fréquence du PM et par un élargissement de l'impulsion. Les pannes d'électrodes (élévation du seuil d'entraînement, rupture ou déplacement de la sonde) se manifestent par un défaut permanent ou intermittent de la stimulation et/ou du « sensing ». Les pannes de l'électronique, plus rares heureusement, peuvent avoir une traduction variable — changement de la fréquence, non-stimulation, défaut de « sensing », etc.

La fréquence du PM peut être contrôlée à distance par téléphone. Le malade transmet par téléphone au centre de contrôle les phénomènes acoustiques produits, à l'aide d'un appareil spécial, par les stimuli du PM. L'annonce de la fréquence du pouls complète ce contrôle. On peut même transmettre par téléphone l'enregistrement électrocardiographique en utilisant un appareil plus compliqué (et plus coûteux), et permettre ainsi des contrôles de la stimulation et du « sensing ».

PACEMAKERS PROVISOIRES

Les PM provisoires (temporaires) sont des appareils où la source d'énergie (pile) et l'électronique restent en dehors du malade, et ce n'est que la sonde, habituellement par voie endoveineuse (par la veine céphalique, sous-clavière, fémorale ou jugulaire) qui amène le stimulus en contact avec le myocarde du ventricule droit. On les utilise dans la réanimation des états urgents avec asystolie, dans les blocs auriculo-ventriculaires aigus (des 2e et 3e degrés) qui dépendent d'un facteur étiologique dont le tropisme sur la conduction est connu, et qui disparaissent habituellement sans séquelles (blocs de l'infarctus du myocarde, blocs toxiques, infectieux, etc.) ; pour couvrir la période avant l'implantation d'un PM définitif et l'implantation elle-même. On ne les laisse généralement pas en place plus de 7 à 10 jours. Pour une stimulation cardiaque de courte durée (par ex. réanimation, intervention chirurgicale), on peut aussi utiliser la stimulation par une sonde œsophagienne. Le voltage nécessaire pour obtenir une stimulation ventriculaire efficace par cette voie œsophagienne est d'environ 10 à 20 fois plus élevée que par la voie endoveineuse (20-40 V).

TRAITEMENTS ANTIARYTHMIQUES

M. Zimmermann

Les troubles du rythme cardiaque sont liés à des altérations de l'automatisme et/ou de la conduction ; les moyens actuellement à disposition pour traiter les troubles du rythme sont nombreux : médicamenteux, électriques ou chirurgicaux. Il convient cependant de signaler que toutes les arythmies ne nécessitent pas forcément un traitement : les deux seules raisons motivant l'introduction d'un traitement antiarythmique sont :
— la présence de symptômes gênants liés à l'arythmie ;
— la crainte d'un risque léthal.

TRAITEMENT MÉDICAL DES ARYTHMIES

Les médicaments antiarythmiques sont nombreux, et habituellement classés en quatre grands groupes selon Vaughan-Williams. Cette classification pharmacologique repose sur le mode d'action des antiarythmiques au niveau cellulaire, et elle n'est donc pas directement applicable en clinique ; elle reste cependant très utile pour définir le profil d'un antiarythmique.

RAPPEL D'ÉLECTROPHYSIOLOGIE

Au repos, les cellules cardiaques sont plus négatives à l'intérieur qu'à l'extérieur de leur membrane, donc polarisées. Le potassium est 30 fois plus concentré à l'intérieur de la cellule, alors que le sodium est 10 fois plus élevé à l'extérieur de la cellule. Les gradients ioniques sont maintenus par la pompe à sodium d'une part (échanges sodium-potassium) et par les pompes au calcium d'autre part. Lorsqu'un stimulus électrique excite une cellule cardiaque, des ions y pénètrent en grand nombre, soit par le canal sodique, soit par le canal calcique, soit par plusieurs canaux potassiques. Les médicaments antiarythmiques vont modifier la cinétique de ces canaux, soit en les activant, soit en les inactivant.

Certaines cellules cardiaques sont dites automatiques, c'est-à-dire qu'elles ont le pouvoir de laisser naître une dépolarisation spontanée : ce type de cellules se retrouvent dans le nœud sinusal (pacemaker principal), mais également dans l'oreillette, dans la jonction atrio-ventriculaire et dans les fibres de Purkinje (pacemaker secondaire). Dans le reste du myocarde, la plupart des fibres cardiaques sont dites à réponse rapide, avec un potentiel de repos voisin de -90 mV ; ces cellules ont un potentiel d'action avec une montée rapide (phase 0), une brève diminution de la positivité du potentiel d'action (phase 1), un plateau (phase 2), puis une repolarisation (phase 3) (fig. 17). Les différents mécanismes ioniques produisant ce potentiel d'action sont essentiels à la compréhension du mécanisme des antiarythmiques.

LES MÉDICAMENTS ANTIARYTHMIQUES

La classification de Vaughan-Williams reconnaît donc 4 classes de médicaments antiarythmiques (tableau III).
Classe I : Stabilisants de membrane, anesthésiques locaux.
Ia : Diminution de la vitesse de la phase 1 du potentiel d'action (inhibition du canal sodique). Prolongation de la durée du potentiel d'action, avec prolongation de la repolarisation. Dans cette classe,on retrouve la quinidine, la procaïnamide, le disopyramide et l'ajmaline.

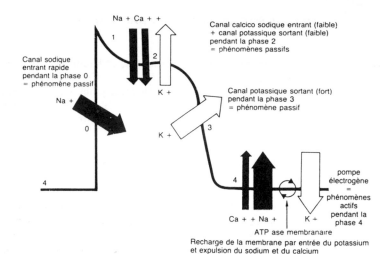

Fig. 17. — *Electrophysiologie cellulaire : mouvements ioniques au cours du potentiel d'action.*

Ib : Discrète diminution de la phase 0 ; raccourcissement de la phase 3 et donc de la repolarisation. Dans ce groupe, on retrouve la lidocaïne, la mexilétine, la diphénylhydantoïne et la tocaïnide.

Ic : La vitesse de dépolarisation rapide (phase 0) est très fortement diminuée, alors que la repolarisation (phase 3) n'est pratiquement pas altérée. Dans cette catégorie, on retrouve la propafénone, la flécaïnide, l'encaïnide.

Classe II : Ce sont les bêta-bloqueurs, dont le profil pharmacologique des principaux d'entre eux figure sur le tableau IV.

Classe III : Ces antiarythmiques allongent la durée du potentiel d'action, alors que la vitesse de dépolarisation n'est pas modifiée ; dans ce groupe figurent l'amiodarone et le brétylium. Le sotalol, qui est un bêta-bloqueur, a également des propriétés de classe III.

Classe IV : Ce sont les anticalciques, parmi lesquels le vérapamil et le diltiazem.

Sur le plan clinique, les *principaux effets* des antiarythmiques sont les suivants :

Dépression de la fonction sinusale

Bêta-bloqueurs, médicament de la classe Ic, amiodarone.

Dépression de la conduction atrio-ventriculaire

Bêta-bloqueurs, classe Ic, amiodarone, anticalciques.

Dépression de la conduction dans le système His-Purkinje

Classe Ia, classe Ic.

TABLEAU III. — *Classification des antiarythmiques selon la nomenclature de Vaughan-Williams (modifiée selon Harisson) et effets des antiarythmiques sur l'ECG.*

Anti-arythmique	Classe	P-Q Nœud AV (A-H)	ECG HIS (H-V)	QRS	Q-T	Voies accessoires
Quinine	Ia	↓	↑	↑	↑	↑
Disopyramide	Ia	↓	↑	↑	↑	↑
Procaïnamide	Ia	0	↑	↑	↑	↑
Lidocaïne	Ib	0	0	0	0	↓↑
Mexilétine	Ib	0	0	0	(en association)	0
Propafénone	Ic	↑	↑	↑	0	↑
Flecaïnide	Ic	0 (↑)	↑	↑	0	↑ (i.v. ↑↑)
Propanolol	II	↑	0	0	0	0
Acébutolol	II (ISA)	↑	0	0	0	0
Sotalol	II + III	↑	0	0	↑	↑
Amiodarone	III	↑	(↑)	0	↑	↑
Bretylium	III	0	(↑)	0	(↑)	0
Vérapamil	IV	↑↑	0	0	0	0
Diltiazem	IV	↑	0	0	0	0
Digoxine	en partie vagotonique	↑	0	0	↓	↓

↓ = Raccourcissement   ↑ = Allongement   0 = Pas d'effet

TABLEAU IV. — *Propriétés pharmacologiques des bêta-bloqueurs.*

Nom chimique	Activité partielle agoniste (ASI)***	Affinité aux récepteurs	Lipo-philie***	Demi-vie plasmatique (h)*	Équivalence par rapport au propanolol
Acébutolol	+	β_1**	±	5	0,25
Aténolol	0	β_1**	0	7-9	0,8-1
Bisoprolol	0	β_1**	+	10-12	3
Bopindolol	+	$\beta_1 + \beta_2$	+	4-14	10
Métoprolol	0	β_1**	+	3-4	0,8
Nadolol	0	$\beta_1 + \beta_2$	0	20	0,8
Oxprénolol	+	$\beta_1 + \beta_2$	+	1,3-2	0,6-1
Propanolol	0	$\beta_1 + \beta_2$	+ +	2-3	1
Sotalol	0	$\beta_1 + \beta_2$	0	16	0,5
Timolol	0	$\beta_1 + \beta_2$	+	4-5	5

*   La durée d'action pour tous est plus grande que leur demi-vie plasmatique
**   Correspond dans une large mesure à l'action cardiosélective (affinité $\beta_1 : \beta_2 > 50$)
***   + = présente ; 0 = présence insignifiante

Dépression de la conduction dans les voies accessoires

Procaïnamide, classe Ic, bêta-bloqueurs, amiodarone. A noter que la digitale et le vérapamil sont à proscrire en présence d'une voie accessoire, car ils en accélèrent la vitesse de conduction.

PRINCIPAUX EFFETS SECONDAIRES DES ANTIARYTHMIQUES

Ils sont nombreux et parfois extrêmement dangereux :
Neurologiques : bêta-bloqueurs, diphénylhydantoïne, lidocaïne, mexilétine, tocaïnide, procaïnamide.

Cardiaques :
quinidine ⟶ torsades de pointe
procaïnamide ⟶ hypotension
disopyramide ⟶ hypotension
ajmaline ⟶ hypotension
bêta-bloqueur ⟶ insuffisance cardiaque
vérapamil ⟶ hypotension
flécaïnide ⟶ TV polymorphes, troubles de conduction

Digestifs : bêta-bloqueurs, mexilétine, quinidine (diarrhées).

Divers : amiodarone : toxicité hépatique, pulmonaire, thyroïdienne, oculaire, cutanée.

Procaïnamide : lupus-like syndrom.

Disopyramide : effets atropine-like, rétention urinaire.

TRAITEMENT DES ARYTHMIES SUPRAVENTRICULAIRES (Tableau V)

Tachycardie sinusale

Rechercher et éliminer la cause (anxiété, fièvre, embolie pulmonaire, hyperthyroïdie,...), éventuellement bêta-bloqueurs.

Tachycardie auriculaire paroxystique en l'absence d'intoxication digitalique

Digitale, choc électrique externe, amiodarone.

Tachycardie auriculaire multifocale (dans un contexte de maladie pulmonaire chronique)

Correction de l'hypoxie, vérapamil, digitale à petites doses.

Fibrillation auriculaire

— Ralentissement de la réponse ventriculaire (digitale, bêta-bloqueurs, vérapamil, amiodarone).

— Conversion en rythme sinusal : choc électrique externe, quinidine associée à la digitale, amiodarone.

Flutter auriculaire typique

Overdrive, choc électrique externe.

Flutter atypique (tachysystolie)

Même signification et même traitement que la fibrillation auriculaire.

Tachycardie auriculaire associée à une intoxication digitalique

Diphénylhydantoïne.

Remarque : Si la FA dure depuis plus de 48 heures, une anticoagulation efficace pendant 10 jours est nécessaire avant toute tentative de cardioversion, qu'elle soit médicamenteuse ou électrique.

TABLEAU V. — *Diagnostic différentiel des différentes tachycardies supraventriculaires.*

Arythmie	Début crise	Fin crise	Fréquence	Rythme	Effet du vague	Changement position ou exercice léger	Caractéristiques
Tachysystolie auriculaire	brusque	brusque ou graduelle	120-250	légèr. irrégulier	nul	augmente irrégularité	- cardiopathie sévère - excès digitale - légèrement irrégulière
Tachycardie supraventriculaire	brusque	brusque	160-220 en général 170-200	très régulier	aucun ou stoppe « tout ou rien »	nul	- au-dessus de 160 - très régulière - début et fin brusques
Tachycardie ventriculaire	brusque (pas nettement ressenti)	brusque (pas nettement ressentie)	150-250 en général 130-170	légèr. irrégulier	nul	nul	- légèrement irrégulière - légère variation premier bruit - état clinique grave

TRAITEMENT DES ARYTHMIES VENTRICULAIRES

Les arythmies ventriculaires ne doivent être traitées que si elles occasionnent des symptômes gênants, ou si elles constituent un risque léthal pour le malade. En conséquence, bon nombre d'arythmies ventriculaires mériteront une abstention thérapeutique. On traite le malade et non pas l'ECG. Avant de décider si un traitement antiarythmique est nécessaire, il convient donc d'évaluer le risque rythmique de chaque patient (contexte clinique, épreuve d'effort, Holter, potentiels tardifs ventriculaires...).

Traitement des accès de tachycardie ventriculaire

Choc électrique externe si la situation hémodynamique l'exige. Si l'arythmie est bien tolérée, lidocaïne, procaïnamide, puis chocélectrique externe.

Prévention des récidives de tachycardie ventriculaire

Bêta-bloqueurs, sotalol, amiodarone. Les autres antiarythmiques ne devront être utilisés qu'après des investigations rigoureuses, et en fonction de paramètres précis.

— Fibrillation ventriculaire

— Choc électrique externe immédiat

— Torsades de pointe

— Magnésium, isoprénaline ou pacing si torsades de pointe acquises.

Extrasystoles ventriculaires

Bêta-bloqueurs, sotalol, amiodarone.

Le tableau VI résume les principaux critères de diagnostic différentiel entre une tachycardie supraventriculaire avec aberration de conduction et une tachycardie ventriculaire.

TRAITEMENT DES BRADYCARDIES ET DES BLOCS SINO-AURICULAIRES OU ATRIO-VENTRICULAIRES

Les bradycardies et les blocs, à quelque niveau que ce soit, seront traités essentiellement lorsque les patients sont symptomatiques (malaises, vertiges, fatigue, insuffisance cardiaque, et bien sûr perte de connaissance). Le traitement de choix, et pour ainsi dire le seul, est la mise en place d'un pacemaker permanent.

L'atropine peut être utilisée en cas d'urgence, de même que l'isuprel. Ce médicament est toutefois arythmogène.

TABLEAU VI. — *Diagnostic différentiel entre TSV avec aberration de conduction et TV.*

	TSV + aberration	TV
Régularité	+	+
Fréquence	160-230/min	130-220/min
Axe du QRS	−30° à +90°	hyper G ou hyper D
Largeur du QRS	< 0,14 sec	> 0,14 sec
Concordance $V_1 V_6$	−	(+)
Dissociation AV	−	+
Captures-fusions	−	+
Si aspect de BBD	V_1 = RSR	V_1 = qR, Rr, R monophasique
	V_6 = R > S	V_6 = R < S
Si aspect de BBG	V_1 = mini-r, S non crocheté	V_1 = QS, r > 0,03 sec et S crocheté
	r pic du S < 60 ms	r pic du S > 70 ms
	V_6 = pas de q	V_6 = q *ou* Q

P.S. : La dissociation AV, les captures et les fusions sont les seuls critères ECG qui permettent d'affirmer qu'il s'agit de TV.

Chez un sujet après infarctus, toute tachycardie à complexe large est à considérer comme ventriculaire jusqu'à preuve du contraire.

RAPPEL DE QUELQUES PRINCIPES GÉNÉRAUX
DU TRAITEMENT DES ARYTHMIES

Un traitement correct implique un diagnostic correct.

N'utiliser que des antiarythmiques que l'on a l'habitude de manier, et se méfier en particulier des substances de la classe Ia et de la classe Ic.

Éviter au maximum les associations d'antiarythmiques, en particulier en présence d'une cardiopathie (risque arythmogène important, aussi bien sur la conduction que sur l'excitabilité).

Se souvenir que tous les antiarythmiques sont potentiellement arythmogènes, et qu'ils sont tous (à part la digitale) inotropes négatifs.

TRAITEMENT ÉLECTRIQUE DES ARYTHMIES

Choc électrique externe (cardioversion, défibrillation)

Ce type de traitement permet d'arrêter toutes les tachycardies, aussi bien supraventriculaires que ventriculaires. C'est le traitement de choix et d'urgence de toutes les arythmies cardiaques mal tolérées sur le plan hémodynamique. L'intensité du choc électrique à appliquer dépendra du type d'arythmies que l'on compte convertir (faible énergie pour les flutters, énergie intermédiaire pour les tachycardies ventriculaires, haute énergie pour les fibrillations auriculaires et énergie maximale pour les fibrillations ventriculaires).

Fulguration endocavitaire

Il s'agit d'une nouvelle technique qui consiste en l'application d'un choc de haute énergie ou d'un courant de radio-fréquence directement sur une sonde endocavitaire. Ce traitement peut être utilisé pour interrompre la conduction atrio-ventriculaire (fulguration du faisceau de His) en cas d'arythmies supraventriculaires rebelles à toutes les thérapeutiques médicales, mais il peut également être utilisé pour interrompre la conduction sur une voie accessoire, voire pour éteindre un foyer d'hyperexcitabilité.

Traitement chirurgical des arythmies

Comme pour les fulgurations, ce type de traitement doit être réservé à des patients hautement sélectionnés ; on peut avoir recours soit à une anévrismectomie simple, soit à des ventriculotomies d'exclusion (au bistouri, au laser, par cryoablation). Des techniques de cartographie épicardique et endocavitaire sont nécessaires en peropératoire, pour diriger le geste du chirurgien.

Pacemaker antitachycardie et défibrillateur implantable

Il s'agit d'appareils très sophistiqués, implantables au même titre qu'un pacemaker ; ces appareils permettent d'interrompre automatiquement des arythmies ventriculaires graves, chez des patients hautement sélectionnés. La mise en place de ces appareils nécessite une thoracotomie pour fixer à la surface de l'épicarde des patchs de défibrillation. Il n'est pas exclu que dans un avenir relativement proche ce type d'appareils puisse être implanté de manière percutanée.

5

Fonction du cœur
surcharges et insuffisances

LA POMPE CARDIAQUE

A. Righetti

FACTEURS DÉTERMINANT LE MÉCANISME
DE LA POMPE CARDIAQUE

Volume d'éjection

Le volume de sang chassé à chaque contraction est déterminé par le degré de raccourcissement des fibres myocardiques pendant la contraction. Ce raccourcissement dépend de 4 facteurs : la longueur initiale de la fibre myocardique *(précharge)*, la résistance apportée à l'éjection *(post-charge)*, la *contractilité myocardique* et la *synergie* de la contraction ventriculaire.

Longueur initiale de la fibre = précharge

La longueur télédiastolique des fibres ventriculaires varie en fonction de la masse sanguine totale et de la répartition de cette masse, influencée elle-même par la position du corps, la pression intrathoracique et intrapéricardique, l'action des muscles moteurs, le tonus veineux et la contraction auriculaire. Selon la loi de *Frank Starling*, un *accroissement* de la *longueur initiale* des fibres myocardiques *augmente le volume d'éjection*. La capacité d'accroître le volume d'éjection est toutefois limitée. Passé un maximum, un accroissement du remplissage diastolique ne s'accompagne plus d'une augmentation du volume d'éjection. Le mécanisme de *Frank Starling* s'applique individuellement à *chaque battement*. Ainsi, la fonction d'un ventricule peut s'adapter *momentanément* si l'autre doit faire face à une augmentation du retour veineux. Dans des conditions expérimentales, la pression télédiastolique du ventricule est en général un bon paramètre de la longueur télédiastolique des fibres. En revanche, le rapport entre la longueur initiale des fibres et la pression télédiastolique chez différents patients accuse une trop forte marge de variations. En effet, il ne faut pas perdre de vue que les *rapports entre volume et pression télédiastolique* sont subordonnés à la *compliance ventriculaire*. Celle-ci peut être *modifiée* en cas de surcharge chronique du myocarde *(hypertrophie)* ou de cardiopathie ischémique (*sclérose* du myocarde).

Post-charge

La post-charge, en simplifiant, peut être représentée par la pression aortique moyenne. En réalité, la post-charge que subit le ventricule dépend de la pression intramyocardique pendant la phase d'éjection. Il est évident que pour une même pression aortique moyenne et pour une épaisseur pariétale donnée, la tension de la paroi contenante est d'autant plus forte que la cavité est plus grande. C'est une application de la loi de Laplace selon laquelle la *tension pariétale* est *proportionnelle* à la *pression intracavitaire* et au *rayon de courbure* de la cavité, et *inversément proportionnelle* à l'*épaisseur de la paroi*. Le cœur normal peut, dans une certaine mesure, maintenir un même volume d'éjection malgré une augmentation de la post-charge. Toutefois, une telle surcharge s'accompagne en général d'une augmentation du volume télédiastolique. Cette dilatation cavitaire a pour effet d'accroître d'une part la tension pariétale, d'autre part, à volume d'éjection égal, les fibres d'un cœur dilaté se raccourcissent moins que celles d'un cœur normal.

Contractilité

Sarnoff et Mitchell, travaillant sur le cœur de chien partiellement isolé, ont montré que pour une même pression aortique, le rapport entre le débit systolique et la pression télédiastolique variait en fonction de la contractilité. Ainsi, les divers états qui caractérisent le fonctionnement normal ou pathologique d'un cœur se représentent par une *famille de* courbes superposées. Une augmentation de la contractilité déplace ces *courbes de fonction ventriculaire* en haut et à gauche ; à l'opposé, l'insuffisance cardiaque les déplace en bas et à droite de la courbe normale. L'expérience a montré que l'on ne rencontre guère de cœurs humains fonctionnant sur la partie descendante de la courbe de fonction ventriculaire. Ainsi, l'administration d'un tonicardiaque, par exemple la digitale, ne va pas restaurer totalement les conditions normales. La *digitalisation*, en déplaçant la courbe de *fonction ventriculaire à gauche*, va permettre soit d'obtenir le même débit avec une pression télédiastolique moindre, soit d'améliorer le débit avec la même pression télédiastolique.

On notera encore que chez le sujet normal, l'état inotrope ne dépend pas uniquement de l'intégrité fonctionnelle et structurelle de l'unité contractile, mais qu'un certain nombre d'autres facteurs détermine à chaque moment la contractilité myocardique : activité du système nerveux autonome, catécholamines circulantes, fréquence cardiaque momentanée.

Synergie de la contraction ventriculaire

La cinéangiocardiographie permet d'apprécier, en cas de cinétique ventriculaire normale, un mouvement de rétraction plus ou moins concentrique des diverses parties du ventricule normal au cours de la contraction. La *coordination de la cinétique ventriculaire* est la condition d'une *bonne éjection*. Un trouble de la conduction intraventriculaire, comme par exemple un *bloc de branche* gauche, produit une *désynchronisation de la contraction* qui aboutit à la *baisse de rendement hémodynamique*, ceci même en présence d'une contractilité satisfaisante des diverses parties du ventricule. En l'absence de trouble de conduction, la cinétique ventriculaire peut également être perturbée en cas de dysfonction myocardique (par ex. ischémie, maladie coronarienne).

HÉMODYNAMIQUE CARDIAQUE AU REPOS ET A L'EFFORT

W. Rutishauser

HÉMODYNAMIQUE NORMALE AU REPOS

Débit cardiaque et volume d'éjection

Les valeurs normales sont habituellement rapportées à 1 m² de surface corporelle. Les variations physiologiques sont importantes. En *position couchée*, 95 % des valeurs sont comprises entre *2,8 et 4,2 l/min/m²* (valeur moyenne : 3,5 l/min/m²). Les valeurs inférieures à 2,5 l/min/m² et supérieures à 4,5 l/min/m² sont considérées comme gravement pathologiques.

Du fait que la fréquence cardiaque physiologique au repos varie également considérablement (de 50 à 80/min), le volume d'éjection normal en position couchée peut se situer entre 40 et 70 ml/m^2.

Volume ventriculaire et fraction d'éjection

La détermination du volume cardiaque global au moyen du cliché thoracique, selon la formule de Rohrer, permet d'établir des valeurs normales pour les tests d'effort. Pour mieux apprécier la cinétique ventriculaire, on a recours à des méthodes cinéangiographiques ou de dilution d'un indicateur (colorant, isotopes, solution saline froide). L'implantation de marques métalliques chez l'homme est réservée à des malades traités chirurgicalement. Pour le ventricule droit, Rapaport, au moyen de la méthode de thermodilution, a calculé un volume télédiastolique de 98 ml/m^2, un volume d'éjection de 42 ml/m^2.

Les volumes ventriculaires obtenus au moyen de *méthodes radiologiques* sont, de manière générale, plus petits. La fraction d'éjection chez le sujet normal est supérieure à 60 % du volume télédiastolique. Kennedy a trouvé *chez des sujets normaux* un *volume télédiastolique du ventricule gauche de 70 ml/m^2 et une fraction d'éjection de 67 %*. Les valeurs normales proposées par Hood sont superposables (volume télédiastolique 79 ml/m^2, fraction d'éjection 67 %). L'injection de certains produits de contraste s'accompagne d'une brève diminution de la fonction ventriculaire, un inconvénient de la méthode angiocardiographique.

Pressions et vitesse d'élévation de la pression

La pression moyenne de l'oreillette droite est normalement voisine de 3 à 5 mmHg, celle de l'oreillette gauche de 5 à 10 mmHg. La pression télédiastolique ventriculaire est la pression qui précède immédiatement la contraction isovolumétrique, qui débute elle-même par la fermeture des valves auriculo-ventriculaires pour se terminer à l'ouverture des sigmoïdes. Le temps de contraction isovolumétrique dépend de la vitesse d'ascension de la pression intraventriculaire (dP/dt) et de la différence de niveau entre la pression télédiastolique ventriculaire d'une part, et la pression diastolique aortique ou artérielle pulmonaire d'autre part. Chez le sujet normal *au repos*, la *pression télédiastolique* ventriculaire *ne dépasse* habituellement pas *6 mmHg à droite et 13 mmHg à gauche*, la pression systolique ne s'élève pas au-dessus de 25 mmHg à droite et de 130 mmHg à gauche.

La première dérivée de la pression (dP/dt) atteint son maximum (dP/dt max) pendant la phase d'éjection à droite, pendant la phase de contraction isovolumétrique à gauche. Au *repos*, le dP/dt max du ventricule gauche se situe normalement entre 1 000 et 2 400 mmHg/sec en position couchée. Le dP/dt max est un simple index de contractilité, c'est-à-dire un index de la qualité de fonction du muscle cardiaque.

HÉMODYNAMIQUE NORMALE A L'EFFORT

Débit cardiaque et volume d'éjection

A l'*effort*, l'adaptation aux besoins accrus de la périphérie peut être réalisée d'une part grâce à une *élévation de la différence artério-veineuse* (gaz sanguins, produits métaboliques) et, d'autre part, grâce à une augmentation de la perfusion. Si les besoins de la périphérie augmentent, la résistance périphérique diminue et le *débit cardiaque s'élève*. L'adaptation du système cardiovasculaire à l'effort est complexe puisqu'elle est influencée par divers facteurs. D'une part on observe, dans les muscles participant à l'effort, une *diminution de la résistance* par voie réflexe et, d'autre part, par suite de l'accumulation de produits métaboliques, le système nerveux central joue un rôle important par l'intermédiaire du système nerveux végétatif. Rushmer a pu provoquer chez des chiens au repos non anesthésiés, par stimulation électrique au niveau du diencéphale, des modifications hémodynamiques comparables à celles observées au cours d'un effort.

En principe, le *cœur* est capable d'*augmenter son travail* grâce à *3 mécanismes* : élévation de la *fréquence* cardiaque, amélioration de la *contractilité* myocardique et mise en œuvre du mécanisme de *Frank Starling*.

Durant un exercice physique, en position assise ou debout, le débit cardiaque est lié de façon linéaire à la consommation d'oxygène. Pour un effort donné, les valeurs en position verticale sont inférieures de 2 l/min environ à celles mesurées en position couchée.

En position verticale, le débit systolique est plus petit au repos et augmente considérablement à l'effort. Il atteint une valeur maximale à partir d'une fréquence cardiaque de 110/min environ, et ne change guère jusqu'à un effort maximal.

Pressions et vitesse d'élévation de la pression

La pression systolique des deux ventricules, ainsi que la pression moyenne de l'aorte et de l'artère pulmonaire, augmentent à l'effort. La *pression télédiastolique* diminue souvent légèrement chez l'individu normal, mais elle *peut rester constante*. La vitesse maximale d'élévation de la pression ventriculaire augmente nettement, même lorsque l'effort fourni est modéré (fig. 18). Au cours d'une épreuve d'effort réalisée chez 14 patients qui présentaient une fonction ventriculaire gauche quasiment normale, la vitesse maximale d'élévation de la pression a passé de 1 800 à 4 100 mmHg/sec pour une charge de 60 watts. Cette augmentation traduit une augmentation considérable de la contractilité. Une élévation isolée de la fréquence cardiaque par stimulation auriculaire, sans effort musculaire, à des valeurs identiques, s'est accompagnée d'une augmentation de la vitesse maximale d'élévation de la pression ventriculaire gauche qui n'a atteint qu'une valeur de 2 500 mmHg/s.

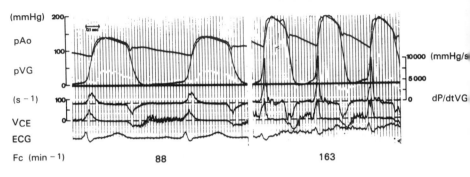

FIG. 18. — *Courbes de pressions par tipmanomètre dans le ventricule gauche et dans l'aorte chez un homme normal de 19 ans au repos (gauche) et lors d'un effort de 150 watts (droite). La fréquence cardiaque s'élève sous cet effort à 163/min et le dP/dt max à 10'000 mmHg/s, tandis que la pression télédiastolique reste pratiquement inchangée.*

Le ventricule avec *fonction myocardique diminuée* augmente son volume et surtout sa pression télédiastolique pendant l'effort. La vitesse maximale d'élévation de la pression (dP/dt max) est abaissée déjà au repos, et ne s'élève pas adéquatement pendant l'effort.

MÉCANIQUE MYOCARDIQUE DANS LES SURCHARGES CHRONIQUES

W. Rutishauser

SURCHARGE CHRONIQUE DE PRESSION

Ventricule gauche

— *Sténose aortique* (toutes les formes).
— *Hypertension artérielle.*

— Élévation de la résistance.
— Hypertension essentielle, rénale, rénovasculaire, endocrine. Coarctation de l'aorte.
— Modifications de l'élasticité de l'aorte. Athérosclérose et âge.

Ventricule droit

— *Sténose pulmonaire.*
— *Hypertension pulmonaire.*
  • Elévation de la résistance précapillaire. Embolie pulmonaire, hypertension pulmonaire primitive, shunt gauche-droit avec réaction d'Eisenmenger.
  • Congestion. Insuffisance gauche. Rétrécissement mitral, insuffisance mitrale. Myxome de l'oreillette gauche. Obstruction des veines pulmonaires.

Dans les *surcharges chroniques de pression*, le débit cardiaque est normal ou n'est que légèrement diminué, la fréquence cardiaque est normale et, par conséquent, le volume d'éjection est normal ou éventuellement légèrement diminué. La *cavité ventriculaire*, dans les surcharges de pression chroniques compensées, est de *taille normale*, mais l'*épaisseur de la paroi* est *nettement augmentée*. Il en résulte donc une *augmentation de la masse musculaire (hypertrophie concentrique)*. A priori, l'augmentation de l'épaisseur pariétale est un mécanisme d'adaptation utile puisque, selon la loi de Laplace, ce phénomène empêche une élévation excessive de la tension pariétale. Malgré l'augmentation de la post-charge, la fraction d'éjection, en état compensé, est normale ou ne diminue que légèrement. Il est à noter que ces malades ne présentent pas de signes cliniques d'insuffisance cardiaque gauche, et que le débit cardiaque est normal au repos. Dans les cœurs soumis à une surcharge chronique de pression, le rapport entre la pression télédiastolique et le volume télédiastolique est souvent subordonné à une réduction de la compliance, en raison de l'hypertrophie pariétale. La pression télédiastolique est souvent augmentée, alors même que le volume télédiastolique est normal.

SURCHARGE CHRONIQUE EN VOLUME

Causes d'une surcharge chronique en volume

On parle d'une surcharge en volume lorsque le volume d'éjection d'un ou des deux ventricules est déjà augmenté au repos. Une simple surcharge en volume *biventriculaire* s'observe en cas de :
— bradycardie,
— cœur d'athlète,
— fistule artério-veineuse.

La surcharge en volume affecte le *cœur gauche* au cours d'une :
— insuffisance aortique,
— insuffisance mitrale,
— persistance du canal artériel,
— communication interventriculaire avec shunt gauche-droit (la surcharge n'affecte que peu le ventricule droit puisque le cœur gauche est le moteur du shunt gauche-droit).

Enfin, une surcharge en volume du *cœur droit* s'observe en cas de :
— communication interauriculaire,
— insuffisance tricuspidienne,
— insuffisance pulmonaire.

Une *surcharge chronique en volume* se traduit par une *élévation* du *volume télédiastolique* ventriculaire et du volume systolique d'éjection. La *fraction d'éjection* est *dans les limites de la norme*. En cas d'insuffisance mitrale, elle peut être anormalement élevée en raison d'une diminution de la post-charge totale. Contrairement à ce qui se produit dans la surcharge de pression, l'*épaisseur pariétale* n'est que *légèrement augmentée* dans un cœur soumis à une surcharge chronique en volume. La masse musculaire totale atteint cependant des valeurs plus grandes encore qu'au cours d'une surcharge de pression du fait que le volume télédiastolique peut être considérablement augmenté.

Dans la surcharge chronique en volume, le rapport entre le volume télédiastolique et la pression télédiastolique est subordonné à une *compliance diastolique augmentée*. Ainsi, une pression de remplissage normale peut s'accompagner d'une forte élévation du volume télédiastolique.

SURCHARGE CHRONIQUE DUE A UNE AUGMENTATION DE LA FRÉQUENCE CARDIAQUE

Cette forme de surcharge se traduit par une *tachycardie chronique* due à une stimulation adrénergique autonome. Les formes classiques de ces tachycardies sont le *syndrome hyperkinétique* et l'*hyperthyroïdie*. Alors que le volume d'éjection est normal, le débit cardiaque est fortement augmenté en raison de l'abaissement de la résistance périphérique et de la tachycardie. Sur la radiographie du thorax, la *silhouette cardiaque* est de *taille normale* en l'absence d'insuffisance cardiaque. Dans ces circonstances, la fraction d'éjection est normale ou peut être augmentée. En cas d'hyperthyroïdie, la contractilité myocardique est souvent augmentée.

D'autres formes de tachycardie sont d'origine cardiaque (tachycardies supraventriculaires et ventriculaires). Les tachycardies supraventriculaires, surtout chez le sujet jeune, sont généralement bien supportées. Au-delà d'une fréquence de 170/min — surtout chez des sujets âgés — il peut se produire une élévation de la pression auriculaire et une diminution du débit cardiaque. Le raccourcissement de la diastole, avec son influence néfaste

TABLEAU VII. — *Classification physiopathologique de l'insuffisance cardiaque.*

I. *Insuffisance cardiaque mécanique*	
a) Surcharge de pression	Hypertension, sténoses valvulaires et/ou de la voie d'éjection
b) Surcharge en volume	Insuffisance valvulaire, shunt
c) Entrave aux mouvement du myocarde	Péricardite, tamponade, fibrose endomyocardique, tumeur du myocarde
d) Surcharge relative consécutive à une perte de fibres myocardiques	Maladie ischémique, infarctus myocardique, myocardite, fibrose du myocarde
II. *Insuffisance cardiaque biochimique*	
e) Troubles électrolytiques	Endocrine, rénal, diurétiques
f) Troubles du métabolisme intermédiaire	Hypoxie, hypercapnie, acidose, béri-béri, hyperthyroïdie, cirrhose
g) Infiltration pathologique	Hémochromatose, amyloïdose, glycogénose
h) Troubles pharmacologiques	Barbituriques, Halothan, antidépressifs tricycliques, etc.

sur la circulation coronaire, joue un rôle clé. En cas d'altérations préexistantes du myocarde, ce seuil est plus vite atteint. Dans de tels cas, une insuffisance cardiaque aiguë peut apparaître, pour la première fois, au cours d'une tachycardie. La tachycardie ventriculaire est pratiquement toujours l'expression d'une défaillance myocardique ; elle est particulièrement fréquente après un infarctus.

BIBLIOGRAPHIE

RUTISHAUSER W., KRAYENBUHL H.P. — Herz. *In : Klinische Pathophysiologie* (éd. W. Siegenthaler), Thieme, Stuttgart, 1987, p. 576.

CŒUR PULMONAIRE CHRONIQUE

R. Lerch et J.-C. Chevrolet

DÉFINITION

Affection du ventricule droit provoquée par une *surcharge chronique en pression* consécutive à une maladie qui touche la *structure ou* la *fonction des poumons* ; en sont exclues les maladies du cœur gauche et les malformations congénitales du cœur.

PHYSIOPATHOLOGIE

Le facteur le plus important impliqué dans la surcharge en pression est l'augmentation de la *résistance vasculaire pulmonaire*. Trois mécanismes surtout sont responsables de cette augmentation de la résistance vasculaire : 1° la constriction des artères précapillaires pulmonaires par l'hypoxie alvéolaire, 2° la raréfaction du lit vasculaire et, à un moindre degré, 3° l'augmentation de la viscosité sanguine par la polyglobulie. De plus, une augmentation du débit pulmonaire peut aggraver l'hypertension pulmonaire (effort, anémie, fièvre, grossesse). La surcharge chronique en pression aboutit à une hypertrophie concentrique du ventricule droit et, finalement, à une insuffisance droite.

ÉTIOLOGIE

Les étiologies sont multiples. La liste suivante donne des exemples de maladies souvent associées à un cœur pulmonaire.

Maladies des poumons et des voies aériennes

— Maladies obstructives des poumons (bronchite chronique, emphysème).
— Maladies restrictives (fibrose pulmonaire, pneumoconioses).
— Bronchiectasies, tuberculose.

Affections de la paroi thoracique et de l'appareil neuro-musculaire

— Déformations thoraciques (cyphoscoliose, maladie de Bechterew).
— Neuropathies et myopathies.

Affections de la régulation respiratoire centrale

— Hypoventilation alvéolaire primaire.
— « Sleep apnea ».
— Syndrome de Pickwick.

Hypoxie chronique

— Altitude.

Affections des vaisseaux pulmonaires

— Embolies pulmonaires à répétition.
— Hypertension pulmonaire primitive.
— Maladie veino-occlusive.

CLINIQUE

Avant l'apparition d'une insuffisance droite, il n'existe en général pas de *symptômes* cardiaques spécifiques. La dyspnée qui est présente dans la plupart des cas est surtout d'origine pulmonaire. Occasionnellement, le patient ressent des palpitations qui sont dues à des troubles du rythme cardiaque, ou des douleurs thoraciques à l'effort. Parfois une syncope est la première manifestation du cœur pulmonaire chronique. L'atteinte du cœur droit devient évidente dès l'apparition des signes d'insuffisance droite.

A l'*examen*, on trouve souvent un choc précordial parasternal gauche et une accentuation de la composante pulmonaire de B2. Un clic éjectionnel pulmonaire, un B3 ventriculaire droit, un souffle d'insuffisance pulmonaire ou un souffle d'insuffisance tricuspidienne peuvent être rencontrés à l'auscultation cardiaque. Dans les cas s'accompagnant d'une insuffisance droite, on trouve une congestion des veines jugulaires, une hépatomégalie, de l'ascite et des œdèmes des membres inférieurs.

La *radiographie* du thorax peut montrer une dilatation de l'artère pulmonaire, du ventricule droit et de l'oreillette droite.

A l'*ECG*, on observe une déviation axiale droite, une hypertrophie auriculaire droite et une hypertrophie ventriculaire droite ou un bloc de branche droit. Toutefois, un ECG normal n'exclut pas un cœur pulmonaire chronique. L'*échocardiographie* montre un épaississement de la paroi du ventricule droit et, souvent, une dilatation de celui-ci. En présence d'une insuffisance tricuspidienne, la vitesse du sang qui régurgite à travers la valve, mesuré à l'*examen Doppler*, permet d'estimer la pression systolique dans le ventricule droit.

Le *cathétérisme* cardiaque montre avant tout une élévation des pressions systolique, diastolique et moyenne dans l'artère pulmonaire. La pression télédiastolique du ventricule droit est souvent également augmentée. Par contre, la pression capillaire pulmonaire bloquée est normale.

TRAITEMENT

Traitement causal

Il n'est possible que si la cause du cœur pulmonaire est connue et influençable (par ex. traitement de la maladie pulmonaire ; anticoagulation si maladie thrombo-embolique chronique).

Traitement symptomatique

Correction de l'hypoxémie par oxygénothérapie continue ; correction d'un hématocrite élevé (saignées jusqu'à l'obtention d'un hématocrite < 55 %) ; traitement des troubles du rythme. La place des diurétiques demeure un sujet controversé : ils sont utiles pour le confort du patient (diminution des œdèmes), mais potentiellement dangereux (troubles hydro-électrolytiques, hypotension artérielle). La digitale n'est utile qu'en cas d'arythmies supraventriculaires. L'efficacité des vasodilatateurs artériels (bêta-2 stimulants, xanthines, alpha-bloquants, anticalciques, inhibiteurs de l'enzyme de conversion) est variable.

Traitement « définitif »

La transplantation cœur-poumons « en bloc » a été tentée dans l'hypertension pulmonaire primitive surtout. Dans les centres expérimentés, la survie à 1 an est de l'ordre de 60-70 %, et autour de 50-60 % à 5 ans. Le faible nombre de donneurs potentiels et les difficultés techniques limitent considérablement cette approche thérapeutique.

BIBLIOGRAPHIE

HARRIS P., HEATH D. — *The human pulmonary circulation*. Churchill Livingstone, London, 1986, p. 226-444.
McFADDEN E.R., BRAUNWALD E. — Cor pulmonale and pulmonary thromboembolism. *In : Heart disease* (E. Braunwald ed.), W.B. Saunders, Philadelphia, 1984, p. 1572-1604.
ROSS J.R. — Chronic cor pulmonale. *In : The Heart* (J.W. Hurst ed.). McGraw-Hill Book, New York 1982, p. 1243-1249.
THOMAS A.J. — Chronic pulmonary heart disease. *Br. Heart J. 34*, 653-657, 1972.

INSUFFISANCE CARDIAQUE

W. Rutishauser

DÉFINITION

L'insuffisance cardiaque congestive est un syndrome clinique avec pression veineuse augmentée, débit cardiaque inadéquat, et volumes sanguins et extracellulaires augmentés, dont les signes cliniques varient en fonction de l'origine et de la sévérité.

Si le débit cardiaque et, avec lui, la perfusion périphérique, diminuent, l'organisme réagit d'une manière standardisée comme s'il s'agissait d'une perte de sang lors d'une lutte (P. Harris). Il ne peut distinguer la cause. Il réagit par une hyperfonction des systèmes rénine-angiotensine-aldostérone et du système nerveux sympathique qui créent une vasoconstriction exagérée et une rétention hydrosaline. Celles-ci sont à la base de l'augmentation de la post- et précharge caractérisant la situation hémodynamique lors de l'insuffisance cardiaque.

Pathophysiologiquement, il s'agit d'une réaction phylogénétique de défense aiguë, qui a pour but la survie en cas de perfusion insuffisante par hémorragie, ou déplétion saline, mais qui est perpétuée pendant des mois en cas de fonction cardiaque insuffisante avec une réaction exagérée de certains mécanismes. La rétention d'eau et de sel peut menacer le patient en le noyant dans son propre jus.

L'ancienne définition de l'insuffisance cardiaque selon laquelle les *besoins de perfusion sanguine de l'organisme* à l'effort, ou éventuellement au repos, seraient *insuffisamment satisfaits*, quoique les mécanismes de compensation du cœur soient mis en œuvre, n'est plus entièrement défendable.

On peut distinguer une insuffisance gauche d'une insuffisance droite. Quand la défaillance affecte les deux ventricules, on parle d'insuffisance cardiaque globale. Les symptômes les plus évidents résultent d'une accumulation de liquide dans la circulation pulmonaire et systémique.

MANIFESTATIONS CLINIQUES DE L'INSUFFISANCE CARDIAQUE CONGESTIVE DÉCOMPENSÉE

Cœur gauche

— Stase pulmonaire.
— Dyspnée d'effort — Orthopnée.
— Râles pulmonaires aux deux bases. *hypersécretion ds alvéoles*
— Oedème pulmonaire.
— Cyanose (gazométrie, fonctions pulmonaires).
— Expectorations teintées de sang. *plasma qui passe dans l'alvéole.*

Cœur droit

— Congestion veineuse dans la circulation systémique (niveau élevé du point de collapsus de la veine jugulaire).
— Altérations de l'absorption intestinale.
— Hépatomégalie (sensible, tendre).
— Oedèmes (prétibiaux, région sacrée).
— Ascite.

Symptômes communs

— Fatigue et asthénie. *→ faiblesse*
— Nycturie. *→ ↑ de la miction → pipi ⊘ souvent*
— Troubles du rythme.
— Tachycardie (surtout à l'effort).
— Cardiomégalie. *grossissement ♡*
— Épanchement pleural et péricardique. *à cause œdème, as ci†*
— Cyanose périphérique.

Il existe différents degrés d'insuffisance cardiaque et, sur la base des données anamnestiques, on peut distinguer 4 classes de malades — comme l'a proposé la New York Heart Association (tableau VIII) —. Les classes II et III correspondent aux stades importants de l'insuffisance cardiaque congestive latente. On parle également d'*insuffisance cardiaque à l'effort*. Le diagnostic clinique de l'insuffisance cardiaque *gauche* latente ou manifeste peut être établi à partir de l'anamnèse (dyspnée d'effort, dyspnée paroxystique nocturne, orthopnée). L'insuffisance cardiaque *droite* latente est caractérisée par une pression veineuse dans les limites supérieures de la norme. Une surcharge aiguë de volume du cœur droit par augmentation du sang provenant de l'abdomen s'accompagne d'une élévation de la pression veineuse (reflux hépato-jugulaire positif).

TABLEAU VIII. — *Classification fonctionnelle des malades porteurs d'une car-diopathie selon les directives de la New York Heart Association.*

prendre .

Classe I	:	Elle comporte les malades porteurs d'une cardiopathie qui ne sont pas limités dans leur activité physique. Une activité physique normale ne s'accompagne ni d'une fatigabilité inhabituelle, ni de palpitations ou de dyspnée, ni d'angine de poitrine.
Classe II	:	Elle comprend les malades porteurs d'une cardiopathie qui sont légèrement limités dans leur activité physique. Au repos, ces malades n'ont pas de manifestations de leur maladie. Une activité physique normale entraîne une fatigue précoce, des palpitations, une dyspnée ou une angine de poitrine.
Classe III	:	Elle comporte les malades porteurs d'une cardiopathie dont l'activité physique est nettement limitée. Au repos, ces malades n'ont pas de manifestations de leur maladie. Une activité inférieure à la norme entraîne une fatigue précoce, des palpitations, une dyspnée ou une angine de poitrine.
Classe IV	:	Elle comporte les patients porteurs d'une cardiopathie qui sont incapables d'accomplir une activité physique. Les symptômes de l'insuffisance cardiaque ou l'angine de poitrine peuvent apparaître au repos déjà. Au moindre effort physique, les symptômes augmentent.

Mécanisme du myocarde défaillant

Dans l'insuffisance cardiaque décompensée, les *temps de circulation* sont *allongés*. Le *volume sanguin* total est généralement *augmenté*, le *débit cardiaque* est dans les *limites inférieures* de la norme ou *franchement diminué*. La *pression de remplissage du ventricule défaillant* et le *volume télédiastolique* sont *augmentés*, la *fraction d'éjection* est *diminuée*. La vitesse maximale d'élévation de la pression (dP/dt max) est abaissée. La phase de contraction isovolumétrique est souvent allongée. Il faut souligner que tous ces indices, considérés isolément, ne permettent pas de conclure à une insuffisance myocardique. Puisque l'insuffisance cardiaque congestive est un syndrome clinique, seule une évaluation globale permettra de diagnostiquer l'insuffisance myocardique.

La capacité fonctionnelle du myocarde, rappelons-le, peut être diminuée en présence d'indices de performances ventriculaires normaux au repos. Dans de tels cas, un *test d'effort* permet de mettre en *évidence* la *défaillance ventriculaire*. D'une façon générale, le myocarde défaillant est incapable d'augmenter considérablement son travail d'éjection, comme le fait le myocarde intact. D'autre part, en cas de défaillance myocardique, la pression télédiastolique ventriculaire augmente de façon significative pendant l'effort alors que, chez le sujet normal, cette valeur ne subit que de légères modifications. En d'autres termes, le *myocarde défaillant* doit avoir recours principalement au mécanisme de *Frank-Starling pour augmenter sa performance*.

elastic

Mécanismes « compensateurs » cardiaques

Trois facteurs ont été souvent cités comme mécanismes compensateurs :

- **Mécanisme de Frank Starling**

- **Système sympathique**

   Augmentation de l'activité du *système sympathique* grâce à une élévation du tonus sympathique et de la concentration des catécholamines circulantes.

- **Hypertrophie** (augmentation de la masse musculaire).

Cependant, si l'on se réfère au diagramme pression télédiastolique-débit, le cœur fonctionne sur la branche ascendante de cette courbe de fonction ventriculaire. La faible montée de cette branche vers le sommet indique qu'en cas de contractilité déficiente, le cœur ne peut qu'augmenter modérément son débit systolique, même au prix d'une augmentation massive de la pression de remplissage.

Dans l'insuffisance myocardique, l'augmentation de la fréquence cardiaque, l'élévation de la concentration plasmatique de noradrénaline (et l'élévation de l'excrétion urinaire de noradrénaline) témoignent d'une activité augmentée du *système sympathique*. Cependant, la concentration de noradrénaline dans le tissu myocardique prélevé chez des sujets en insuffisance cardiaque est diminuée. Il y a une régulation vers le bas des bêta-récepteurs.

On ne connaît que partiellement les facteurs déclenchants de l'*hypertrophie pariétale*. L'élévation chronique de la tension systolique, qui entraîne une augmentation de la consommation d'oxygène par cycle cardiaque, constitue, semble-t-il, la condition préalable nécessaire au développement d'une hypertrophie concentrique, tandis que l'augmentation de la tension diastolique induit une hypertrophie excentrique.

↑ masse musculaire   *↳ dilatation*

Mécanismes compensateurs périphériques

Au cours de l'*insuffisance cardiaque*, il se produit une *constriction périphérique générale des artérioles et des veines*. Elle résulte d'une hyperfonction des systèmes rénine-angiotensine-aldostérone et du système nerveux sympathique. En cas d'insuffisance cardiaque sévère, la *vasoconstriction artériolaire prédomine* au niveau du *réseau cutané et rénal*. La diminution de la perfusion dans ces territoires a pour conséquence une redistribution du débit cardiaque en faveur d'organes vitaux tels que le cerveau et le cœur, au détriment des reins. La diminution de l'irrigation cutanée favorise un dérèglement thermique et une *intolérance à la chaleur*.

Troubles du métabolisme au cours de l'insuffisance cardiaque

Jusqu'à présent, il n'a pas été possible de mettre en évidence, au cours d'insuffisances cardiaques expérimentales, un trouble du métabolisme responsable en dernier ressort de la diminution de la contractilité mécanique. Néanmoins, au niveau de la cellule myocardique, plusieurs troubles de la fonction biochimique ont été décrits. Il est possible que ces anomalies constituent un facteur déterminant dans le déclenchement de l'insuffisance cardiaque mécanique ; elles peuvent toutefois représenter simplement un trouble consécutif à la défaillance myocardique. L'anomalie la plus importante qui a été observée se rapporte au mouvement du calcium en provenance du réticulum sarcoplasmique vers les sarcomères. Des études effectuées sur le hamster syrien, animal connu pour l'apparition spontanée d'une insuffisance cardiaque secondaire à une cardiomyopathie primitive, ont permis de mettre en évidence des altérations des mouvements calciques. D'une part la libération de calcium en provenance du réticulum sarcoplasmique est diminuée et, d'autre part, la capacité du réticulum d'« absorber » le calcium est abaissée.

De plus, le développement d'une *hypertrophie pariétale* idiopathique a pour résultat une *raréfaction relative*, puisque la teneur en réticulum sarcoplasmique et le taux de calcium par unité contractile se trouvent diminués dans une masse musculaire hypertrophiée. Cette anomalie du réticulum sarcoplasmique a également été retrouvée chez l'homme souffrant d'insuffisance cardiaque. En effet, l'analyse de cœurs provenant de receveurs d'une transplantation cardiaque a permis de démontrer qu'au cours de l'insuffisance cardiaque, la capacité du réticulum sarcoplasmique d'accumuler du calcium est anormalement basse chez l'homme également.

BIBLIOGRAPHIE

BRAUNWALD E., ROSS J., SONNENBLICK E. — *Mechanisms of contraction of the normal and failing heart failure*, Little, Brown Company, Boston, 1978.

TRAITEMENT DE L'INSUFFISANCE CARDIAQUE

P. Urban et W. Rutishauser

L'*identification*, dans chaque cas, *de la cause* de l'insuffisance cardiaque et sa correction constituent le traitement idéal. Lorsqu'une telle approche est impossible, il faut envisager un traitement par palier :
— Supprimer ou diminuer les facteurs précipitants.

— Repos (si complet : anticoaguler !).
— Restriction de l'apport sodique.
— *indispensable* Diurétiques.
— Digitale, év. d'autres inotropes. *cardiotonique ↑ force contr til*
— Vasodilatateurs conventionnels.
— Inhibiteurs de l'enzyme de conversion de l'angiotensine (ACE-inhibiteurs).

TRAITEMENT DE L'INSUFFISANCE CARDIAQUE AIGUE

lire

Un tableau d'insuffisance cardiaque aiguë peut être provoqué soit par la survenue d'une pathologie aiguë sur un myocarde préalablement sain (infarctus, endocardite aiguë, rupture de cordage mitral, insuffisance aortique sur dissection de l'aorte ascendante, tamponade péricardique, embolie pulmonaire, etc.), soit par l'apparition d'un facteur déclenchant dans un contexte d'insuffisance cardiaque jusqu'alors compensée (arythmie, état fébrile, anémie, etc.). Dans le cadre de l'infarctus du myocarde, la classification de Killip a une bonne valeur pronostique :
Killip I : pas de stase audible, pas de galop ventriculaire (B3).
Killip II : stase audible sur moins de 50 % des plages pulmonaires ou B3.
Killip III : œdème pulmonaire franc.
Killip IV : choc cardiogène.
Si la clinique et les examens simples tels qu'ECG, radiographie du thorax, gazométrie artérielle et biologie de routine ne permettent pas de poser un diagnostic étiologique précis, il est impératif de poursuivre les investigations tout en débutant déjà le traitement. L'échocardiographie est souvent l'examen de choix dans un premier temps. Il est capital d'établir la cause de l'insuffisance cardiaque car le traitement sera souvent différent de cas en cas, par exemple :
— choc électrique pour une fibrillation auriculaire mal supportée,
— drainage péricardique pour une tamponade,
— chirurgie de remplacement valvulaire précoce pour insuffisance valvulaire aiguë et sévère,
— chirurgie pour CIV aiguë en décours d'un infarctus du myocarde,
— thrombolyse durant les premières heures de l'infarctus,
— etc.

Mesures générales

Repos, oxygène, anticoagulation prophylactique, pose d'une voie veineuse. Morphine (anxiolyse, veinodilatation).

Traitement pharmacologique

☐ Vasodilatateurs

Ils sont indiqués surtout lorsqu'il existe une défaillance myocardique systolique ou une pathologie régurgitante. Ils sont contre-indiqués en cas de sténose aortique sévère. Pour le traitement aigu, on utilisera le plus souvent soit la nitroglycérine, soit le nitroprussiate de sodium.

La nitroglycérine agit surtout sur le versant veineux de la circulation et possède aussi un effet vasodilatateur sur les artères coronaires. L'effet principal est de diminuer la précharge des deux ventricules et d'améliorer la congestion pulmonaire. On se déplace vers la gauche sur la courbe de fonction de Frank-Starling (fig. 19).

Le nitroprussiate de sodium *(Nipride)* est un vasodilatateur « équilibré » agissant à la fois sur les lits artériels et veineux. La diminution de la postcharge est plus importante que celle obtenue avec la nitroglycérine, et donc l'augmentation du débit cardiaque est plus marquée (fig. 19). La demi-vie est extrêmement brève et les effets sont donc rapidement réversibles. C'est un médicament puissant que l'on utilise seulement aux soins intensifs avec un monitoring continu de la pression artérielle. En cas de traitement prolongé avec des doses importantes, il existe un risque théorique d'intoxication au cyanure et/ou une augmentation importante de la méthémoglobine. En pratique, ces complications sont extrêmement rares.

☐ Diurétiques

En intraveineux, ils agissent rapidement par une action veinodilatatrice (minutes) et un effet diurétique (minutes/heures). La préparation la plus employée est le furosémide *(Lasilix)*. L'effet clinique correspond à un déplacement vers la gauche sur la courbe de Frank Starling.

☐ Inotropes

Ils agissent en augmentant la contractilité du myocarde. La digitale est le plus ancien des inotropes mais est maintenant moins utilisée en aigu sauf pour contrôler la réponse ventriculaire en cas de fibrillation auriculaire rapide. On lui préfère les inotropes catécholaminergiques qui agissent en stimulant l'activité de l'adénylcyclase via les récepteurs membranaires (bêta-1, bêta-2, alpha, dopaminergiques) ou les inhibiteurs de la phosphodiestérase III. Ces deux classes de médicaments augmentent la concentration du cAMP sarcoplasmique et améliorent ainsi la contractilité, ce qui se traduit par un déplacement vers la gauche et vers le haut de la courbe de fonction (fig. 19).

Tous les inotropes positifs sont arythmogènes à des degrés divers. La dopamine possède un effet vasodilatateur splanchnique et rénal à doses

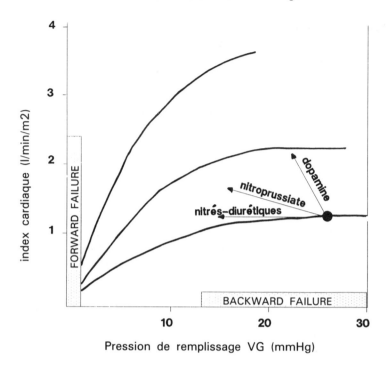

Fɪɢ. 19. — *Action des vasodilatateurs (nitroprussiate), des diurétiques et des inotropes (dopamine) dans le traitement de l'insuffisance cardiaque.*

faibles qui favorise la diurèse et la natriurèse. L'effet inotrope positif et un effet vasoconstricteur périphérique apparaissent à doses plus fortes. La dobutamine agit presque uniquement comme inotrope, et est moins tachycardisante que la dopamine. L'adrénaline, la noradrénaline et l'isoprotérenol entraînent une augmentation importante de la consommation myocardique en oxygène. Ils ne sont habituellement pas utilisés pour traiter une défaillance circulatoire d'origine cardiaque primaire. La phényléphrine n'est pas un inotrope puisqu'elle ne possède que des effets périphériques alpha stimulants. Les inhibiteurs de la phosphodiestérase ont été introduits plus récemment et sont donc moins bien connus. Ils exercent un double effet inotrope positif et vasodilatateur périphérique. Leur association avec des inotropes catécholaminergiques est logique puisque les modes d'action sont distincts.

Ventilation mécanique

La ventilation mécanique permet de protéger les voies aériennes contre une possible broncho-aspiration (état de conscience perturbé par exemple) et d'améliorer la FiO_2 en l'augmentant jusqu'à 100 % si nécessaire. Elle exerce également des effets hémodynamiques complexes dont la plupart sont salutaires pour la fonction cardiaque défaillante.

La pression positive intrathoracique lors de l'inspiration annule le gradient transdiaphragmatique normalement présent à l'inspiration lors de la ventilation spontanée. Ce gradient est l'un des paramètres importants qui contribue à augmenter le retour veineux, et sa suppression entraîne un « pooling » splanchnique et une diminution des précharges gauches et droites.

La ventilation mécanique va généralement entraîner une augmentation modérée de la post-charge ventriculaire droite. Ceci est un désavantage lorsque la fonction droite est sévèrement diminuée (infarctus aigu du ventricule droit par exemple).

La pression transmurale systolique du ventricule gauche est diminuée puisque les pressions moyennes intrapéricardiques sont augmentées par la ventilation en pressions positives. Ceci entraîne une diminution de la post-charge du ventricule gauche et constitue une forme supplémentaire de soutien hémodynamique.

Il a été démontré chez l'animal avec défaillance hémodynamique sévère qu'*une part très importante du débit cardiaque* est nécessaire à la perfusion des muscles respiratoires. Ceci n'est pas le cas lorsqu'une ventilation mécanique est utilisée, et cette part de débit est alors redistribuée vers d'autres organes-cibles.

L'indication à une ventilation mécanique dans les cas d'insuffisance cardiaque aiguë sévère et réfractaire sera basée sur la clinique (troubles de l'état de conscience, épuisement) et les paramètres gazométriques (pH, pO_2, pCO_2).

Contrepulsion par ballon intraaortique

Cette technique de support mécanique au cœur défaillant est utilisée en clinique depuis plus de 20 ans. Elle consiste à introduire de façon percutanée (ou chirurgicale) un ballon de 40 ml dans l'aorte descendante par une voie d'accès fémorale. Il peut alors être gonflé de façon cyclique durant la diastole et dégonflé durant la systole (fig. 20). Ceci a pour effet : 1° d'augmenter la pression diastolique dans l'aorte, et donc la pression de perfusion coronarienne, et 2° de diminuer la post-charge du ventricule gauche. En conséquence, le débit cardiaque augmente de 15-30 %, les pressions de remplissage gauche diminuent et l'ischémie myocardique est favorablement influencée.

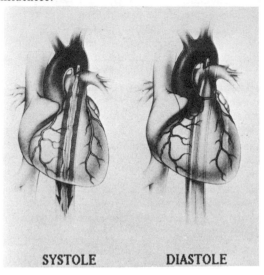

SYSTOLE   DIASTOLE

FIG. 20. — *Contrepulsion par ballon intraaortique.*

Les indications actuellement reconnues pour la contrepulsion sont :

a) angor instable réfractaire au traitement médical maximal durant les heures ou les jours qui précèdent une intervention ;

b) stabilisation préopératoire pour infarctus aigu compliqué par une rupture du septum interventriculaire ou par une insuffisance mitrale aiguë ;

c) soutien hémodynamique parfois prolongé en attente d'une greffe pour un candidat à la transplantation cardiaque en insuffisance cardiaque réfractaire terminale.

Les complications de ce traitement restent fréquentes et concernent surtout les problèmes ischémiques du membre inférieur concerné (10 % des cas environ).

Autres assistances circulatoires mécaniques

Les techniques d'assistance circulatoire temporaire connaissent un développement rapide. Actuellement, il s'agit soit d'une circulation extracorporelle introduite de façon percutanée et à même de soutenir la perfusion périphérique durant quelques heures (avant une intervention chirurgicale ou une transplantation par exemple), soit d'appareils plus complexes qui nécessitent encore une pose chirurgicale mais capables d'assister le cœur défaillant durant des jours ou même des semaines si nécessaire. L'indication principale à ce type de traitement est le support hémodynamique temporaire (quelques heures à plusieurs semaines) avant une intervention chirurgicale, le plus souvent une transplantation cardiaque.

TRAITEMENT DE L'INSUFFISANCE CARDIAQUE CHRONIQUE

Facteurs précipitants

— Arythmies.
— Embolies pulmonaires.
— Épisode fébrile. } endocardite
— Anémie.
— Surcharge sodique.

Repos

La position assise est favorable en cas d'insuffisance gauche. L'immobilisation doit être interrompue par une mobilisation passive des membres inférieurs plusieurs fois par jour. La surélévation des jambes, ainsi que le port de bas élastiques sont indiqués dans l'insuffisance droite sévère.

Régime

Un régime raisonnable avec une restriction de l'apport sodique (max. 4 g de NaCl/jour) est essentiel. Dans les insuffisances très avancées, un régime sans sel strict (seulement applicable en milieu hospitalier) contient 1 g de NaCl/jour. Restreindre éventuellement les boissons si hyponatrémie par dilution.

Diurétiques

Attention : les thiazides et le chlorthalidon provoquent une hypokaliémie, une hyponatrémie, une hypomagnésémie, une hyperuricémie et une hyperlipidémie, raison pour laquelle il faut souvent administrer du potassium. Utiliser plutôt une combinaison de spironolactone et de furosémide, ou un autre diurétique épargnant le potassium (amiloride, triamtérène) en cas d'insuffisance cardiaque sévère et dans la préparation préopératoire.

Digitale et autres substances inotropes positives

Malgré les controverses récentes, dans la littérature américaine, sur l'efficacité de la digitale, son utilisation dans le traitement de l'insuffisance cardiaque reste pour nous une pièce maîtresse, surtout en présence d'une fibrillation auriculaire. Il suffit de bien connaître la préparation (par ex. digoxine : comprimés à 0,125 mg et à 0,25 mg, 1 amp. = 0,5 mg). Pru-

TRÈS INTÉRESSANT

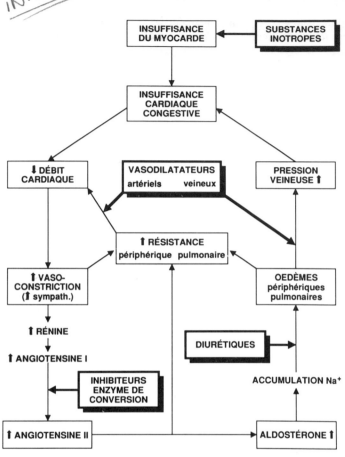

FIG. 21. — *Schéma des principales altérations hémodynamiques dans l'insuffisance cardiaque congestive. Sont également indiqués les lieux d'action des
quatre thérapeutiques principales : substances inotropes, diurétiques, ACE-
inhibiteurs et vasodilatateurs.*

dence avec la digitale en cas de maladie coronarienne. Un dosage soigneusement adapté avec contrôle de l'effet clinique et éventuellement par la
digoxinémie, et surtout une kaliémie plutôt haute, donnent la sécurité vou-
lue en face des problèmes rencontrés avec cette thérapie. Heureusement,
il n'y a pas de tachyphylaxie. Revoir l'indication à la digitalothérapie périodiquement. De nouvelles substances inotropes positives comme l'amrinone
et la milrinone, qui ont en même temps des propriétés vasodilatatrices,
ont une valeur certaine, au moins à court terme. Leur avantage à moyen
et à long terme n'est pas prouvé.

Vasodilatateurs

Certains symptômes et signes peuvent être fortement améliorés par un traitement comprenant des substances vasodilatatrices. Les effets immédiats sont certainement favorables. A court terme, les vasodilatateurs conventionnels augmentent le débit cardiaque et diminuent souvent la pression veineuse. On distingue quelque peu artificiellement des vasodilatateurs artériels (hydralazine, prazosine, etc.) et veineux (dérivés nitrés), alors qu'un vasodilatateur artériel « pur » diminue souvent la pression capillaire pulmonaire et aussi la pression veineuse systémique, pas seulement en cas d'insuffisance aortique et mitrale.

Les effets à long terme de la prazosine sont décevants. Une tachyphylaxie importante s'installe, nécessitant une augmentation des diurétiques chez la plupart des malades. En cas d'insuffisance cardiaque due à une maladie coronaire, leurs effets peuvent être néfastes (aggravation de l'ischémie).

Si les symptômes principaux sont la dyspnée d'effort, et éventuellement de repos, les dérivés nitrés s'avèrent les plus efficaces, aussi bien dans le traitement aigu que chronique. Une combinaison d'isosorbide dinitrate et d'hydralazine s'est avérée avantageuse dans une étude multicentrique.

Certains anticalciques, comme la nifédipine et la nisoldipine, ont aussi une action vasodilatatrice, et peuvent avoir un effet favorable dans des cas spéciaux d'insuffisance cardiaque. Il n'y a pas de développement de tachyphylaxie avec les anticalciques.

Inhibiteurs de l'enzyme de conversion de l'angiotensine (« ACE-inhibiteurs »)

Ils constituent le plus grand progrès dans le traitement de l'insuffisance cardiaque des dernières années. Ce ne sont pas des vasodilatateurs directs mais, en diminuant l'angiotensine II, qui est la substance vasoconstrictive la plus puissante, et en interférant avec les kinines et avec la production de catécholamines, les ACE-inhibiteurs agissent directement sur la mauvaise régulation neuro-endocrinienne caractérisant l'insuffisance cardiaque. Si le sodium plasmatique est bas, il faut commencer avec de toutes petites doses de captopril (par ex. 6 mg de Lopririn) pour éviter une chute trop importante de la pression artérielle (mesurer 15 minutes après application sublinguale ou 1 heure 1/2 après la prise orale). Si 3 x 6 mg, voire 3 x 12 mg sont bien tolérés, on peut passer à 5-10 mg d'énalapril par jour (1/2 à 1 cp de Reniten mite par jour). Les ACE-inhibiteurs provoquent une augmentation de la créatinine due à une diminution de la fraction filtrée. La tachy phylaxie aux ACE-inhibiteurs est quasi absente.

L'énalapril a montré, dans une étude multicentrique, un effet très favorable en cas d'insuffisance cardiaque de stades III et IV. Les autres ACE-inhibiteurs sont probablement aussi efficaces.

CARDIOMYOPATHIES
ET AFFECTIONS SPÉCIFIQUES DU MYOCARDE

R. Lerch

DÉFINITION

Une *cardiomyopathie* est une affection du myocarde dont l'étiologie n'est pas connue.

Selon cette définition, qui fut introduite par l'Organisation Mondiale de la Santé, toutes les affections du myocarde dont l'étiologie est connue, ou qui sont associées à une maladie d'un autre système, ne sont pas classées dans ce groupe. L'ancienne expression « cardiomyopathie secondaire » utilisée pour ces dernières maladies est remplacée par le terme « *affections spécifiques du myocarde* » (voir p. 162). Une atteinte du myocarde secondaire à une maladie coronarienne, à une valvulopathie, à une malformation congénitale ou à une hypertension artérielle n'est pas classée dans l'un de ces deux groupes.

CLASSIFICATION

Les cardiomyopathies sont classées, selon la structure et la fonction, dans les groupes suivants (d'après Goodwin) :
— par dilatation,
— hypertrophique,
— restrictive.

La *cardiomyopathie par dilatation* est caractérisée par une dilatation du ventricule gauche et une diminution de la contractilité touchant principalement la fonction systolique.

Dans la *cardiomyopathie hypertrophique*, il s'agit d'une hypertrophie du myocarde du ventricule gauche touchant surtout le septum interventriculaire, et produisant souvent un gradient de pression intracavitaire pendant la systole.

La *cardiomyopathie restrictive* est caractérisée par une diminution de la compliance aboutissant à un défaut de la fonction diastolique, sans dilatation du ventricule gauche.

LA CARDIOMYOPATHIE PAR DILATATION

Physiopathologie

Le trouble physiopathologique fondamental est une diminution de la contractilité du muscle cardiaque. En présence d'une charge donnée, le raccourcissement des fibres est diminué. Cela se traduit, sur le cœur entier, par une diminution de la fraction d'éjection. Au début, le débit cardiaque peut être encore conservé par l'augmentation de la pression de remplissage (mécanisme de Frank-Starling) et du volume télédiastolique, et par un inotropisme positif assuré par les catécholamines endogènes et par la tachycardie.

Étiologie et prédisposition

Par définition, l'étiologie n'est pas connue. Chez certains patients, des biopsies endomyocardiques ont montré des infiltrations inflammatoires du myocarde compatibles avec une origine *virale* ou un mécanisme *auto-immun*. Chez des hamsters présentant une atteinte congénitale du myocarde similaire à une cardiomyopathie par dilatation, on a pu mettre en évidence des perturbations du métabolisme. La plupart des malades sont des hommes d'âge moyen.

Clinique

Les *symptômes* prédominants sont ceux de l'insuffisance cardiaque gauche, ou gauche et droite. La maladie est souvent révélée par une dyspnée d'effort, ou par hasard lors d'une radiographie de routine. Rarement la maladie s'extériorise pour la première fois par des arythmies ou par des embolies systémiques.

A l'*examen*, on trouve également les signes d'une insuffisance cardiaque gauche et droite. Au début, on ne peut entendre que des bruits de galop particulièrement nets, souvent associés à une latéralisation du choc de pointe. A un stade avancé, la dilatation du ventricule peut causer une insuffisance mitrale soit par fermeture incomplète de la valve (cordages mitraux « pas assez longs »), soit par une dilatation de l'anneau fibreux.

La *radiographie* du thorax montre une cardiomégalie et des signes de stase pulmonaire

L'*électrocardiogramme* est souvent anormal, mais il n'existe pas de signes spécifiques. Les altérations les plus courantes sont : déviation axiale gauche, altérations diffuses de la repolarisation, bloc de branche gauche incomplet ou complet, arythmies.

A l'*échocardiogramme* (M-mode et bidimensionnel), on observe une dilatation du ventricule gauche avec une diminution de l'amplitude des mouvements. On rencontre parfois un thrombus intraventriculaire gauche, le plus souvent apical, si la dilatation est importante.

Les enregistrements *mécanocardiographiques* n'apportent aucune donnée spécifique, si ce n'est un temps d'éjection raccourci au carotidogramme, et une onde a augmentée à l'apexogramme.

Au *cathétérisme*, on mesure dans la plupart des cas une élévation de la pression télédiastolique du ventricule gauche, et une ascension lente de la pression (dP/dt) dans le ventricule gauche. Le débit cardiaque est souvent diminué.

L'*angiographie* confirme la dilatation du ventricule gauche. La fraction d'éjection est toujours abaissée, souvent jusqu'à des valeurs de 15-20 % (valeur normale : > 60 %). Les artères coronaires sont normales.

Diagnostic différentiel

Il faut surtout exclure une maladie coronarienne, une hypertension artérielle, une valvulopathie ou une affection spécifique du myocarde.

Traitement

La base est le *traitement médical* de l'insuffisance cardiaque : repos, restriction sodée, inhibiteurs de l'enzyme de conversion de l'angiotensine, autres vasodilatateurs (dérivés nitrés, hydralazine), diurétiques et (surtout en présence d'une fibrillation auriculaire) la digitale. De nouveaux agents inotropes positifs tels que la milrinone peuvent améliorer les symptômes de l'insuffisance gauche dans des cas résistant au traitement « classique ». En présence d'une dilatation importante du cœur, une anticoagulation est indiquée. Plusieurs nouvelles thérapies médicamenteuses sont actuellement à l'étude. Dans certains centres spécialisés, la transplantation cardiaque est effectuée avec succès.

Pronostic

Dans une étude prospective comprenant 95 patients, Franciosa et collaborateurs ont constaté une mortalité annuelle d'environ 20 %. Des études récentes suggèrent que le pronostic est amélioré par un traitement vasodilatateur (inhibiteurs de l'enzyme de conversion de l'angiotensine, hydralazine + dérivés nitrés). De plus, certains auteurs ont suggéré que la progression de la maladie pouvait être ralentie par des anticalciques ou par de petites doses de bêta-bloqueurs.

LA CARDIOMYOPATHIE HYPERTROPHIQUE

Physiopathologie

L'hypertrophie du myocarde ventriculaire gauche, qui est souvent régionale et qui touche surtout le septum interventriculaire, peut provoquer 1) une diminution de la compliance diastolique, 2) une obstruction de la chambre de chasse pendant la systole. L'obstruction systolique est accrue par des manœuvres qui augmentent la contractilité (par ex. bêta-stimulateurs, tachycardie, digitale, potentialisation post-extrasystolique), ou qui diminuent la dimension du ventricule gauche (Valsalva, nitrite d'amyle, diurétiques, orthostatisme). Au contraire, le gradient de pression intraventriculaire est abaissé par la diminution de la contractilité (bêta-bloquants, anticalciques) ou par l'augmentation de la dimension du ventricule gauche (augmentation de la précharge ou de la post-charge). Dans de rares cas, l'obstruction de la chambre de chasse est totalement absente, surtout si l'hypertrophie est limitée à la région apicale.

Étiologie et prédisposition

Certaines données suggèrent une anomalie de la stimulation adrénergique du myocarde. Dans environ la moitié des cas, on trouve une association familiale avec transmission autosomale dominante.

Clinique

Les *symptômes*, peu caractéristiques, sont : dyspnée d'effort, lipothymies et syncopes (surtout à l'effort), douleurs thoraciques atypiques et palpitations.

A l'examen on ausculte essentiellement un souffle systolique maximum latéro-sternal gauche et à l'endapex, sans irradiation dans l'aisselle et dans les carotides. Le souffle s'accroît par des manœuvres de provocation (voir ci-dessus) et diminue en position accroupie. Souvent, on entend un B3 et un B4, et plus rarement un souffle d'insuffisance mitrale.

La radiographie du thorax peut être dans les limites normales ou montrer une légère cardiomégalie.

A l'électrocardiogramme on trouve souvent les altérations suivantes : hypertrophie auriculaire et ventriculaire gauche, ondes Q profondes dans les dérivations précordiales gauches, et inversion de l'onde T. Lors d'enregistrements électrocardiographiques de 24 heures, on observe des arythmies supraventriculaires et ventriculaires parfois graves (tachycardie ventriculaire).

Le carotidogramme est caractérisé par une montée rapide et un premier sommet pointu, suivi d'un deuxième sommet plus petit.

L'apexogramme montre une onde a augmentée, et également un deuxième sommet dans la télésystole, qui est cependant plus haut.

L'échocardiographie est devenue une méthode d'exploration importante pour le diagnostic de la cardiomyopathie hypertrophique. Les deux éléments essentiels sont l'hypertrophie du septum interventriculaire et l'obstruction systolique de la chambre de chasse du ventricule gauche par le feuillet antérieur de la valve mitrale (« systolic anterior motion » = SAM). Le Doppler permet d'estimer le gradient intracavitaire par la formule de Bernoulli.

Au cathétérisme il existe souvent un gradient de pression intraventriculaire entre la partie apicale et la chambre de chasse du ventricule gauche. De plus, la pression télédiastolique est augmentée dans la plupart des cas.

L'angiographie montre l'hypertrophie septale et la subdivision systolique du ventricule gauche en une chambre apicale et une chambre sous-valvulaire.

Il faut noter que les signes d'obstruction au cathétérisme, à la mécano-cardiographie et à l'échocardiographie peuvent n'être présents qu'après provocation (voir ci-dessus).

Diagnostic différentiel

A l'auscultation, il est parfois difficile de faire le diagnostic différentiel entre un souffle éjectionnel pulmonaire fonctionnel, une insuffisance mitrale télésystolique, une communication interventriculaire et une sténose aortique.

Traitement

Pour la prévention *médicale* de l'obstruction systolique, on recourt avec succès aux anticalciques ou aux bêta-bloquants. Dans les cas s'accompagnant d'arythmies graves, l'amiodarone s'est révélée être un traitement antiarythmique particulièrement efficace. La myectomie *chirurgicale* est indiquée en cas d'échec du traitement médical.

Pronostic

L'évolution spontanée est toujours mal connue. Selon Goodwin, la mortalité annuelle est d'environ 3,5 %. Les causes de mort les plus fréquentes sont les arythmies ventriculaires malignes. Une étude du groupe de Goodwin a montré que l'amiodarone diminuait la mortalité des patients présentant des tachycardies ventriculaires à l'enregistrement électrocardiographique de 24 heures.

LA CARDIOMYOPATHIE RESTRICTIVE

Physiopathologie

Il s'agit d'une diminution de la compliance du ventricule gauche et/ou droit par un processus pathologique intéressant l'endocarde, le sous-endocarde ou le myocarde entier. La pression de remplissage est élevée, mais la capacité du ventricule gauche d'augmenter le volume télédiastolique, et ainsi le volume d'éjection, est limitée. Les altérations hémodynamiques sont très semblables à celles de la péricardite constrictive.

Étiologie et prédisposition

Dans la plupart des cas, on trouve une fibrose endomyocardique. Comme certains patients présentent une éosinophilie sanguine, une réaction tissulaire envers un agent produit par les éosinophiles est une étiologie possible. L'affection est très fréquente sous les tropiques, mais très rare sous nos latitudes.

Clinique

A l'anamnèse et à l'examen, on trouve des signes d'insuffisance droite et/ou gauche. A la radiographie, la taille du cœur est normale ou légèrement augmentée. L'électrocardiogramme montre souvent un micro-voltage et une négativation des ondes T. Les courbes de pression enregistrées dans le ventricule atteint par la maladie se caractérisent par un aspect de « dip »

protodiastolique, suivi d'un plateau avec élévation de la pression télédiastolique.

Diagnostic différentiel

Péricardite constrictive.

Traitement

Médical (diurétiques) ou *chirurgical* (endomyocardectomie).

LES AFFECTIONS SPÉCIFIQUES DU MYOCARDE

Définition

Affection du myocarde dont l'étiologie est connue, ou qui est associée
à une maladie d'un autre système, et qui n'est pas la conséquence d'une
maladie coronarienne, d'une valvulopathie, d'une malformation congénitale ou d'une hypertension artérielle ou pulmonaire.

Clinique

Le tableau clinique d'une affection spécifique du myocarde peut être tout
à fait identique à l'une des trois formes de cardiomyopathie. Il est évident que la classification des patients dans l'un ou l'autre de ces groupes
dépend largement des efforts cliniques effectués et des progrès réalisés dans
la recherche de l'étiologie des cardiomyopathies.

Classification

☐ **Infectieuse** (myocardite)

La présentation clinique varie, et va des altérations non spécifiques de
l'ECG (arythmies, modifications du segment ST) jusqu'à une insuffisance
myocardique sévère comparable à une cardiomyopathie par dilatation.
L'étiologie est le plus souvent *virale* (influenza, coxsackie, mononucléose
infectieuse, HIV), mais peut aussi être *bactérienne* (diphtérie), *rickettsiale*

(fièvre Q), *fungique* ou par des *protozoaires*. La maladie de Chagas, une trypanosomiase, représente 80 % des causes de décès par cardiopathie dans certains pays d'Amérique du Sud.

☐ **Métabolique**

Plusieurs affections *endocrines* peuvent provoquer une dysfonction du myocarde. Celle-ci peut se manifester par une image clinique semblable à celle d'une cardiomyopathie par dilatation (hypothyroïdie, acromégalie, diabète), ou par des arythmies (hyperthyroïdie).

Les *maladies métaboliques familiales avec accumulation («storage») ou infiltration* sont souvent associées à une forme restrictive d'atteinte myocardique (hémochromatose, «glycogen storage disease»).

La cardiomyopathie par *carence de carnitine* chez l'enfant est évoquée devant un défaut du métabolisme myocardique des acides gras.

L'*amyloïdose* cardiaque est la forme la plus fréquente d'atteinte restrictive du myocarde sous nos latitudes.

☐ **Maladies rhumatismales et collagénoses**

L'exemple classique est la *myocardite rhumatismale* associée à un rhumatisme articulaire aigu.

Une atteinte myocardique est également observée dans la *sclérodermie* et le *lupus érythémateux*.

☐ **Maladies neuro-musculaires**

Parmi les *dystrophies musculaires*, la myotonie (maladie de Steinert) entraîne souvent des troubles de conduction. La *dystrophie musculaire de Duchenne* est souvent associée à une atteinte segmentaire du myocarde qui touche typiquement la paroi postérieure du ventricule gauche. L'association de la *maladie de Friedreich* à une atteinte du myocarde semblable à celle d'une cardiomyopathie hypertrophique est décrite dans la littérature.

☐ **Toxique**

L'effet toxique de l'*éthanol* sur le myocarde est bien établi par des études expérimentales. L'abus chronique d'alcool peut provoquer une atteinte dilatative du myocarde qui, au stade précoce, peut être réversible. Une épidémie d'insuffisance cardiaque au Canada (1965/66) a été attribuée au *cobalt* contenu dans la bière. D'autres agents toxiques comme la *doxorubicine* et la *daunomycine* peuvent causer une insuffisance myocardique iatrogène lors de traitements antimitotiques.

BIBLIOGRAPHIE

GOODWIN J.F., ROBERTS W.C., WENGER N.K. — Cardiomyopathy. *In : The Heart* (J.W. Hurst ed.), McGraw-Hill Book Company, New York, 1982, p. 1299-1362.
GOODWIN J.F. — The frontiers of cardiomyopathies, *Br. Heart J.*, 48, 1-18, 1982.
GOODWIN J.F. — Mechanisms in cardiomyopathies. *J. Mol. Cell. Cardiol. 17* (suppl. 2), 5-9, 1985.
KEREIAKES D.J., PARMLEY W.W. — Myocarditis and cardiomyopathy, *Am. Heart J. 108*, 1318-1326, 1984.
MARON B.J., BONOW R.O., CANNON R.O., LEON M.B., EPSTEIN S.E. — Hypertrophic cardiomyopathy. *N. Engl. J. Med.* 316, 780-789 et 844-852, 1987.
Report of the WHO/ISFC Task Force on the Definition and Classification of Cardiomyopathies. *Br. Heart J.* 44, 672-673, 1980.

PÉRICARDITES

R. Lerch

Le sac péricardique, formé par le feuillet pariétal et le feuillet viscéral, contient normalement 20-50 ml de liquide. Microscopiquement, le péricarde se compose d'une couche épithéliale (séreuse) et d'une couche de tissu conjonctif (fibreuse). Les péricardites constituent un groupe de maladies qui regroupent toute réaction inflammatoire du péricarde. Les étiologies sont nombreuses. Selon la présentation clinique, on peut distinguer deux formes principales, la *péricardite aiguë* (ou subaiguë), et la *péricardite constrictive*.

PÉRICARDITE AIGUE

Physiopathologie

L'image pathologique peut varier selon l'étiologie. Pratiquement, on trouve toujours des *dépôts de fibrine* sur la surface viscérale et pariétale. Souvent, il existe des *infiltrats inflammatoires*, touchant parfois également les couches sous-épicardiques du myocarde (myopéricardite). La quantité de liquide dans le sac péricardique peut augmenter *(épanchement péricardique)*. Si le liquide péricardique empêche, par compression des cavités droites, le retour veineux, on parle de *tamponade cardiaque*, qui est une situation hémodynamique extrêmement menaçante. L'apparition d'une tamponade ne dépend pas que de la quantité de liquide, mais également de la rapidité de son apparition.

Étiologie

☐ Idiopathique

Pas d'étiologie évidente. Probablement d'origine virale dans la plupart des cas.

☐ Infectieuse

L'origine *virale* est probablement fréquente (coxsackie, ECHO, retrovirus, HIV), mais l'incidence exacte n'est pas connue. Les formes *bactériennes* (purulentes) causées par voie hématogène ou par contiguïté sont rares. La fréquence de la *péricardite tuberculeuse* a également nettement diminué au cours de ces dernières années.

☐ Rhumatismale

La péricardite est relativement fréquente dans l'arthrite rhumatoïde, dans le rhumatisme articulaire aigu et dans le lupus érythémateux systématique

☐ Urémique

Régresse sous traitement de dialyse.

☐ Néoplasique

L'affection sous-jacente est le plus souvent un cancer du poumon, un cancer du sein, une leucémie ou un lymphome. L'atteinte du péricarde peut se faire par extension locale ou dissémination hématogène. L'épanchement est pratiquement toujours hémorragique.

☐ Infarctus du myocarde

On peut distinguer la péricardite précoce (2e-3e jour) et le syndrome de Dressler (2e semaine-3e mois). Voir chapitre « Infarctus du myocarde ».

☐ Après chirurgie cardiaque

Environ deux tiers des patients opérés du cœur présentent un épanchement péricardique, souvent discret, à l'échocardiographie au cours de l'hospitalisation. Un épanchement peut également apparaître tardivement dans le cadre d'un syndrome post-cardiotomie (affection similaire au syndrome de Dressler).

☐ Autres étiologies

Péricardite médicamenteuse (hydralazine, procaïnamide, bléomycine), péricardite après irradiation, hypothyréose, péricardite cholestérinique.

Clinique

☐ Sans tamponade cardiaque

La douleur thoracique est pratiquement le seul *symptôme* qui peut faire suspecter une péricardite. La douleur est inconstante et peut varier selon la position, augmentant lors des mouvements respiratoires ou à la toux. Elle irradie parfois vers les épaules et la nuque. La distinction avec la douleur d'un infarctus n'est pas toujours facile.

A l'*examen clinique*, on trouve typiquement un frottement péricardique (voir chapitre « Auscultation »).

Les signes *électrocardiographiques* sont : un abaissement du segment PR et une surélévation du segment ST dans la majorité des 12 dérivations (absence d'image en miroir). Le T peut s'inverser ensuite. En présence d'un épanchement péricardique, le voltage dans les dérivations périphériques peut diminuer (< 5 mm).

La *radiographie* du thorax montre un agrandissement de la silhouette cardiaque en cas d'épanchement péricardique > 300 ml. Les autres signes radiologiques d'un épanchement péricardique sont l'« epicardial fat pad sign » (voir chapitre « Radiologie du cœur »), et un recouvrement des hiles pulmonaires par la silhouette cardiaque.

L'*échocardiogramme* (mode-M et 2D) est l'examen de choix pour confirmer la présence d'un épanchement péricardique.

☐ Tamponade cardiaque

Les *symptômes* qui signent souvent une tamponade sont la dyspnée, des transpirations profuses, l'angoisse et des altérations de l'état de conscience.

A l'*examen clinique*, on trouve une augmentation de la pression veineuse centrale et une tachycardie. La tension artérielle est normale ou abaissée,

avec une diminution de la pression systolique de plus de 20 mmHg à l'inspiration (pouls paradoxal) ; voir chapitre « Pouls artériel ».
L'*échocardiogramme bidimensionnel* montre souvent une compression de l'oreillette droite.

Traitement

Traitement de la maladie de base. Les douleurs thoraciques répondent en général favorablement à l'Aspirine.
Le *drainage péricardique* est indiqué en présence d'une tamponade. Il peut être effectué par ponction à l'aiguille ou chirurgicalement. (Une ponction péricardique peut également être indiquée dans certains cas sans tamponade, à but diagnostique).

PÉRICARDITE CONSTRICTIVE

Physiopathologie

La fibreuse est épaissie, riche en collagène et parfois calcifiée. Les deux feuillets du péricarde sont souvent fusionnés. A cause de cette « enveloppe » rigide, la pression diastolique dans les ventricules augmente rapidement après l'ouverture des valves atrio-ventriculaires, et le remplissage des ventricules est interrompu brusquement déjà après la phase de remplissage rapide en protodiastole.

Étiologie

Théoriquement, chaque péricardite aiguë (ou subaiguë) peut évoluer en une forme constrictive. Les étiologies les plus fréquentes sont : status après irradiation, status après chirurgie cardiaque, urémie et tuberculose. Mais l'étiologie demeure inconnue dans la moitié des cas environ.

Clinique

Les *symptômes* sont non spécifiques. Il existe toujours une dyspnée d'effort, et le patient consulte souvent le médecin après l'apparition d'œdèmes périphériques.
A l'*examen clinique*, on note une élévation de la pression veineuse centrale, avec augmentation à l'inspiration (signe de Kussmaul). Le creux x du pouls veineux est accentué. Souvent, il existe une hépatomégalie, de l'ascite et des œdèmes périphériques.

Un pouls paradoxal est parfois présent. A l'auscultation, on observe parfois un bruit protodiastolique (« pericardial knock »).

L'*électrocardiogramme* peut être normal ou montrer des inversions de l'onde T.

A la *radiographie* du thorax, la taille du cœur est souvent normale. Comme élément diagnostique, il faut surtout rechercher des calcifications du péricarde. La tomodensitométrie est parfois utile dans la recherche d'un épaississement ou d'une calcification du péricarde.

L'*échocardiogramme* peut montrer un épaississement du péricarde et des signes indirects de l'obstacle au remplissage du ventricule gauche. Mais un examen normal n'exclut pas ce diagnostic.

Un *cathétérisme* cardiaque est souvent nécessaire pour confirmer le diagnostic. Dans les deux ventricules, on observe pendant la diastole une élévation rapide de la pression suivie d'un plateau (« dip-plateau »). En mésotélédiastole, on note une égalisation des pressions dans toutes les cavités cardiaques.

Diagnostic différentiel

Cardiomyopathie restrictive.

Traitement

Dans la plupart des cas, la péricardectomie chirurgicale est indiquée. Le traitement médical (diurétiques) se limite à des formes avec constriction discrète.

BIBLIOGRAPHIE

CAMERON J., OESTERLE S.N., BALDWIN J.C., HANCOCK E.W. — The etiologic spectrum of constrictive pericarditis. *Am. Heart J. 113*, 354-360, 1987.

EL-MARAGHI N.R.H. — Diseases of the pericardium. *In : Cardiovascular pathology* (M.D. Silver ed.), Churchill Livingstone, 1983, p. 125-170.

LOGUE R.B. — Etiology, recognition and management of pericardial disease. *In : The Heart* (J.W. Hurst ed.), McGraw-Hill Book Company, New York, 1982, p. 1371-1393.

MARKIEWICZ W., BOROWIK R., ECKER S. — Cardiac tamponade in medical patients : Treatment and prognosis in the echocardiographic aera. *Am. Heart J, 111*, 1138-1142, 1986.

SHABETAI R., MANGIARDI L., BHARGAVA V., ROSS J., Jr., HIGGINS C.B. — The pericardium and cardiac function. *Prog. Cardiovasc. Dis, 22*, 107-134, 1979.

6

Maladies congénitales

CARDIOPATHIES CONGÉNITALES

B. Friedli

FRÉQUENCE ET ÉTIOLOGIE

La fréquence des malformations du cœur varie peu dans les différentes populations du globe, et se situe autour de 8 0/00 des naissances vivantes. L'étiologie reste en général obscure. L'étiologie héréditaire mendélienne est l'exception ; elle existe pour certains syndromes précis (par ex. syndrome de Holt-Oram, associant une communication interauriculaire à une malformation des mains : hérédité dominante). Par contre, une *tendance familiale* est statistiquement démontrée. En effet, dans une famille comptant un cas de malformation cardiaque, le risque triple pour les enfants suivants : il passe de 0,8 à 2 ou 3 %.

Quelques *facteurs tératogènes* ont été identifiés : il s'agit soit de *virus*, soit de *médicaments* ou de *toxiques*. Pour les virus, seule la rubéole est indiscutablement responsable de malformations cardiaques. Pour les médicaments, on peut citer la thalidomide (somnifère abandonné en raison de son action tératogène) ; le lithium, les antiépileptiques et peut-être certaines hormones progestatives sont associées à un risque accru de cardiopathie chez le fœtus. Parmi les toxiques, il faut citer l'alcool : l'alcoolisme maternel est associé à un syndrome caractéristique, associant une cardiopathie congénitale dans 30 % des cas.

On admet en général que deux ou plusieurs facteurs interviennent : prédisposition héréditaire + facteur exogène. L'étiologie est dite *multifactorielle*.

Certaines cardiopathies prédominent chez le garçon : coarctation de l'aorte, transposition des gros vaisseaux ; d'autres chez la fille : communications interauriculaires, canal artériel.

MODES DE PRÉSENTATION ET SYMPTÔMES

Les cardiopathies congénitales se manifestent essentiellement de 3 façons : la *cyanose*, l'*insuffisance cardiaque* et l'*auscultation* cardiaque *anormale* chez un enfant par ailleurs asymptomatique.

Cyanose

Il s'agit d'une cyanose le plus souvent centrale, touchant téguments et muqueuses. Elle est due à une désaturation en oxygène du sang artériel, par adjonction de sang veineux (voir shunt droit-gauche). La cyanose devient évidente à l'œil lorsque le sang artériel contient 5 g/100 ml d'hémoglobine désaturée. L'hippocratisme digital accompagne régulièrement la cyanose et peut se voir dès l'âge de 6 mois.

Insuffisance cardiaque

Elle peut apparaître dès la première année de vie et accompagne volontiers les cardiopathies avec gros shunt gauche-droit (grosse communication interventriculaire, etc.). Les signes et symptômes particuliers à l'insuffisance cardiaque du petit enfant sont : difficulté d'alimentation (fatigue ou dyspnée au biberon ou au sein), mauvaise prise pondérale, bronchites à répétition, transpiration à l'effort. Objectivement, on note surtout la tachycardie, la tachypnée et l'hépatomégalie. L'apparition d'œdèmes est rare. La turgescence des veines jugulaires ne se voit en général pas, et les râles pulmonaires sont rarement audibles. L'insuffisance cardiaque est presque toujours globale (gauche et droite).

Auscultation anormale

Une partie des cardiopathies congénitales ne provoque aucun symptôme (petite communication interventriculaire, légère sténose pulmonaire), ou alors des symptômes d'apparition tardive (communication interauriculaire, coarctation simple de l'aorte). Ces cardiopathies sont découvertes lors d'une auscultation cardiaque de routine ou dans un contrôle scolaire. Il faut cependant savoir que la présence d'un souffle cardiaque ne signifie pas nécessairement cardiopathie. En effet, chez environ 25 % des enfants entre 2 ans et l'adolescence, il est possible d'entendre un souffle, généralement mésosystolique, irradiant peu et diminuant ou disparaissant lors des changements de position *(souffle fonctionnel).*

CLASSIFICATION

Du point de vue *anatomique*, les lésions sont essentiellement des *défauts septaux* (ouvertures dans le septum interventriculaire, interauriculaire, etc.), des *rétrécissements* (au niveau des valves, des ventricules ou des gros vaisseaux) et des *anomalies de position ou de connexion* des grandes artères, des cavités ou des grandes veines. De la combinaison de ces éléments résulte le nombre considérable de cardiopathies différentes.

Dans les cardiopathies complexes surtout, il est utile de procéder à l'*analyse séquentielle* des différents segments (étages) cardiaques : le cœur est considéré comme une construction à trois étages : étage oreillettes, étage ventricules, étage grands vaisseaux. La position de chaque segment peut être normale ou inversée. On parle de concordance auriculo-ventriculaire lorsque le ventricule droit fait suite à l'oreillette droite, le ventricule gauche à l'oreillette gauche. On parle de discordance auriculo-ventriculaire lorsque le ventricule gauche est connecté à l'oreillette droite, le ventricule droit à l'oreillette gauche. La même nomenclature est appliquée aux grands vaisseaux dans leurs rapports respectifs avec les ventricules : concordance ou discordance ventriculo-artérielle, selon que l'artère pulmonaire et l'aorte sont connectées normalement à leur ventricule respectif ou inversées (transposition).

Du point de vue *physiopathologique*, on peut distinguer les cardiopathies avec *shunt gauche-droit* (artério-veineux), les cardiopathies avec *shunt droit-gauche* (veino-artériel), aussi appelées cardiopathies cyanogènes, et les cardiopathies *sans shunt* ; le plus souvent, il s'agit là d'obstruction au flux sanguin à différents niveaux du cœur ou des vaisseaux. (Le mot *shunt* indique le passage « en court circuit » d'une cavité contenant du sang artériel à une cavité à sang veineux, ou vice-versa). Dans certaines situations, le shunt peut être bidirectionnel.

Sans vouloir énumérer la longue liste des cardiopathies congénitales, les principales formes vont être décrites par la suite, mettant l'accent sur la physiopathologie et les conséquences cliniques.

Cardiopathies avec shunt gauche-droit (Fig. 22)

Un défaut septal simple entre cavités gauches et droites entraîne en principe un shunt gauche-droit (artério-veineux), car il relie une cavité artérielle à pression plus élevée à une cavité veineuse à pression plus basse. Plus précisément, la circulation à basse résistance (= pulmonaire) est mise en communication avec la circulation à haute résistance (= systémique).

Communication interventriculaire (CIV)

C'est la cardiopathie la plus fréquente ; elle fait communiquer les deux ventricules par un orifice situé haut sur le septum (CIV membraneuse ou périmembraneuse), ou plus bas sur le septum (CIV musculaire). Lorsqu'elle est de petite taille, elle ne provoque aucun symptôme, mais se manifeste par un souffle caractéristique holosystolique, maximum au 4e espace intercostal gauche, accompagné souvent d'un frémissement. Les petites CIV ont une tendance à la fermeture spontanée. Lorsqu'elle est de grande taille, le shunt gauche-droit est considérable : il se produit une surcharge de volume du cœur, touchant les cavités gauches mais aussi le ventricule droit. Les symptômes apparaissent dans la première année de vie (entre 1 et 4 mois). Ces symptômes sont ceux de l'insuffisance cardiaque du nourrisson (voir plus haut). L'auscultation révèle, en plus du souffle systolique, un souffle diastolique (roulement) dû au grand débit mitral.

Communication interauriculaire (CIA)

Elle laisse un passage entre les oreillettes, soit au niveau du foramen ovale (CIA secundum), soit plus bas vers le plancher valvulaire (CIA primum). Ici, le shunt gauche-droit ne s'établit que progressivement au cours des premières années de vie, et la décompensation cardiaque est exceptionnelle chez le nourrisson. Le passage du sang de l'oreillette gauche à l'oreillette droite ne produit aucun phénomène auscultatoire. Par contre, un souffle éjectionnel est produit sur la valve pulmonaire en raison du volume accru éjecté. Il existe en effet une surcharge de volume du cœur droit. Le deuxième bruit est dédoublé de façon constante, large. En diastole, on perçoit un souffle d'origine tricuspidienne dû lui aussi au grand débit.

Canal artériel (CA)

Il ne s'agit pas d'une malformation à proprement dire, mais la persistance d'une artère normale de la circulation fœtale. Le shunt gauche-droit s'établit entre l'aorte et l'artère pulmonaire, et peut avoir des proportions très variables suivant la taille du canal. Puisque la pression est plus basse dans l'artère pulmonaire que dans l'aorte, en systole comme en diastole, le sang passe dans les 2 temps, produisant le souffle continu classique ; si le canal est de grosse taille, il produit une surcharge de volume du cœur gauche ; l'insuffisance cardiaque peut survenir dès les premiers mois de vie, ou même dans les premières semaines chez le prématuré. La fermeture du canal artériel est très souvent retardée chez le prématuré.

☐ Conséquences des shunts gauche-droit

Le point commun des shunts gauche-droit est l'*excès de débit pulmonaire*. En effet, une partie du sang revenant du poumon dans le cœur gauche y est retourné directement, s'ajoutant au sang veineux.

Les conséquences sont de deux ordres :

L'insuffisance cardiaque

Elle peut devenir un problème dès les premiers mois de vie. Elle est due à la surcharge de volume ; cette surcharge touche essentiellement le cœur gauche dans le CA, les deux ventricules lors de CIV, et essentiellement le ventricule droit lors de CIA. Les bronchites à répétition (éventuellement bronchopneumonie) sont également une conséquence du débit pulmonaire augmenté.

L'hypertension pulmonaire

Elle est d'abord simplement due au gros débit (hypertension hyperdynamique), mais elle peut devenir fixe et irréversible par l'installation de la *maladie vasculaire pulmonaire*. Il s'agit d'un processus d'épaississement musculaire puis fibreux des artérioles pulmonaires provoquant un rétrécissement de ces vaisseaux, ce qui a pour résultat de réduire le grand débit. La résistance artérielle pulmonaire augmente progressivement pour atteindre ou dépasser la résistance artérielle systémique : on assiste alors à un renversement du shunt à travers la communication, et le patient devient cyanosé (syndrome d'Eisenmenger). Ce stade est rarement atteint avant la deuxième décade. Dans la CIA, l'hypertension pulmonaire est un phénomène bien plus tardif (3e ou 4e décennie).

L'élément diagnostique le plus précieux dans les shunts gauche-droit est apporté par la radiographie du thorax. En effet, l'excès de flux pulmonaire se voit sous forme d'images hilaires et péri-hilaires floconneuses avec une trame vasculaire bien visible jusqu'en périphérie, dues à la dilatation des artères pulmonaires (images d'hypervascularisation pulmonaire). Le cœur sera agrandi aux dépens des cavités gauches (CIV, canal) ou droites (CIA).

Cardiopathies cyanogènes

Leur caractéristique commune réside dans le fait que le sang veineux trouve accès à l'aorte ou aux cavités gauches. Ceci est possible dans deux conditions différentes :

— Il existe un défaut septal combiné à une obstruction sur la voie d'éjection pulmonaire ; le prototype est la tétralogie de Fallot.

— La voie pulmonaire est libre, mais il existe une anomalie de connexion entre gros vaisseaux et cavités cardiaques telle que le sang veineux est dirigé dans l'aorte ; le prototype est la transposition des gros vaisseaux.

La distinction entre ces deux prototypes peut souvent se faire sur une simple radiographie du thorax. En effet, dans le premier cas (obstruction sur la voie pulmonaire), le dessin vasculaire pulmonaire apparaît pauvre et fin. Dans le second (transposition), la vascularité pulmonaire est normale ou même excessive.

Tétratologie de Fallot (Fig. 23)

Les 4 éléments de la tétralogie de Fallot sont :
— communication interventriculaire,
— sténose pulmonaire (infundibulaire et valvulaire),
— dextroposition de l'aorte (aorte à cheval sur le septum interventriculaire),
— hypertrophie ventriculaire droite. Ce dernier élément est cependant secondaire aux autres.

Lorsque la tétralogie de Fallot est sévère, avec obstruction complète de la voie d'éjection pulmonaire (atrésie pulmonaire), la cyanose apparaît dès la naissance. Plus souvent, la cyanose n'apparaît que vers 6 mois, elle est lentement progressive. La sténose étant en partie musculaire (infundibu-laire), elle peut être de degré variable (selon l'état de contraction), entraî-nant une variation du degré de cyanose ; en particulier, elle augmente à l'effort et lors des pleurs ; il peut y avoir des paroxysmes de cyanose (cri-ses anoxiques) avec ou sans perte de connaissance.

Le passage du sang à travers la région rétrécie provoque un souffle éjec-tionnel long, de haute fréquence. Le 2e bruit pulmonaire est inaudible. Lors-que l'infundibulum est sévèrement rétréci, le souffle devient plus court.

Le cœur est généralement peu augmenté de volume et se présente par-fois sous une forme caractéristique « en sabot » sur la radiographie. Le dessin vasculaire pulmonaire est toujours diminué.

Transposition des grands vaisseaux (Fig. 24)

Dans cette malformation, l'aorte sort du ventricule droit et l'artère pul-monaire du ventricule gauche. Il y a donc discordance ventriculo-artérielle. La petite et la grande circulation sont ainsi placées en parallèle au lieu d'être en série : en effet, le sang veineux arrivant dans le ventricule droit repart dans l'aorte, alors que le sang artérialisé qui revient du poumon au ventricule gauche repart dans l'artère pulmonaire. Il s'ensuit une cya-nose profonde et la survie est impossible, à moins qu'il n'existe un défaut septal permettant un échange de sang artériel et veineux.

La transposition est la cause la plus fréquente de cyanose (d'origine car-diaque) à la naissance, et représente une urgence cardiologique : en effet, il est possible d'améliorer l'oxygénation en créant une communication inter-auriculaire ; ceci se fait au cours du cathétérisme (déchirure du septum interauriculaire par un cathéter à ballon).

Dans environ 40 % des cas, une CIV est associée à la transposition. Lorsqu'il n'y a pas de CIV associée, il n'y a pas de souffle à l'ausculta-tion, ou un souffle minime.

La radiographie aide au diagnostic : elle permet d'exclure une cause pul-monaire de la cyanose et montre un cœur quelque peu augmenté, en forme d'œuf couché sur le côté. Contrairement à ce que l'on observe dans la tétralogie, le dessin vasculaire pulmonaire n'est pas diminué.

☐ Conséquences des shunts droit-gauche

La caractéristique des cardiopathies cyanogènes est l'*hypoxie artérielle*. Lorsqu'elle est gravissime, elle peut s'accompagner d'acidose métabolique et de symptômes neurologiques (hypotonie, perte de connaissance).

Au niveau *hématologique*, on note une polyglobulie progressive ; celle-ci est d'abord un mécanisme compensatoire bénéfique (augmentation de la capacité de transport d'oxygène). A partir d'un hématocrite d'environ 65 %, la viscosité sanguine devient telle que le débit cardiaque est réduit, ce qui fait perdre le bénéfice de la capacité augmentée de fixation d'oxygène. Des troubles de la coagulation apparaissent également chez les grands polyglobuliques.

Au niveau du *système nerveux central*, deux complications peuvent survenir : d'une part les accidents cérébro-vasculaires, souvent avec hémiplégie ; d'autre part, l'abcès cérébral auquel il faut toujours penser lorsqu'un porteur de cardiopathie cyanogène présente de la fièvre et des céphalées avec ou sans syndrome neurologique.

Cardiopathies congénitales sans shunt

Il s'agit là avant tout d'obstacles au flux sanguin au niveau des ventricules (voies de chasse), des valves ou des grands vaisseaux. Plus rarement, il peut s'agir de malformations non sténosantes de valves.

Ces obstacles transforment le flux laminaire du sang en flux turbulent, ce qui est responsable du souffle éjectionnel (crescendo-decrescendo) caractéristique de ces lésions. Le flux turbulent est également responsable de la dilatation post-sténotique sur les grandes artères. En amont, il y a une surcharge de pression de la cavité intéressée.

Anatomiquement, on distingue au niveau du *cœur droit* : la sténose valvulaire pulmonaire, la sténose infundibulaire pulmonaire (sous-valvulaire) et, plus rarement, des sténoses au niveau des artères pulmonaires. Les sténoses pulmonaires sont souvent très bien tolérées (même si elles sont relativement serrées), et généralement découvertes lors d'un examen de routine. En raison de l'impossibilité d'augmenter le débit à travers la sténose, une certaine fatigue à l'effort peut se manifester.

Le diagnostic est suggéré à l'auscultation lorsque le souffle éjectionnel se situe au niveau du foyer pulmonaire et que le deuxième bruit est largement dédoublé, la composante pulmonaire étant faible. La dilatation post-sténotique peut se voir sur la radiographie sous forme de saillie de l'arc moyen.

Au niveau du *cœur gauche*, on distingue la sténose sous-aortique en diaphragme, la sténose valvulaire aortique et la sténose supravalvulaire aortique.

Les sténoses aortiques produisent plus volontiers des symptômes que la sténose pulmonaire : fatigue à l'effort, syncopes à l'effort lorsque la sténose est serrée ; l'angor d'effort, classique chez l'adulte, est rare chez l'enfant. Le diagnostic est suggéré à l'auscultation lorsque le souffle éjectionnel est entendu au foyer aortique et irradie fortement dans le cou, avec frémissement au niveau des carotides. L'existence d'un clic d'éjection indique une sténose au niveau valvulaire. Ce clic est constant dans la sténose aortique ; il disparaît en inspiration dans les sténoses pulmonaires.

Coarctation de l'aorte

Il s'agit d'un rétrécissement situé au début de l'aorte descendante, au voisinage immédiat de l'insertion du canal artériel (ou ligament artériel). On distingue deux types : la coarctation type infantile et la coarctation type adulte.

Dans la *coarctation infantile*, le rétrécissement se trouve juste en amont du canal artériel (coarctation préductale), mais peut être en face du canal (juxta-ductale). Il y a une hypoplasie de l'arc aortique et souvent des malformations associées : canal artériel perméable, CIV, CIA ou autres. Cette forme « compliquée » est fréquemment responsable d'une décompensation cardiaque chez le nourrisson.

Au contraire, la *coarctation adulte* ne provoque que rarement des symptômes ; elle est découverte lors d'un examen de routine. Anatomiquement, le rétrécissement se trouve en face de l'insertion du canal (ou ligament artériel), ou juste en dessous (coarctation juxta-ductale ou postductale). Il n'y a pas d'hypoplasie de l'arc aortique ni, en général, d'anomalie associée si ce n'est une bicuspidie de la valve aortique (environ 50 % des cas).

Le signe diagnostique classique des coarctations est l'absence de pouls fémoraux palpables : il y a cependant deux exceptions : chez l'enfant plus âgé, il peut y avoir un pouls fémoral présent mais *retardé* par rapport au pouls radial (établissement de grosses collatérales autour du segment coarcté). Chez le nouveau-né, le canal artériel peut être perméable avec, en présence de résistances pulmonaires élevées (fœtales), un shunt droit-gauche : les pouls fémoraux sont alors présents, et il existe une cyanose différentielle (cyanose de la partie inférieure du corps) ; celle-ci est cependant rarement très évidente.

☐ **Conséquences des coarctations :** Dans la forme infantile, une insuffisance cardiaque apparaît précocément ; celle-ci est due avant tout à l'association de vices intracardiaques, ou d'un canal artériel.

Dans la forme adulte, il n'y a souvent aucun symptôme, mais il apparaît une *hypertension artérielle* dans la partie supérieure du corps, contrastant avec une pression systolique basse aux membres inférieurs. Toute découverte d'hypertension chez l'enfant doit faire penser immédiatement à la possibilité d'une coarctation. La palpation des pouls aux membres inférieurs et la prise de pression artérielle à la jambe apportent le diagnostic. Les *érosions costales* visibles sur la radiographie thoracique sont d'apparition tardive ; elles sont dues au circuit collatéral : artères mammaires internes, artères intercostales, aorte descendante.

TRAITEMENT DES CARDIOPATHIES CONGÉNITALES

La plus grande partie des cardiopathies congénitales est aujourd'hui susceptible d'être corrigée par la *chirurgie cardiaque*. L'âge idéal pour l'opération dépend du type de malformation et de la gravité de ses répercussions sur l'enfant. Ainsi, il est possible d'opérer à cœur ouvert même dans la première année de vie si la cardiopathic est mal tolérée. Si elle est bien tolérée, on attendra plus volontiers l'âge de 2 à 5 ans suivant le type de cardiopathie. Certaines cardiopathies (surtout complexes) sont justiciables d'un traitement dit palliatif dans la première année de vie. Nous citerons en exemple l'établissement d'une anastomose aorto-pulmonaire dans les cardiopathies cyanogènes à débit pulmonaire diminué (le plus souvent, anastomose entre artère sous-clavière et artère pulmonaire = anastomose de Blalock). Il est évident que les cardiopathies s'accompagnant d'insuffisance cardiaque seront d'abord traitées médicalement, c'est-à-dire par la digitale et les diurétiques.

La chirurgie cardiaque réussit en général à rétablir une fonction cardio-circulatoire normale, sans toutefois restituer une anatomie normale dans tous les cas. On peut ainsi distinguer trois types de résultats :

— Restitution d'une anatomie normale : elle est possible dans les défauts septaux simples : CIV, CIA, canal artériel.

— Chirurgie visant une correction anatomique, mais laissant presque toujours des séquelles : le prototype est ici la tétralogie, où il subsiste généralement une sténose légère et une insuffisance de la valve pulmonaire.

— Chirurgie visant une correction physiologique, mais laissant une anatomie tout à fait anormale : c'est le cas de l'une des opérations pour transposition des gros vaisseaux, qui consiste à inverser les retours veineux systémique et pulmonaire, laissant les artères en position transposée, et le ventricule droit en charge de circulation systémique.

Une cardiopathie congénitale opérée n'est donc pas toujours une cardiopathie guérie, et le cardiologue de demain aura sans doute à s'occuper de problèmes apparaissant tardivement chez ces patients, bien des années après une intervention réussie.

BIBLIOGRAPHIE

ANDERSON R.H., MACARTNEY F.J., SHINEBOURNE E.A., TYNAN M. — Paediatric Cardiology (Churchill Livingstone). Londres.

DUPUIS C., KACHANER J., FREEDOM R.M., PAYOT M., DAVIGNON A. — *Cardiolo-*
gie pédiatrique (Flammarion).
KEITH J.D, ROWE R.D., VLAD P. — *Heart disease in infancy and childhood*
(McMillan).
PERLOFF J.K. — *The clinical recognition of congenital heart disease* (Saunders),
Philadelphie.
ZUBERBUHLER J.R. — *Clinical diagnosis in pediatric cardiology* (Churchill Livings-
tone), Edimburg.

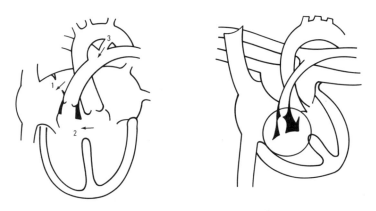

FIG. 22. — *Principaux shunts gauche-droit*   FIG. 23. — *Tétralogie de Fallot.*
1) CIA, 2) CIV, 3) Canal artériel.

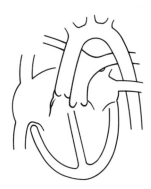

FIG. 24. — *Transposition des gros vaisseaux.*

7

Maladie coronarienne

CIRCULATION CORONAIRE
ET MÉTABOLISME DU MYOCARDE

P. Moret et R. Lerch

La circulation coronaire et le métabolisme cardiaque présentent plusieurs caractères particuliers qui font que le myocarde risque facilement, dans les conditions pathologiques, de manquer d'apport d'oxygène :

— Le cœur est vascularisé à partir de *deux artères* seulement partant de l'aorte : les artères coronaires droite et gauche. L'artère coronaire gauche se divise ensuite en deux : l'artère interventriculaire antérieure et l'artère circonflexe.

— La circulation coronaire est de *type terminal*. Il y a très peu de collatérales préexistantes entre les réseaux coronaires, ce qui constitue un handicap en cas d'occlusion rapide d'un gros vaisseau.

— La perfusion myocardique se fait entièrement à partir *de l'épicarde vers l'endocarde*. La zone sous-endocardique, soumise à des pressions intramurales très fortes, est la plus menacée.

— Les contractions cardiaques gênent beaucoup la circulation coronaire qui prend obligatoirement un caractère pulsatile. Le *80 % du débit* coronaire a lieu *durant la diastole*, d'où l'importance d'éviter les tachycardies.

— La circulation coronaire est un système à bas débit (grande résistance) et à grande extraction d'oxygène (la plus forte de tout l'organisme). La *saturation en oxygène* du *sang veineux* coronaire (sinus coronaire) est de *30 % environ*. Le myocarde ne dispose pratiquement d'aucune réserve d'oxygène ; il dépend entièrement du débit coronaire qui doit constamment s'adapter aux besoins en oxygène du myocarde.

— Le métabolisme du myocarde est de *type aérobie* ; il est mal équipé pour fonctionner efficacement en l'absence d'oxygène.

— Le cœur, du fait de sa fonction, a besoin de beaucoup d'oxygène :
1/10 de la consommation totale d'oxygène pour un poids équivalant à 1/200
du poids du corps.

CIRCULATION CORONAIRE — CONSOMMATION D'OXYGÈNE

Régulation de la circulation coronaire (Fig. 25)

Le débit coronaire ($\dot{Q}$) dépend, comme dans tout système hydraulique,
de la différence de pressions entre la pression d'entrée P1 et la pression
de sortie P2, et de la résistance (R) de l'ensemble du système coronaire :

$$\dot{Q} = \frac{P1 - P2}{R}$$

Comme la plus grande partie de la perfusion myocardique se passe pendant la diastole, la pression de perfusion est égale à la différence entre
la pression diastolique aortique (P1) et la pression diastolique ventriculaire
(P2). La résistance R dépend l) de la géométrie du réseau coronarien (résistance intravasculaire — augmentée en cas de sténose artérioscléreuse coronarienne par exemple), 2) des pressions extra-vasculaires ou tissulaires (augmentées dans l'insuffisance cardiaque par exemple, par augmentation des
pressions diastoliques ventriculaires), et 3) de la résistance des artérioles
coronaires, qui sont les principales régulatrices du débit coronaire grâce
au système de l'autorégulation coronaire.

Le *débit coronaire* est normalement, au repos, de 80-100 ml/min/100 g
de masse musculaire, soit au total 250 ml/min environ pour un homme
de 60 kg. Il peut augmenter en cas de besoin de 5-7 fois (effort) grâce
à la baisse de la résistance artériolaire. Les possibilités de diminuer au maximum la résistance des artérioles coronaires ou, réciproquement, d'augmenter
au maximum l'apport de sang ou d'oxygène, constituent ce que l'on appelle
la « *réserve coronaire* ». Elle est difficile à déterminer chez l'homme ; on
peut l'évaluer en injectant des substances vasodilatatrices coronaires comme
le dipyridamol. Chez l'animal, on peut la mesurer de façon précise par
le phénomène de l'hyperémie réactionnelle (clampage d'une artère pendant
quelques secondes, puis déclampage suivie d'une vasodilatation intense directement proportionnelle à la réserve coronaire de la zone momentanément
ischémiée).

Le débit coronaire dépend directement des besoins du myocarde en oxygène. Il est directement proportionnel à la consommation d'oxygène. Toute
rupture d'équilibre entre l'apport et la demande d'oxygène va entraîner
des perturbations métaboliques et ioniques, avec pour conséquence des troubles du comportement mécanique et électrique du cœur.

Toute activité cardiaque : contraction, relaxation, pompes ioniques, conduction électrique, synthèse des protéines, métabolisme de base, tire son

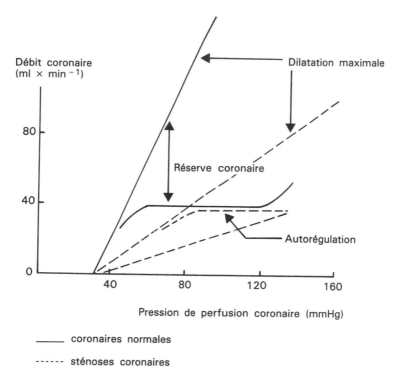

Fɪɢ. 25. — *Schéma de régulation de la circulation coronaire* (selon J.I.E. Hoffman, *Circulation 58* : 381, 1978).

énergie des *produits riches en énergie*, la *créatine-phosphate* (CP) et l'*ATP* principalement. Certains produits de dégradation de ces substances, l'adénosine surtout, sont de puissants vasodilatateurs artériolaires coronaires. C'est probablement par leur intermédiaire que s'effectue l'autorégulation de la circulation coronaire. Si l'activité cardiaque augmente, les produits de dégradation augmentent, et provoquent une vasodilatation coronaire avec augmentation du débit coronaire. L'apport en oxygène compense immédiatement les demandes pour la resynthèse de la CP et de l'ATP. Il est possible que la baisse de la pO_2 extracellulaire et du pH, la production locale d'acide lactique ou la fuite du potassium intracellulaire jouent également un rôle dans l'autorégulation coronaire.

La régulation de la circulation coronaire normale est principalement locale. Mais les artères coronaires contiennent également des récepteurs adrénergiques. Les *récepteurs alpha* sont *vasoconstricteurs* ; ils sont localisés surtout dans les *grosses artères coronaires*, qui ont une activité alphaadrénergique importante. Des *récepteurs bêta-adrénergiques* (bêta-2) existent au niveau des vaisseaux coronaires de tous calibres ; ils sont *vasodi-*

latateurs. A l'état physiologique, il existe un tonus alpha-adrénergique, c'est-à-dire un tonus vasoconstricteur. En cas de stimulation sympathique, il y a compétition entre la stimulation alpha (vasoconstriction) et la stimulation bêta (vasodilatation).

Des observations récentes indiquent que l'endothèle des artères joue un rôle important dans la régulation du tonus des artères. Certaines substances libèrent un facteur vasodilatateur de l'endothèle (« endothelium derived relaxing factor » = EDRF). Ainsi des substances telles que l'acétylcholine, la sérotonine (plaquettes), l'ATP (plaquettes), l'histamine et la vasopressine exercent une vasodilatation en présence d'un endothèle intact, mais une vasoconstriction en présence d'une lésion de l'endothèle.

Facteurs déterminant la consommation d'oxygène du myocarde

Le débit coronaire étant en relation directe avec la consommation d'oxygène du myocarde ($\dot{V}O_2$ myoc.), il est important d'en connaître les principaux facteurs.

☐ **Facteurs principaux** (environ 80 % de la $\dot{V}O_2$ myocardique totale) :

Tension de la paroi

La force développée par la paroi du cœur lors de la contraction (mise sous tension du ventricule — travail interne du cœur) est un des facteurs les plus importants de la $\dot{V}O_2$ myocardique. Selon la loi de Laplace, la tension $T = (P \times r)/2$, P étant la pression intraventriculaire, r le rayon du ventricule gauche comparé à une sphère. Il est important de se souvenir qu'à pression intraventriculaire égale, un gros cœur consomme beaucoup plus d'oxygène qu'un petit cœur, d'où l'importance en clinique de tenter de diminuer au maximum le volume cardiaque.

Contractilité

La vitesse de raccourcissement des éléments contractiles est en rapport avec la $\dot{V}O_2$ myocardique. La contractilité peut être augmentée par les catécholamines, le calcium, la digitale, et diminuée par les bêta-bloquants.

Fréquence cardiaque

Plus la fréquence cardiaque augmente, plus la $\dot{V}O_2$ myocardique s'accroît. Attention aux tachycardies !

Métabolisme de base

Le cœur arrêté, n'accomplissant aucun travail, consomme encore le 20 % de la $\dot{V}O_2$ myocardique totale pour son métabolisme de base.

Les catécholamines, principalement la noradrénaline, augmentent les besoins en oxygène du myocarde (action sur la force de contraction et sur le métabolisme). Les bêta-bloquants diminuent les demandes d'oxygène par diminution de la fréquence cardiaque et de la force de contraction.

☐ **Facteurs mineurs** (environ 20 % de la $\dot{V}O_2$ myocardique totale) :

Ejection systolique

L'éjection par le cœur d'un volume de sang (volume systolique — travail externe du cœur) coûte en fait peu d'énergie au cœur et demande peu d'oxygène.

Activité électrique du cœur

Environ 1 % de la $\dot{V}O_2$ myocardique totale.

Type de substrats utilisés par le cœur

Il est préférable pour le cœur de consommer des hydrates de carbone plutôt que des acides gras libres qui augmentent la $\dot{V}O_2$ myocardique.

En pratique, la $\dot{V}O_2$ myocardique est grossièrement proportionnelle au produit de la pression systolique (PS), de la fréquence cardiaque (FC) et de la durée d'éjection systolique (DES).

$$\dot{V}O_2 = K \ (PS \ x \ FC \ x \ DES)$$

Circulation coronaire dans certaines conditions pathologiques

☐ **Artères coronaires normales**

Il existe des conditions cliniques dans lesquelles le débit coronaire ou l'apport d'oxygène peut devenir insuffisant, même en présence d'artères coronaires normales :

Hypertension artérielle systémique (HTA)

Dans l'HTA stabilisée, le débit coronaire est en général adapté à l'augmentation du travail cardiaque, mais la zone sous-endocardique est sous menace permanente car la réserve coronaire est diminuée.

Affections valvulaires

Dans les affections valvulaires avec surcharge de volume — insuffisance aortique (IA) ou mitrale (IM) — le débit coronaire est assez bien adapté malgré la présence d'un gros cœur. La plus gênante est l'IA du fait de la baisse de la pression de perfusion coronaire (pression diastolique aortique). Dans les surcharges de pression, la sténose aortique surtout, on a une forte augmentation de la pression intraventriculaire et intramyocardique (danger pour la zone sous-endocardique) et une faible pression de perfusion aortique (barrage valvulaire). Risque facile de déséquilibre entre demande et apport d'oxygène lors de l'effort.

Troubles du rythme

Toute tachycardie importante comporte un risque pour le myocarde : diminution du temps de perfusion coronaire (80 % pendant la diastole).

Anémie

Le débit coronaire est augmenté pour compenser le manque d'hémoglobine. Il devient critique à l'effort lorsque le taux d'hémoglobine tombe au-dessous de 4 g/l00 cc (env. 20-30 %).

Hypoxémie

Dans l'hypoxémie aiguë : augmentation du débit coronaire. Dans l'hypoxémie chronique (cœur pulmonaire chronique ou altitude) : débit coronaire normal (compensation par d'autres mécanismes : nombre de capillaires plus grand, taux de myoglobine plus élevé, activité enzymatique différente).

☐ **Artères coronaires anormales — Sténoses et spasme coronaires**

La très grande majorité des altérations des artères coronaires sont dues à l'artériosclérose. Les artérites sont rares, de même que les embolies. Les obstructions ou sténoses coronaires artérioscléreuses sont d'autant plus dangereuses qu'elles sont proximales (sur les gros vaisseaux, tronc commun de la coronaire gauche principalement), longues ou associées à d'autres lésions sur le même ou sur d'autres vaisseaux. Certaines sténoses peuvent progresser rapidement, sans qu'une circulation collatérale ait le temps de se développer. Des expériences sur l'animal ont montré que le débit coronaire de repos reste pratiquement inchangé tant que la sténose est inférieure à 70-80 % de son diamètre initial. L'autorégulation coronaire est capable d'abaisser suffisamment les résistances artériolaires en aval de la sténose pour maintenir un débit de repos normal. Au-delà de 70-80 % de sténose, la « réserve coronaire » est épuisée et le débit diminue. Lors de gros efforts ou dans des conditions pathologiques qui demandent une forte augmentation du débit coronaire, comme l'hypertension artérielle, la sténose valvulaire aortique ou la tachycardie importante, des sténoses coronaires inférieures à 50 % peuvent déjà être significatives et offrir des barrages suffisants pour amener des insuffisances de perfusion et provoquer des altérations métaboliques et mécaniques, surtout dans la couche sous-endocardique.

Chez l'homme, l'importance des sténoses est évaluée par l'angiographie coronaire. La ventriculographie en cinéangiographie permet en même temps de définir les répercussions sur la fonction contractile du ventricule gauche. Ces examens peuvent être complétés par des tests dynamiques (effort ou pacing) avec contrôles des paramètres métaboliques, électrocardiographiques et hémodynamiques (voir ischémie). Les techniques par radioisotopes permettent d'étudier de façon plus précise la distribution de la perfusion coronaire régionale (thallium) ou la fonction ventriculaire globale ou régionale (ventriculographie isotopique).

Lorsque la sténose coronaire se développe lentement, il se forme une circulation collatérale. Elle ne peut que très rarement remplacer un réseau coronaire normal.

Longtemps contesté, le rôle du *spasme coronaire* dans la maladie ischémique du myocarde est actuellement confirmé par la coronarographie. Il est pratiquement toujours localisé aux gros troncs coronaires, et peut survenir aussi bien sur des artères coronaires (apparemment) normales que sur des coronaires atteintes de sténoses organiques. Le spasme peut être partiellement ou totalement obstructif. Il apparaît souvent au repos. Il s'accompagne dans la grande majorité des cas de douleurs angineuses et de modifications électrocardiographiques. Il peut être provoqué par des injections intraveineuses de méthylergométrine ou maléate d'ergométrine. Il disparaît ou cède fortement sous dérivés nitrés (Trinitrine, isosorbide dinitrate) ou sous antagonistes du calcium (nifédipine, vérapamil, diltiazem).

MÉTABOLISME DU MYOCARDE

Nos connaissances sur le métabolisme du myocarde normal et pathologique ont considérablement augmenté ces dernières années. Elles concernent aussi bien le métabolisme énergétique, les processus de contraction et de comportement électrique que les échanges ioniques, le développement de l'hypertrophie ou la réparation cellulaire après nécrose.

Métabolisme énergétique

Pour accomplir son travail (contraction, transport ionique, activité électrique), le cœur a besoin d'énergie qu'il tire principalement de la créatine-phosphate (CP) et de l'ATP, et qu'il fabrique lui-même à partir de substrats extraits du sang capillaire. Ces principaux substrats sont les acides gras libres (AGL), le glucose et le lactate (fig. 26).

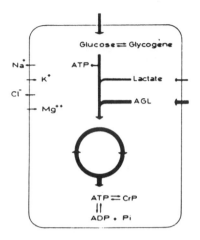

Fig. 26. — *Métabolisme énergétique du cœur.*

A l'état de jeûne, le glucose fournit environ le 20 % de l'énergie totale consommée par le cœur, le lactate 10-15 % et les AGL 60-70 %. Il est à noter que, contrairement aux muscles périphériques, le cœur normal consomme du lactate. Durant l'effort, le myocarde consomme davantage de glucose et de lactate et moins d'AGL qui sont de gros fournisseurs d'énergie, mais ont pour désavantage d'augmenter a$\dot{V}O_2$ myocardique et de diminuer la force de contraction. Le cœur peut aussi utiliser d'autres substrats : les corps cétoniques et certains acides aminés. Il peut « faire feu de tout bois ». L'ATP est synthétisé en très grande partie par les voies aérobiques du cycle de Krebs, de la chaîne respiratoire et de la phosphorylation oxydative.

Métabolisme énergétique dans l'hypoxie-ischémie

Les conséquences métaboliques d'une réduction de la perfusion myocardique (ischémie) découlent d'une part de l'arrêt du métabolisme oxydatif et, d'autre part, de l'accumulation de produits intermédiaires du métabolisme (fig. 27).

En cas de *manque total d'oxygène*, le seul moyen de fabriquer de l'ATP est par la voie de la *glycolyse anaérobie* (dégradation du G-6-P en pyruvate). L'entrée du cycle de Krebs et des chaînes respiratoires étant bloquée, le pyruvate est réduit en lactate qui est éliminé de la cellule et déversé dans le sinus coronaire. Le cœur hypoxique ne consomme plus de lactate mais, au contraire, en produit. L'étude du métabolisme du lactate est un des moyens utilisés en clinique pour étudier l'approvisionnement du myocarde en oxygène. La voie de la glycolyse anaérobie est peu rentable du point de vue énergétique. Elle ne peut en aucun cas remplacer les voies aérobies ordinaires. Une molécule de glucose donne 2 ATP seulement par la voie de la glycolyse, alors qu'elle en donne 38 si le glucose est oxydé complètement. Les AGL ne peuvent être utilisés et se déposent dans la cellule. (Une molécule d'acide palmitique donne 129 ATP quand il peut être oxydé).

Les *altérations métaboliques* entraînent des *altérations du milieu ionique*, surtout par ralentissement des ATPases des systèmes de transport ionique et par le changement du pH intracellulaire. La cellule normale maintient, par des pompes membranaires, un gradient décroissant de l'extérieur à l'intérieur pour le calcium, le sodium et les protons (H+) et un gradient inverse pour le potassium. La première modification du milieu ionique, qui apparaît dès le début de l'ischémie, est une perte de potassium du myocyte. Après environ douze minutes d'is-

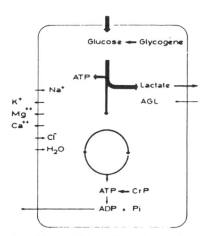

FIG. 27. — *Métabolisme énergétique du cœur en cas d'ischémie.*

chémie sévère, la concentration intracellulaire de sodium commence à augmenter. Cette augmentation est en partie attribuable à un échange au niveau du sarcolemme contre des protons. Presque simultanément à l'augmentation du sodium on observe une augmentation graduelle du calcium libre dans le cytoplasme. Cette accumulation intracellulaire de calcium semble être due en partie à l'inhibition des pompes calciques du sarcolemme et du réticulum sarcoplasmique. Un échange avec du sodium intracellulaire à travers le sarcolemme contribue également à l'augmentation cytoplasmique du calcium. Les troubles ioniques vont entraîner des troubles électriques (troubles du rythme) et une baisse de la force de contraction (avec le manque d'ATP).

Les troubles métaboliques de type ischémie se retrouvent principalement dans l'artériosclérose coronaire, mais également dans certaines conditions pathologiques avec coronaires normales (voir ci-dessus).

Troubles métaboliques dans l'insuffisance cardiaque

Divers troubles métaboliques ont été décrits. Ils varient selon la cause de l'insuffisance cardiaque. Ils sont le plus souvent associés.

Insuffisance de production d'énergie

C'est ce qui se passe en cas d'hypoxie.

Insuffisance d'utilisation d'énergie

Il y a impossibilité d'utiliser l'ATP, par exemple par inhibition de l'ATPase de la myosine par les ions H+ (acidose) ou un défaut de libération de calcium du réticulum sarcoplasmique. Ce mécanisme semble jouer un rôle dans le retard de récupération de la fonction contractile après une période d'ischémie transitoire. (On parle dans la littérature anglo-saxonne de « stunning » (étourdissement).)

Anomalies des protéines contractiles

Le défaut se situerait au niveau de la synthèse des protéines contractiles.

Anomalies du métabolisme intermédiaire

Par exemple impossibilité d'oxyder des acides gras par manque de carnitine, une molécule importante pour le transport des acides gras du cytoplasme dans les mitochondries.

Rôle des différentes hormones

Les hormones jouent un rôle très important dans le métabolisme myocardique.

Catécholamine

Augmente la glycogénolyse, la vitesse de la glycolyse, la lipolyse, donc le taux des AGL et leur consommation par le myocarde. Augmente la $\dot{V}O_2$ myocardique (« effet de gaspillage »).

Insuline

Facilite la pénétration du glucose dans la cellule et stimule la synthèse protéinique (hypertrophie).

Glucagon

Augmente la glycogénolyse.

Thyroxine

Hormone anabolisante et catabolisante. Effet découplant sur la phosphorylation oxydative : augmentation de la $\dot{V}O_2$ myocardique et transformation en chaleur. Augmente la lipolyse, donc les AGL. Nécessaire pour le développement de l'hypertrophie.

Hormone de croissance

Indispensable pour l'hypertrophie cardiaque.

Facteur atrial natriurétique (FAN)

Il est considéré comme une « hormone de contre-régulation » en raison de son double rôle dans la régulation hydrique et sodée. C'est un peptide secrété par les oreillettes et de façon moins prononcée par les ventricules. Son rôle en pathologie est encore mal connu. Son mécanisme régulateur est opposé à celui du système rénine-angiotensine.

ISCHÉMIE — NÉCROSE

Toutes les fonctions myocardiques, mécaniques, électriques et métaboliques dépendent, minute après minute, de l'équilibre entre l'apport et la demande d'oxygène. Quand il y a rupture d'équilibre, l'ischémie apparaît, suivie de nécrose si celle-ci dure trop longtemps et est d'emblée très importante. Une occlusion coronaire de 10 à 20 minutes au maximum provoque des troubles réversibles. Si l'occlusion se prolonge au-delà de 20 minutes, de nombreuses cellules sont irrécupérables. On peut prolonger ces temps d'occlusion par l'hypothermie (utilisée en chirurgie cardiaque).

Ischémie

En clinique, la très grande majorité des troubles ischémiques est provoquée par des sténoses ou occlusions coronaires d'origine artérioscléreuse. Ils peuvent également apparaître dans certaines conditions pathologiques avec coronaires normales (voir ci-dessus).

Les perturbations principales secondaires à l'ischémie sont : la douleur angineuse (angor), les troubles électrocardiographiques et métaboliques, et les perturbations de la fonction ventriculaire gauche. L'ischémie peut également être totalement indolore, on parle alors d'« ischémie silencieuse ».

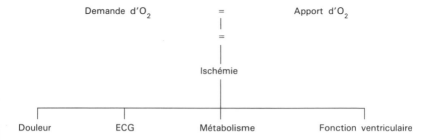

Douleur angineuse et ischémie silencieuse

Les causes exactes de la douleur angineuse sont mal connues. Il ressort, de séries d'autopsies, que seule une minorité des malades atteints d'artériosclérose coronaire parfois grave souffre d'angine de poitrine. Se souvenir qu'il y a de nombreuses crises d'ischémie qui sont silencieuses, et qui peuvent se manifester par des sous-décalages du segment ST au repos ou à l'effort, par des troubles du rythme ou insuffisance ventriculaire gauche.

Troubles électrocardiographiques

Les perturbations métaboliques et ioniques décrites ci-dessus dans l'hypoxie sont à la base des troubles électrocardiographiques rencontrés dans l'ischémie : sus-ou sous-dénivellation du segment ST et troubles du rythme. On a pu montrer que les troubles de l'ECG sont en relation directe avec la fuite du potassium. Il faut rechercher les troubles de l'ECG au repos et à l'effort (test ergométrique).

Troubles métaboliques

Ceux-ci ont déjà été mentionnés au chapitre du métabolisme. Ils se caractérisent surtout par une stimulation de la glycogénolyse (baisse du glycogène) et de la glycolyse anaérobique avec une faible production d'ATP, par une inhibition des voies aérobiques (cycle de Krebs et chaîne respiratoire), par une acidose intracellulaire due surtout à l'accumulation de l'acide lactique, et par une inhibition d'utilisation de l'ATP. Tout ceci va conduire à une baisse de la force de contraction et à des troubles de la fonction ventriculaire.

Troubles de la fonction ventriculaire

Les troubles de la contraction peuvent être localisés ou étendus à tout le ventricule selon l'importance de l'étendue des lésions ischémiques. La ventriculographie permet de mettre en évidence des zones d'*hypokinésie*, d'*akinésie* ou de *dyskinésie*. Des examens hémodynamiques permettent de déceler des défauts de la contractilité, une éjection inadéquate du ventricule lors de la contraction (diminution de la fraction d'éjection), une élévation anormale de la pression diastolique ventriculaire gauche. Ces perturbations sont parfois visibles au repos, mais il est indispensable de les rechercher sous stress (effort ou stimulation électrique-pacing).

Nécrose

Le clinicien pose le diagnostic d'une lésion irréversible du myocarde lors de l'apparition de certaines enzymes (par exemple de la créatine-kinase) dans la circulation systémique. En fait, la rupture du sarcolemme avec libération de macromolécules cytoplasmiques est considérée comme un caractère morphologique précoce de l'irréversibilité d'une lésion ischémique. Les événements cellulaires qui conduisent à la destruction sont encore mal connus. Plusieurs hypothèses ont été émises (par ex. dégradation des phospholipides membranaires par activation des phosphokinases, déchirure du sarcolemme par œdème intracellulaire).

La nécrose cellulaire n'est pas marquée par une perte métabolique totale. La fonction contractile est perdue, mais il persiste une activité métabolique qui va permettre la reprise des processus de réparation cellulaire. On verra apparaître une augmentation de l'activité du shunt des pentoses pour permettre la synthèse des acides nucléiques. La synthèse des protéines et du collagène est fortement accrue pour former le tissu cicatriciel. L'autolyse des tissus nécrosés est assurée par les lysosomes. Il y a peu de moyens en clinique de stimuler la cicatrisation. Divers moyens sont actuellement utilisés pour protéger le myocarde contre l'ischémie, et réduire au maximum l'étendue de la zone nécrosée ou de l'infarctus.

BIBLIOGRAPHIE

BRAUNWALD E., SOBEL B.E. — Coronary blood flow and myocardial ischemia. *In :* *Heart Disease*, E. Braunwald (ed.), Saunders, Philadelphie, 1988, p. 1191-1216.
DOLE W.P. — Autoregulation of the coronary circulation, *Progr. Cardiovasc. Dis.* 29, 293-323, 1987.
HOFFMANN J.I.E. — Transmural myocardial perfusion, *Progr. Cardiovasc. Dis.* 29, 429-464, 1987.
LERCH R., BENZI R. — *Les bases physiopathologiques de la protection du myocarde ischémique.* Schweiz. med. Wschr. 120, 1523-1530, 1990.
LIEDTKE A.J. — Alterations of carbohydrate and lipid metabolism in the acutely ischemic heart, *Progr. Cardiovasc. Dis.* 23, 321-336, 1981.

ANGINE DE POITRINE

P. Moret et R. Lerch

L'angine de poitrine, ou angor, est un symptôme douloureux qui traduit une ischémie myocardique transitoire. Ce symptôme est l'expression d'un déséquilibre entre l'apport d'oxygène au myocarde par la circulation coronaire et les besoins du myocarde en oxygène.

Il faut rappeler qu'il existe également une forme d'ischémie myocardique non douloureuse, que l'on appelle ischémie silencieuse, qui présente pratiquement les mêmes caractères étiologiques, physiopathologiques, anatomiques et cliniques (à part la douleur) que l'angor. Les périodes ischémiques douloureuses (angor) peuvent alterner, chez le même malade, avec des crises non douloureuses.

ÉTIOLOGIE

— Dans une grande majorité des cas, l'angine de poitrine résulte d'une athérosclérose coronarienne.

— Certaines autres affections sont, plus rarement, la cause d'une angine de poitrine, ou peuvent jouer le rôle de facteur favorisant, par exemple : sténose ou insuffisance aortique sévère, sténose coronarienne ostiale syphilitique, anémie grave, hypertension pulmonaire.

— Un spasme localisé sur des artères coronaires peut également être responsable d'une ischémie transitoire. Il peut survenir sur une artère coronaire « normale » ou athéroscléreuse. Il apparaît en général sans cause apparente.

— Dans un petit pourcentage de cas, on observe un angor et des signes électrocardiographiques d'ischémie sans athérosclérose coronarienne significative à la coronarographie et sans évidence de spasme. Il s'agit de l'«angor à coronaires normales » dont l'origine reste peu claire. Dans certains cas, il semble s'agir d'une diminution de la réserve coronaire par dysfonction des artérioles (« maladie de petits vaisseaux »). Toutefois, pour l'ensemble des patients avec angor à coronaires normales, le pronostic semble bon.

DÉFINITIONS ET FORMES D'ANGOR

Il existe différentes formes d'angine de poitrine ou d'angor qui peuvent être classées dans un des groupes ou sous-groupes ci-dessous :

Angor d'effort

L'angor d'effort est un syndrome caractérisé par des épisodes transitoires de douleur précordiale, déclenchée par l'effort ou d'autres conditions entraînant une augmentation évidente de la demande d'oxygène du myocarde. La douleur disparaît en général rapidement avec le repos ou la prise de nitroglycérine.

L'angor d'effort est en général l'expression d'une sténose coronaire « fixe ».

Angor instable

Ce type d'angor comprend toute forme d'angor spontané ou d'angor d'effort qui a récemment changé de caractère (intensité de la douleur, sa durée, sa localisation ou son irradiation) et/ou qui devient de plus en plus résistant au traitement médical ordinaire. Il peut s'agir également d'un angor d'effort qui se complique d'un angor spontané.

L'*angor spontané* est un syndrome caractérisé par des épisodes de douleur précordiale apparaissant sans relation apparente avec une augmentation de la demande d'oxygène du myocarde.

Les types particuliers d'angor spontané comme l'angor de Prinzmetal, l'angor survenant durant la phase de guérison d'un infarctus aigu, l'angor de décubitus sont classés dans un des deux sous-groupes ci-dessus.

L'angor instable est, comme son nom le fait suspecter, l'expression d'une lésion coronaire instable. Le spasme coronaire et la rupture de plaques athérosclérotiques avec thrombose surajoutée jouent en général un rôle essentiel.

L'*angor de Prinzmetal* (« variant angina ») est un angor survenant essentiellement au repos, se traduisant à l'ECG par une surélévation transitoire des segments ST (alors que l'angor classique s'accompagne d'un abaissement des ST). Des troubles du rythme et de la conduction sont fréquents. Le spasme coronarien, associé ou non à des lésions athérosclérotiques, joue un grand rôle dans la genèse de ce syndrome. Un tel spasme peut être provoqué par l'injection de certaines substances telles que le maléate d'ergonovine.

☐ Remarque

Un sous-décalage du segment ST à l'électrocardiogramme est en général l'expression d'une ischémie sous-endocardique. Une ischémie transmurale se traduit à l'électrocardiogramme par une surélévation du segment ST. Si des altérations électrocardiographiques sont associées à une élévation de la créatine-kinase, il s'agit d'un infarctus du myocarde.

DIAGNOSTIC CLINIQUE

Le diagnostic d'angor est avant tout un diagnostic clinique qui repose essentiellement sur l'interrogatoire du malade.

Circonstance de déclenchement de la douleur

Les facteurs déclenchants les plus fréquents sont l'effort physique, l'émotion et le froid. Les patients signalent en particulier l'apparition de douleurs lorsqu'ils montent des escaliers, lorsqu'ils marchent rapidement, lorsqu'ils éprouvent une contrariété, une colère ou une peur. D'autres facteurs déclenchants sont les gros repas, les rapports sexuels.

Localisation de la douleur

La douleur est thoracique antérieure et touche le sternum dans la majorité des cas (douleur « en barre »). Elle peut irradier dans n'importe quel endroit du thorax, le cou, les mâchoires, les épaules et les bras jusque dans les doigts, rarement dans le dos. L'irradiation se fait plus souvent dans le membre supérieur gauche (partie interne du bras et de la main) que dans le membre supérieur droit.

Caractère de la douleur

La douleur d'angine de poitrine est sourde et profonde. Elle est souvent décrite par le malade comme une douleur constrictive, qui broie le thorax comme dans un étau. Elle a parfois le caractère d'une brûlure.

Durée de la douleur

La crise dure généralement 2 à 5 minutes. Elle disparaît très rapidement après l'arrêt de l'effort qui l'a provoquée ou après la prise de Trinitrine. Dans l'angor instable, les crises de douleur sont parfois plus prolongées.

Symptômes d'accompagnement

La crise d'angor peut s'accompagner de malaise, de nausées, de sudations.

AUTRES ÉLÉMENTS DE DIAGNOSTIC

L'examen physique et la radiographie thoracique ne révèlent généralement pas d'anomalie. L'électrocardiogramme de repos est souvent normal ; il peut aussi montrer des anomalies non spécifiques telles que de discrètes altérations des phases de repolarisation.

Les *examens les plus utiles* à la confirmation du diagnostic clinique sont :
— l'électrocardiogramme d'effort (épreuve sur bicyclette ergométrique),
— les tests isotopiques : scintigraphie myocardique au thallium-201 (perfusion myocardique), ventriculographie au technetium-99 (fonction ventriculaire et contractilité régionale),
— la coronarographie et la ventriculographie gauche (éventuellement accompagnée de manœuvres de provocation telles que l'effort ou le pacing).

Ces différents tests sont discutés ailleurs dans ce cours. La coronaro-

graphie permet de préciser la localisation et l'importance des lésions coronariennes ; elle constitue, en combinaison avec la ventriculographie gauche, le meilleur moyen d'établir un pronostic ; elle est un préalable indispensable à tout traitement chirurgical.

TRAITEMENT

Mesures générales

Toute forme d'angor comporte des mesures préventives et
hygiéno-diététiques :
— *Facteurs de risque :* Suppression du tabac, diminution de l'excès de
poids, correction de l'hypertension artérielle ou du diabète, correction des
troubles lipidiques.
— *Mesures hygiéno-diététiques :* Éviter les facteurs déclenchant les crises d'angor et les efforts violents, mais conserver une activité physique régulière (marche). Régime pauvre en graisses animales, vie régulière et heures
de sommeil suffisantes.

Traitement de la crise d'angor

— Nitroglycérine à action rapide.   à croquer ou laisser fondre
— Dinitrate d'isosorbide *(Sorbidilat)*.   dans la bouche (éventuelle-
— Anticalcique *(Adalat, Dilzem)*.   ment spray)

Prévention des crises

— Dinitrate d'isosorbide, par ex. Sorbidilat 20 mg R ou Isoket 20 mg
R à 8 h. et à 14 h. Ajouter de la nitroglycérine simple ou la molsidomine
le soir si nécessaire.
— Bêta-bloquants *(Trasicor, Visken, Lopresor, Ténormine)*.
— Anticalciques *(Adalat, Dilzem, Isoptin)*.
— Amiodarone *(Cordarone)*.
— Molsidomine *(Corvaton)*.

Angor instable

— Repos au lit si possible sous surveillance aux soins intensifs.
— Discuter d'emblée une coronarographie en vue d'une dilatation ou
d'un pontage aorto-coronarien.
— Sédation au besoin, par ex. Lexotanil.

— Nitroglycérine ou dinitrate d'isosorbide i.v. ou per os.
— Aspirine per os 100-300 mg.
— Adalate ou Dilzem.
— Bêta-bloquants en cas de tachycardie, sauf contre-indication (insuffisance cardiaque, choc, angor de Prinzmetal, bloc a-v avancé, bronchospasme).
— Héparine i.v. full dose.

INDICATIONS DU TEST D'EFFORT DANS L'ANGOR

Angor d'effort stable

— Préciser le diagnostic.
— Définir la capacité d'effort/réserve coronaire/importance ischémie.
— Évaluer l'efficacité du traitement médical, chirurgical ou par dilatation transluminale.

Angor spontané ou angor instable

— Pas de test d'effort au stade initial ou aigu.
— A envisager seulement, si utile ou nécessaire, après traitement efficace d'une dizaine de jours, comme pour définir le rôle de l'effort dans le déclenchement de l'angor durant ou après l'effort.

INDICATIONS A LA SCINTIGRAPHIE MYOCARDIQUE AU THALLIUM-201 OU A LA VENTRICULOGRAPHIE ISOTOPIQUE

Angor d'effort stable

— Préciser le diagnostic quand le test d'effort simple est équivoque ou ininterprétable.
— Préciser l'étendue et/ou la localisation de l'ischémie.
— Définir si, après coronarographie, une lésion coronaire est significative ou non.
— Évaluer l'efficacité du traitement médical, chirurgical ou après dilatation transluminale.

Angor spontané ou angor instable

— Comme pour le test d'effort simple, ne pas faire de test isotopique avec effort au stade initial ou aigu.

— Éventuellement, injection de thallium-201 *au repos* pendant la douleur pour préciser l'étendue et/ou la localisation de l'ischémie.

INDICATIONS A LA CORONAROGRAPHIE DANS L'ANGOR

Angor d'effort (stable ou classique)

Commencer en principe par un traitement médical. Si l'angor résiste au traitement médical : coronarographie. S'il s'agit d'un angor qui réapparaît après un intervalle libre, la coronarographie sera envisagée plus précocément, car il s'agit, dans la grande majorité des cas, d'une aggravation des lésions.

Angor instable

Commencer par le traitement médical, de préférence en milieu hospitalier. Envisager une coronarographie tôt pendant l'hospitalisation dans les cas où :
— les crises d'angor sont sévères et/ou durables,
— les altérations électrocardiographiques sont significatives.

Précordialgies atypiques ou altérations atypiques de l'ECG de repos

Pratiquer d'abord un test d'effort, éventuellement avec test isotopique (scintigraphie myocardique et/ou ventriculographie isotopique). Si tous les tests sont négatifs : pas de coronarographie. S'ils sont douteux ou positifs : coronarographie.

INDICATIONS A LA DILATATION CORONAIRE (ANGIOPLASTIE CORONAIRE PERCUTANÉE) ET A LA CHIRURGIE

Voir chapitres respectifs.

BIBLIOGRAPHIE

JULIAN D.G. — *Angina pectoris*. Churchill Livingstone, Edinburgh, 1977.
RUTHERFORD J.D., BRAUNWALD E., COHN P.F. — Chronic ischemic heart disease. *In : Heart Disease*, E. Braunwald (ed.), Saunders, 1988, p. 1314-1378.
BERTRAND M.E. — *Coronary arterial spasm*. Proceedings of a European Symposium, Laboratoires Dausse, Paris, 1981.
BASHOUR T.T., MYLER R.K., ANDREAE G.E., STERTZER S.H., CLARK P.A., RYAN C.J.M. — Current concepts in unstable myocardial ischemia, *Am. Heart J. 115*, 850-861, 1988.

INFARCTUS DU MYOCARDE

A. Righetti

L'artériosclérose coronarienne est responsable de la réduction du calibre des artères coronaires, et donc de l'apport de sang au myocarde. Quand le débit coronarien est en dessous d'un certain niveau critique, les cellules myocardiques développent des lésions ischémiques. Quand l'ischémie sévère se prolonge, des lésions irréversibles se manifestent, c'est l'infarctus du myocarde.

DIAGNOSTIC DE L'INFARCTUS DU MYOCARDE

Le diagnostic d'infarctus repose essentiellement sur les quatre critères suivants :
— clinique,
— électrocardiogramme,
— enzymes cardiaques,
— tests isotopiques.

Clinique

La clinique est le facteur le plus important qui emporte la décision d'hospitaliser un patient, même si l'ECG initial est normal.
— La *douleur* de l'infarctus est rétrosternale, habituellement très interne, irradiant souvent dans le cou, les mâchoires, l'épaule et le bras gauches, éventuellement dans le dos. Elle peut apparaître sans facteur déclenchant. Il y a des similitudes et des différences avec la douleur de l'angine de poi-

trine mais, généralement, la douleur de l'infarctus dure plus longtemps (l'angine s'amende en moins de 20 minutes), est plus intense et ne cède pas à l'administration de trinitrine.

— La douleur est habituellement accompagnée de *transpirations profuses*, de *fatigue intense*, d'*anxiété* et de *symptômes vagaux* (nausées, vomissements, diarrhées, douleurs abdominales), surtout si l'infarctus est localisé dans le territoire diaphragmatique.

— L'*examen physique* révèle souvent un patient anxieux, agité, transpirant, la peau peut être moite et froide en présence d'une réaction vagale, la tension artérielle et la fréquence cardiaque sont diminuées ; en présence d'une insuffisance cardiaque, il peut y avoir une hypotension et une tachycardie, accompagnées de râles pulmonaires et d'un bruit de galop (B3). En présence d'une arythmie, le pouls sera irrégulier ; un souffle systolique d'insuffisance mitrale est audible en présence d'une dysfonction transitoire des muscles papillaires.

— Une leucocytose, avec augmentation du pourcentage des neutrophiles, une accélération de la vitesse de sédimentation et une poussée fébrile modérée sont habituelles dans les premiers jours après un infarctus aigu.

— La radiographie du thorax peut être normale ou montrer une cardiomégalie. Des signes de congestion peuvent être visibles (si la pression pulmonaire capillaire bloquée est supérieure à 20-25 mmHg).

Électrocardiogramme

En cas d'infarctus aigu, l'ECG passe par une série de stades successifs avec modifications différentes selon que l'infarctus est transmural ou sous-endocardique.

Infarctus aigu transmural

— Au stade *aigu* : accentuation de la positivité de l'onde T, puis surélévation du segment ST suivie d'une diminution de l'onde R (= « courant de lésion »), ensuite apparition d'une onde Q pathologique (= « onde de nécrose »).

— Au stade *subaigu* : disparition de l'onde R avec apparition d'onde QS et inversion de l'onde T. Le segment ST revient à la ligne isoélectrique, sauf en présence d'un anévrisme où il reste surélevé.

— Au stade *chronique* : les ondes T pointues et symétriques peuvent rester négatives pendant des mois et, dans environ 10-20 % des cas, les ondes Q peuvent disparaître dans les 3 à 4 ans qui suivent.

Infarctus aigu sous-endocardique

Sous-décalage du segment ST et ondes T négatives, symétriques, qui durent 48 heures ou plus en présence de douleurs ischémiques.

Localisation de l'infarctus du myocarde

antéro-septal	V_1-V_2	9 %
antérieur	V_2-V_4	42 %
antéro-latéral	V_4-V_6, D_I,aVL	9 %
antérieur étendu	V_1-V_5	-
latéral haut	D_I, aVL	-
diaphragmatique	D_{II}, D_{III}, aVF	33 %
postérieur vrai	V_1-V_2	2 %

Dans l'infarctus postérieur, on visualise sur l'ECG des signes indirects : grande onde R (R/S > 1), sous-décalage ST et onde T grande et symétrique.

Une extension au VD est retrouvée dans environ 50 % des infarctus postéro-inférieurs. Un susdécalage > 1mm de ST-T en V_3R-V_4R (précordiales droites) est alors souvent présent.

Enzymes cardiaques

Les enzymes, des protéines cytoplasmiques, sont libérées dans le sang à la suite d'une lésion tissulaire. Le taux sanguin d'enzymes cardiaques augmente et diminue en rapport avec les changements de libération à partir du myocarde nécrosé, et leur élévation dans le sang est plus importante que l'infarctus est plus étendu. Les enzymes cardiaques les plus importantes sont :

Créatine-phosphokinase (CPK)

Élévation 4-8 heures après l'infarctus, pic dans les 24 heures, durée : 2-4 jours. Autres causes d'élévation : lésion de muscles squelettiques, traumatisme, injection intramusculaire, rhabdomyolyse, hypothyroïdisme, ictus. La quantification des isoenzymes permet de détecter des élévations des CPK d'origine non cardiaque. Il est possible de séparer 3 isoenzymes de la CPK (MM d'origine musculaire, BB provenant du tissu cérébral, et MB d'origine cardiaque). Le dosage de la *MB-CPK* représente actuellement le meilleur test enzymatique pour le diagnostic de l'infarctus du myocarde.

Transaminase sérique glutamo-oxalo-acétique (SGOT)

Début de l'élévation : 10-12 heures après l'infarctus, pic : 1-2 jours, durée : 4-5 jours. Autres causes d'élévation : pathologie hépatique, lésion musculaire squelettique.

Lactico-déshydrogénase (LDH)

Élévation 24 heures après l'infarctus, pic : 3-6 jours, durée : 10-12 jours. Autres causes d'élévation : affections hépatiques, hémolyse, infarctus pulmonaire.

Tests isotopiques

Les techniques isotopiques, atraumatiques, nécessitent l'injection, dans une veine périphérique, d'une substance faiblement radioactive qui se concentre au niveau du myocarde, et dont les rayonnements peuvent être détectés à distance par une gamma caméra placée sur l'aire précordiale. Deux types de traceurs radioactifs sont utilisés :
— les traceurs du flux coronarien (T1-201 et MIBI-Tc-99m) qui détectent et localisent l'infarctus sur les images scintigraphiques par une diminution ou absence de la radioactivité dans une région du myocarde (« cold spot ») ;
— les traceurs positifs (pyrophosphate Tc-99m et anticorps antimyosine In-111) qui s'accumulent au niveau du myocarde fraîchement infarci et qui permettent de visualiser l'infarctus sous forme d'hypercaptation radioactive (« hot spot »).

COMPLICATIONS DE L'INFARCTUS DU MYOCARDE

Complications arythmiques

Éliminer d'abord les causes facilement traitables, par exemple : hypoxie, électrolytes anormaux (K^+, Mg^+). Considérer une intoxication digitalique ou un cathéter intracardiaque induisant l'arythmie. Les extrasystoles peuvent être le prélude à une tachycardie ventriculaire, raison pour laquelle elles doivent être surveillées soigneusement et traitées énergiquement. La tachycardie ventriculaire doit être traitée le plus rapidement possible par bolus de 50-100 mg de *Xylocaïne* ou par choc électrique, car cette arythmie se complique souvent d'une fibrillation ventriculaire. Dans ce dernier cas, qui est mortel dans le plus bref délai, appliquer tout de suite un choc électrique de 400 joules. Si pas de succès, instaurer immédiatement une réanimation cardiopulmonaire et répéter la défibrillation. La fibrillation auriculaire et les tachycardies jonctionnelles sont les arythmies supraventriculaires les plus fréquentes dans la période post-infarctus. Pour le traitement, voir chapitre « Les traitements antiarythmiques ».

Troubles de conduction

Le type de bloc de conduction et son importance dépendent de la localisation de l'infarctus.

Infarctus diaphragmatique

Le bloc est souvent transitoire, car il est en rapport avec un tonus vagal augmenté, ou avec un œdème de la zone du nœud a-v de Tawara. Le bloc du 3e degré est rare et nécessite rarement la pose d'un pacemaker provisoire.

Infarctus antérieur

Le bloc est habituellement secondaire à une lésion des branches de conduction. Les blocs des 2e et 3e degrés sont plus communs, et nécessitent souvent la pose d'un pacemaker externe provisoire.

Insuffisance cardiaque

L'insuffisance cardiaque au stade aigu de l'infarctus est une complication fréquente qui assombrit considérablement le pronostic. En présence de signes d'insuffisance cardiaque sévère, il est utile de monitoriser les pressions pulmonaires et la pression capillaire bloquée (= reflet de la pression auriculaire gauche et de la pression télédiastolique ventriculaire gauche), ainsi que le débit cardiaque à l'aide d'un cathéter à ballonnet de Swan-Ganz. Les principaux traitements sont les diurétiques, les tonicardiaques (dopamine, dobutamine), et les vasodilatateurs. Les vasodilatateurs (la nitroglycérine i.v. qui a une action plutôt veineuse, la régitine et l'hydralazine qui ont une action plutôt artérielle, et le nitroprussiate de Na et la nifédipine qui ont une action mixte artérielle et veineuse) combattent l'insuffisance cardiaque en diminuant le travail du cœur et en diminuant la consommation myocardique d'oxygène.

Oedème aigu du poumon

Voir le chapitre sur le traitement de l'insuffisance cardiaque.

Choc cardiogène

Voir le chapitre sur le choc.

Insuffisance mitrale

L'insuffisance mitrale est le résultat soit d'une dysfonction du muscle papillaire, soit d'une rupture de pilier ou muscle papillaire. La dysfonction du muscle papillaire est une complication relativement fréquente, et habituellement transitoire et bien tolérée, d'un infarctus étendu du ventricule gauche. La rupture d'un muscle papillaire apparaît de façon brutale dans la première ou deuxième semaine après un infarctus aigu. Elle s'accompagne de signes sévères d'insuffisance cardiaque et nécessite un traitement chirurgical.

Rupture du septum interventriculaire

La rupture du septum interventriculaire survient dans les deux premières semaines après l'infarctus, et entraîne la formation d'un shunt gauche-droit avec des signes de surcharge pulmonaire. Le traitement par vasodilatateurs périphériques et par ballon intra-aortique de contre-pulsation doit permettre de stabiliser la situation clinique en vue d'un cathétérisme cardiaque et d'une opération correctrice.

Rupture cardiaque

Complication dramatique, relativement rare, qui survient dans la première semaine après l'infarctus aigu, et qui se termine habituellement par la mort.

Anévrisme ventriculaire gauche

Cette complication n'est pas rare et peut apparaître quelques jours à quelques semaines après l'infarctus. L'anévrisme qui fait suite à un infarctus antérieur s'accompagne de signes cliniques tels que insuffisance cardiaque, embolies artérielles, arythmies, plus manifestes que les anévrismes secondaires à un infarctus diaphragmatique. La présence d'un anévrisme suspecté par la clinique, l'ECG et la radiographie est confirmée par la ventriculographie isotopique, l'échocardiographie bidimensionnelle et par cathétérisme et ventriculographie conventionnels. Une résection chirurgicale peut être utile en cas d'arythmies récurrentes ou d'insuffisance cardiaque réfractaires au traitement médical.

Péricardite et syndrome de Dressler

La péricardite précoce dans les 1 à 3 jours après infarctus est une complication relativement fréquente mais bénigne d'un infarctus transmural du myocarde. Le syndrome de Dressler est une complication tardive (2 semaines à 3 mois après infarctus), probablement d'origine auto-immune, qui se manifeste par de la fièvre, des douleurs thoraciques de péricardite, et parfois par une pleurésie. Ces complications sont habituellement traitées par des salicylés et rarement par des corticostéroïdes.

BIBLIOGRAPHIE

CABIN C. — Management of acute myocardial infarction. *In : Cardiology Clinics, vol. 6*, N° 1, 1988.

CHATTERJEE K., SWAN H.J.C., GANZ W., GREY R., LŒHEL H., FORRESTER J.S., CHONETTE D. — Use of a balloon-tipped flotation electrode catheter for cardiac monitoring. *Am. J. Cardiol. 36*, 56, 1975.

COLUCCI W.S., WRIGHT R.F., BRAUNWALD E. — New positive inotropic agents in the treatment of congestive heart failure, Mechanisms of action and recent clinical developments (first of two parts). *N. Engl. J. Med. 314*, 290, 1986.

CONDINI M.A. — Management of acute myocardial infarction. *Med. Clin. North Am. 70*, 769, 1986.

FORRESTER J.S., DIAMOND G.A., SWAN H.J.C. — Correlative classification of clinical and hemodynamic function after acute myocardial infarction. *Am. J. Cardiol. 39*, 137, 1977.

KAYDEN D., WACKERS F., ZARET B. — The role of nuclear cardiology in assessment of acute myocardial infarction. *In : Cardiology Clinics, vol. 6*, N° 1, 81-96, 1988.

KILLIP T. — Arrhythmias in myocardial infarction. *Med. Clin. North Am. 60*, 233, 1976.

KITCHEN J.G. III, KASTOR J.A. — Pacing in acute myocardial infarction. Indications, methods, hazards and results, *Cardiovasc. Clin. 7*, 183, 1975.

RÉANIMATION CARDIO-RESPIRATOIRE

A. Righetti

Une des causes les plus fréquentes de l'arrêt cardiaque, ce sont les troubles du rythme ; la fibrillation ventriculaire en est le responsable numéro un, surtout dans la phase précoce (moins de 24-48 heures) après un infarctus du myocarde. La fibrillation ventriculaire peut être initiée par une seule extrasystole ventriculaire ou par une tachycardie ventriculaire, ou bien elle peut apparaître sans signe ECG prémonitoire. Plus rarement, des bradyarythmies sont responsables d'un arrêt cardio-respiratoire qui nécessite une réanimation.

Toutefois, les troubles du rythme ne sont pas la seule cause d'un arrêt circulatoire. En effet, des patients avec défaillance cardiaque grave (rupture ventriculaire ou rupture d'un muscle papillaire) peuvent présenter des arrêts cardiaques ou une dissociation électromécanique. La respiration cesse rapidement après un arrêt circulatoire. Par ailleurs, une hypoxémie importante secondaire à une affection pulmonaire aiguë peut s'accompagner d'arythmies graves, puis d'arrêt cardiaque.

Le diagnostic clinique d'arrêt cardio-respiratoire comporte :

La défaillance de la fonction respiratoire

Absence de bruits respiratoires, absence de mouvements respiratoires thoraciques ou abdominaux, et

Une circulation inadéquate

Absence de pouls carotidiens ou fémoraux s'accompagnant de signes céré-braux de mort apparente (état comateux, non réponse aux stimuli, dilata-tion des pupilles).

MANŒUVRES DE BASE DANS LA RÉANIMATION CARDIO-RESPIRATOIRE

Ces manœuvres mécaniques de base sont d'une importance capitale pour maintenir une ventilation et une circulation jusqu'à ce que le patient qui a subi un arrêt cardio-respiratoire puisse à nouveau produire spontanément un débit cardiaque ou une respiration adéquate.
Les principes de base se résument donc par :
— Rétablir la voie respiratoire.
— Maintenir une respiration efficace.
— Maintenir une circulation adéquate.

Rétablir la voie respiratoire

Lorsqu'un individu a perdu connaissance, des structures telles que la lan-gue ou les muscles de l'arrière cavité buccale se relâchent en obstruant le conduit respiratoire supérieur. La manœuvre qui consiste à effectuer une extension forcée de la tête et une élévation de la mâchoire inférieure per-met, dans la plupart des cas, de rétablir l'ouverture du conduit aérien supé-rieur. Si cette manœuvre ne donne pas le résultat escompté, il faut recher-cher et éliminer d'autres causes d'obstruction des voies respiratoires, par exemple des corps étrangers.

Maintenir une respiration efficace

Si les voies respiratoires sont ouvertes mais le patient ne présente aucun effort respiratoire spontané, il faut commencer une *respiration artificielle*.
La technique la plus simple et efficace est la respiration bouche à bou-che (ou bouche à nez). La concentration en oxygène de l'air expiré est d'environ 16 % (l'air ambiant : 21 %), ce qui est suffisant pour oxygéner les tissus si, bien sûr, un débit cardiaque efficace peut être maintenu. La fréquence de 12 respirations par minute est adéquate.

Maintenir une circulation efficace

La personne qui est témoin d'un début d'arrêt cardiaque peut rétablir la contraction cardiaque par un *coup de poing* dans la région médiosternale. Par cette « mini-défibrillation », une tachycardie ou fibrillation ventriculaire débutante peut être terminée et le rythme sinusal rétabli. Le coup de poing précordial est inefficace en cas d'arrêt cardiaque sur anoxie.

Si le pouls ne revient pas immédiatement, il faut commencer sans autre la réanimation cardiaque par *compression thoracique externe*. Le patient doit être placé en position couchée, sur une surface dure. Une compression ferme appliquée sur la moitié inférieure du sternum (mais pas sur le processus xiphoïdien) comprime d'une part le cœur entre le sternum et la colonne vertébrale et, d'autre part, augmente la pression intrathoracique avec, comme résultat, une éjection de sang des ventricules. Les compressions doivent être rythmiques, avec une fréquence d'environ 60-80 à la minute. Si la réanimation est effectuée par deux personnes, il faut intercaler une respiration toutes les 5 compressions, sans interruption.

L'efficacité du massage cardiaque est seulement de 30-40 % du débit cardiaque normal ; toute interruption de plus de 5 secondes (15 secondes pour une intubation) diminue encore davantage un flux sanguin qui est déjà limite.

ÉTABLIR UN DIAGNOSTIC EXACT

Sans interrompre les manœuvres de réanimation de base, il faut obtenir un électrocardiogramme pour déterminer le rythme cardiaque. En cas de fibrillation ventriculaire, une *défibrillation électrique* par choc externe (400 watts/seconde) doit être immédiatement entreprise. Si l'ECG n'est pas sur place, une défibrillation « à l'aveugle » doit être commencée.

Après la défibrillation, continuer de suite la respiration assistée (bouche à bouche, ambu) et le massage cardiaque jusqu'à ce que le rythme visualisé sur l'ECG soit fonctionnel. Palper les pouls carotidiens et fémoraux pour tester l'efficacité du rythme. Si le pouls est faible ou absent, continuer le massage cardiaque.

TRAITEMENT MÉDICAMENTEUX

Dès que possible au cours de la réanimation, placer un cathéter intraveineux (de préférence dans la veine sous-clavière ou jugulaire interne) pour commencer le traitement médicamenteux. On devrait éviter les injections intracardiaques en raison des complications fréquentes.

Les deux médicaments les plus utiles lors de la réanimation sont le bicarbonate de Na et l'adrénaline.

Le *bicarbonate de Na* (1 mEq/kg de poids corporel) est utilisé pour traiter l'acidose métabolique qui prédispose l'arythmie et diminue la contractilité cardiaque. L'administration de bicarbonate de Na devrait être guidée par le pH et la pCO_2 artériels.

L'*adrénaline* est utilisée pour ses effets sur le cœur (augmentation de la contractilité et de la fréquence cardiaque via les récepteurs bêta) et sur les vaisseaux périphériques (à petites doses : vasodilatation par effet bêta ; à doses plus fortes : vasoconstriction par effet alpha). L'adrénaline peut stimuler le retour d'une activité cardiaque en présence d'une asystolie ; en présence d'une fibrillation ventriculaire, elle peut augmenter l'amplitude des complexes, et donc diminuer le seuil pour une défibrillation électrique. Dans le but d'augmenter le débit cardiaque, on peut utiliser actuellement la *dopamine* et la *dobutamine*.

Si le rythme cardiaque produit un pouls périphérique, mais avec une fréquence inférieure à 50-60/min, l'*atropine* 1 mg en bolus va augmenter cette fréquence à des valeurs plus physiologiques.

En cas de bradycardie importante ou de bloc a-v qui ne répond pas à l'atropine, une infusion d'*isoprotérénol* peut être utilisée avec prudence en attendant la pose d'un *pacemaker œsophagien ou intracardiaque*.

La présence d'extrasystoles ventriculaires ou de tachycardie ventriculaire motive un traitement de *Xylocaïne* (bolus de 100 mg suivi d'une perfusion de 1-4 mg/min).

Le *calcium* n'est pas un traitement à employer immédiatement, mais il peut être utile secondairement, en présence d'une dissociation électromécanique, d'une asystolie ou d'une fibrillation ventriculaire réfractaire au choc électrique.

ARRÊT DE LA RÉANIMATION

Il n'y a pas de réponse tout à fait satisfaisante à la question : quand une réanimation doit-elle être interrompue ? Il y a en effet un mélange de considérations médicales, philosophiques et légales dont il faut tenir compte.

Toutefois, on doit pouvoir arrêter la réanimation si le patient, tout en étant réanimé de façon adéquate, est en coma profond, sans respiration spontanée, avec des pupilles fixes et dilatées, et sans activité électrocardiographique ventriculaire pendant plus de 30 à 60 minutes.

En cas d'hypothermie importante ou en présence d'un enfant ou d'un individu très jeune, les manœuvres de réanimation doivent être continuées pendant une période plus longue.

BIBLIOGRAPHIE

AMERICAN HEART ASSOCIATION — *Text book of advanced cardiac life support*, New York, 1983.
RUDIKOFF M.T., MAUGHAN W.L., EFFRON M., FREND P., WEISFELDT M.L. — Mechanisms of blood flow during cardiopulmonary resuscitation. *Circulation 61*, 345, 1980.
STEPHENSON H.E., Jr. *In : Cardiac arrest and resuscitation*. (H.E. Stephenson Jr. ed.). CV Mosby, St. Louis, 1974, p. 687-707.

CHOC CARDIOGÈNE

A. Righetti

Le choc cardiogène est généralement le résultat d'une insuffisance cardiaque sévère secondaire à un infarctus du myocarde. Des études, en pathologie, ont montré que le choc cardiogène est lié à une perte de masse musculaire supérieure à 40 %. Il s'agit d'un problème important en cardiologie car, en raison de la destruction si importante du myocarde contractile, les possibilités de traitement sont très limitées.

A noter que si le choc cardiogène résulte généralement d'une destruction myocardique étendue, il existe aussi d'autres causes telles que : arythmies sévères, tamponade, rupture de pilier du muscle papillaire mitral et rupture du septum interventriculaire, hypovolémie sévère par perte de sang ou traitement diurétique, ou infarctus du ventricule droit. L'identification précoce de ces différentes causes est très importante, car ces complications peuvent être traitées avec succès.

DIAGNOSTIC

En clinique, le *diagnostic* de choc cardiogène se pose sur la base des signes suivants :
— Pression artérielle systolique inférieure à 90 mmHg (ou diminution de 60 mmHg par rapport à la pression habituelle) en l'absence de douleur, médicaments hypotenseurs ou arythmie.
— Diminution du débit cardiaque, qui se traduit par la présence des signes suivants :
a) débit urinaire inférieur à 20 ml/h, de préférence avec un sodium urinaire abaissé,
b) altérations de l'état de conscience,

c) vasoconstriction périphérique s'accompagnant d'extrémités froides et marbrées, ainsi que de transpirations profuses.

MODIFICATIONS HÉMODYNAMIQUES

Les *modifications hémodynamiques* typiques du choc cardiogène montrent une réduction de l'index cardiaque (moyenne 1,6 ± 0,6 1/min/m²), une augmentation de la pression télédiastolique ventriculaire gauche ou de la pression de remplissage ventriculaire (> 18 mmHg), ainsi qu'une augmentation des résistances périphériques

La mesure des pressions de remplissage et du débit cardiaque est donc très utile au diagnostic et au traitement. Ces mesures hémodynamiques sont enregistrées au lit du malade par une sonde à ballonnet de Swan-Ganz introduite dans l'artère pulmonaire. En gonflant le ballonnet, on mesure la pression capillaire pulmonaire bloquée qui reflète la pression auriculaire gauche et, par conséquent, en l'absence de pathologie de la valve mitrale, la pression télédiastolique ventriculaire gauche. Le débit cardiaque est mesuré par thermodilution au moyen de la même sonde.

La situation hémodynamique n'est pas toujours claire et simple, et certains patients peuvent avoir un débit cardiaque à la limite inférieure de la norme, et d'autres peuvent ne pas présenter une élévation excessive de la résistance périphérique.

Dans les premiers stades du choc cardiogène, des patients peuvent montrer une réponse inappropriée de la résistance à une baisse modérée du débit cardiaque. Ce manque d'augmentation de la résistance et, par conséquent, une chute de la pression sanguine (pression sanguine = débit cardiaque x résistance périphérique) diminue la perfusion myocardique, de sorte que davantage encore de tissu musculaire devient ischémique. Un cycle vicieux peut donc s'installer. Il a été démontré que la perfusion coronaire est sérieusement compromise lorsque la pression moyenne est inférieure à 70 mmHg.

Chez d'autres patients, une congestion et un œdème pulmonaire accompagnent souvent un choc cardiogène ; par mauvaise oxygénation dans les poumons, une hypoxie artérielle s'installe avec accentuation des lésions cardiaques. De plus, la diminution du débit cardiaque et l'augmentation des résistances s'accompagnent d'une mauvaise perfusion tissulaire, puis d'une hypoxie tissulaire et d'une acidose métabolique. Cette acidose a un effet dépresseur direct sur la fonction myocardique.

PRINCIPES DU TRAITEMENT DU CHOC CARDIOGÈNE

Prévention

Plusieurs travaux récents montrent qu'un traitement précoce de l'hypoxie et de la défaillance cardiaque peut réduire la taille de la nécrose myocardique, car la dimension d'un infarctus n'est pas déterminée de manière définitive au moment de l'accident aigu. En effet, la région centrale de l'infarctus, qui est nécrosée, est entourée d'une zone ischémique susceptible d'évoluer vers la nécrose ou vers la récupération.

Traitement général

Il vise donc à corriger l'hypoxie, les tachyarythmies, l'acidose ou l'hypovolémie.

Traitement médicamenteux

Le but principal du traitement médicamenteux est de *garder une pression aortique adéquate* et d'améliorer la perfusion coronaire. Vu que le flux coronarien dépend de la pression aortique et que la plus grande partie du remplissage des coronaires se fait pendant la diastole, il est donc nécessaire d'obtenir une pression diastolique aortique d'au moins 60 mmHg. Il n'est toutefois pas nécessaire d'essayer de « normaliser » à tout prix la tension artérielle.

Actuellement, les médicaments les plus utiles sont la dopamine (catécholamine naturelle, intermédiaire dans la synthèse de la noradrénaline) et la dobutamine (une catécholamine synthétique). Ces deux catécholamines ont une action sur le cœur via les récepteurs bêta-1, en augmentant la contractilité musculaire et la fréquence cardiaque (surtout la dopamine). Au niveau des vaisseaux sanguins, via les récepteurs bêta-2, les deux catécholamines produisent une discrète vasodilatation. La stimulation des récepteurs alpha par la dopamine seulement peut conduire à un certain degré de vasoconstriction. La dopamine possède une action sur des récepteurs spécifiques qui dilatent les vaisseaux rénaux.

Chez certains patients présentant un choc cardiogène, il se peut que la perfusion coronaire soit fixe et qu'elle ne puisse pas augmenter. L'augmentation de la demande d'oxygène induite par les catécholamines peut donc ne pas être contrebalancée par une augmentation de l'apport d'oxygène.

L'approche thérapeutique actuelle consiste à ajouter aux médicaments précédents des médicaments vasodilatateurs, par exemple : nitroprussiate de Na, trinitrine i.v. ou phentolamine (régitine), et ceci pour traiter des patients avec résistance périphérique élevée. En diminuant la résistance

(= post-charge), on espère améliorer le travail cardiaque et augmenter le débit cardiaque sans diminution appréciable de la tension artérielle.

Pronostic : La mortalité dans le choc cardiogène traité de façon médicale conventionnelle se situe autour de 80-90 %.

Assistance circulatoire par contre-pulsion aortique

Le but de la contre-pulsion aortique est d'augmenter la pression de perfusion coronaire et de réduire simultanément le travail du ventricule gauche. Cette technique consiste à mettre en place un cathéter à ballon dans la partie descendante de la crosse aortique. Une pompe permet de gonfler le ballon pendant la diastole, en créant un déplacement de sang depuis l'aorte thoracique égal au volume du ballon. La déflation rapide du ballon au début de la systole, juste avant l'ouverture de la valve aortique, permet d'augmenter l'éjection ventriculaire gauche.

L'assistance circulatoire par contre-pulsion aortique permet souvent de passer le cap difficile. Des données récentes de la littérature montrent en effet des résultats encourageants, avec une survie entre 15 et 40 % ; la majorité des patients nécessite par la suite une opération chirurgicale.

Tout récemment, pour les patients en choc cardiogène et ne réagissant pas au traitement pharmacologique ou par contre-pulsation, on a utilisé d'autres moyens d'assistance circulatoire comme : l'oxygénateur extracorporel à membrane, les pompes centrifuges ou pulsatiles biventriculaires externes, la pompe électrique implantable et le cœur artificiel total. Ces moyens d'assistance sont toutefois, pour la plupart, à l'état expérimental.

Traitement chirurgical

Dans certains cas, favorables, il sera pratiqué un cathétérisme cardiaque avec coronarographie sélective et cinéventriculographie gauche. Éventuellement, il sera pratiqué une reperméabilisation mécanique d'une thrombose et/ou une dilatation d'une coronaire sténosée. Une chirurgie cardiaque d'urgence avec pontage aorto-coronarien, résection d'une région anévrismale, réparation d'une rupture de pilier ou du septum interventriculaire, pourra donc être éventuellement envisagée. Les risques opératoires, dans cette catégorie de patients, sont par ailleurs très élevés ($\geqslant$ 50 %).

BIBLIOGRAPHIE

BREGMAN D. — Assessment of intra-aortic balloon counterpulsation in cardiogenic shock. *Crit. Care Med. 3*, 90, 1975.
FORRESTER J.S., DIAMOND G.A., SWAN H.J.C. — Correlative classification of clinical and hemodynamic function after acute myocardial infarction. *Am. J. Cardiol. 39*, 137, 1977.

GOLDBERG L.I., HSIEH Y., RESNEKOV L. — Newer catecholamines for treatment
of heart failure and shock : an update on dopamine and a first look at dobutamine. *Progr. Cardiovasc. Dis, 19,* 327, 1977.

MASON D.T., AMSTERDAM E.A., MILLER R.R. et al. — Medical management of
severe left ventricular failure and cardiogenic shock in acute myocardial infarction. *In : Clinical application of intraaortic balloon pump* (H. Balooki ed.).
Futura Publ., Mt Kisco, 1977.

PENNINGTON G., SWARTZ M. — Heart failure, management by circulatory assist
devices, *In : Cardiology Clinics,* vol. 7, N° 1, 195-204, 1989.

RÉADAPTATION DES CARDIAQUES
DURÉE DE LA CONVALESCENCE
ET RETOUR AU TRAVAIL

P. Moret et A. Righetti

BUT ET EFFETS DE LA RÉADAPTATION

Selon l'OMS, « la réadaptation constitue l'ensemble des mesures ayant
pour objet de rendre au malade ses capacités antérieures et d'améliorer
sa condition physique et mentale, lui permettant d'occuper par ses moyens
propres une place aussi normale que possible dans la société ». Le terme
« réadaptation » ne signifie pas uniquement entraînement physique, mais
également lutte contre les troubles psychologiques, les facteurs de risque,
etc.

En ce qui concerne l'infarctus, la *réadaptation vise à :*

Améliorer la capacité d'effort

L'amélioration peut aller jusqu'à 20 % si l'entraînement physique est
correctement prescrit et suivi, c'est-à-dire 2 à 3 séances par semaine de
30-45 minutes pendant 6 mois.

Réduire le retentissement psychologique

Ceci constitue, de l'avis de tous les auteurs, le bénéfice majeur de la
réadaptation.

Favoriser le retour au travail

Changer le comportement du patient

Sa conception vis-à-vis du travail, de la détente et des loisirs, modifier son attitude vis-à-vis des facteurs de risque.

Changer le cours de la maladie

Retarder ou diminuer les rechutes d'infarctus, du moins leur gravité, diminuer l'angor post-infarctus, diminuer la mortalité par accident coronarien, mort subite y comprise.

Enfin, ce qui est un souhait non encore prouvé, *augmenter l'espérance de vie.*

Les principaux *effets* ou les *bénéfices* de la réadaptation sont les suivants :

Effets sur le cœur

Le cœur peut apprendre à travailler plus économiquement (diminution de la consommation d'oxygène myocardique de 20-30 %) grâce à une meilleure adaptation de la fréquence cardiaque à l'effort, une augmentation du volume systolique et une diminution de la tension de la paroi des ventricules. Le rendement cardiaque (rapport travail cardiaque/consommation d'oxygène) est de ce fait augmenté. L'extraction d'oxygène par le myocarde est probablement plus grande. Tout ceci va diminuer l'angor post-infarctus (20-30 %), les arythmies d'effort, et peut-être le risque de mort subite. Les effets de la réadaptation sur le développement des collatérales n'ont jamais été démontrés avec certitude.

Effets sur la périphérie

C'est là un des bénéfices les plus positifs de la réadaptation. La tolérance à l'effort augmente de 15 à 30 %, avec une meilleure utilisation et extraction de l'oxygène par les muscles périphériques. La tension artérielle s'adapte mieux à l'effort. La réadaptation entraîne une redistribution du sang à la périphérie, avec diminution du débit splanchnique et rénal et augmentation du débit musculaire.

Effets généraux

Le bénéfice majeur est psychologique, avec toutes ses conséquences ou répercussions sur la qualité de la vie, les relations familiales, sociales et professionnelles. L'exercice physique va également aider à lutter contre les facteurs de risque : abandon de la cigarette, perte de poids, correction des troubles nutritionnels ou lipidiques. La réadaptation bien suivie va souvent permettre une diminution de la prise de médicaments (30-40 % des patients). Enfin, certains pensent que la réadaptation peut modifier le cours de la maladie : régression des lésions artérioscléreuses et diminution des rechutes d'infarctus, du moins des infarctus mortels.

FACTEURS D'INCAPACITÉ APRÈS INFARCTUS

Plusieurs facteurs contribuent à l'incapacité à reprendre une activité physique ou professionnelle plus ou moins rapidement après un infarctus du myocarde. Ils sont schématisés sur la figure 28. Certains d'entre eux sont évidents, comme l'atteinte anatomique ou fonctionnelle du cœur, ou sont la conséquence d'un alitement prolongé ou d'inactivité physique. D'autres sont mal connus ou trop souvent négligés à la fois par le patient et le médecin traitant.

Parmi les troubles dus au déconditionnement physiologique, il faut noter la fonte musculaire avec perte de la force et des capacités métaboliques du muscle, la diminution du volume sanguin, la décalcification osseuse, la raideur articulaire avec parfois arthrite, et l'hypotension orthostatique. Tous ces troubles conduisent, indépendamment de l'infarctus, à de la fatigue, dyspnée, tachycardie, à des sudations et à de l'hypotension.

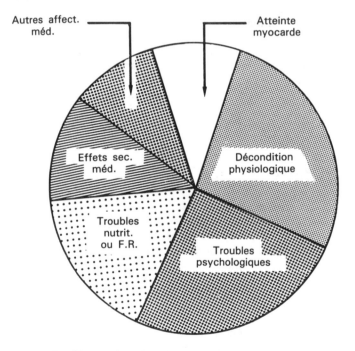

Fig. 28. — *Facteurs d'incapacité post-infarctus.*

Les conséquences psychologiques de l'infarctus sont importantes ; elles jouent un rôle prépondérant dans la reprise du travail. Certains troubles nutritionnels comme l'obésité, avec ses conséquences sur le travail cardiaque, la respiration, le système ostéo-articulaire, la régulation thermique, les troubles lipidiques, le diabète ou l'hypertension artérielle peuvent constituer un handicap à la reprise d'une activité physique. Il ne faut pas oublier non plus les excès de médicaments dont les effets secondaires sont trop souvent négligés. Il n'est pas rare de voir, chez un patient quittant l'hôpital, la prise journalière de plus de 10 à 12 comprimés. La majorité des facteurs représentés sur la figure 28 sont corrigibles par une réadaptation bien prescrite et bien contrôlée.

QUAND ET COMMENT PRESCRIRE LA RÉADAPTATION

La réponse à cette question est plus facile aujourd'hui qu'il y a quelques années grâce au test d'effort précoce, c'est-à-dire au test d'effort sous-maximal pratiqué avant que le malade ne quitte l'hôpital, entre le 6e et le 9e jour selon le programme de réadaptation hospitalière, c'est-à-dire après avoir monté deux ou trois étages sans problème majeur. Ce test d'effort permet en plus de rechercher une ischémie résiduelle, d'établir un pronostic à plus ou moins long terme, de décider de procéder à d'autres examens invasifs en vue d'un choix entre un traitement médical ou chirurgical (décision qu'il faut prendre le plus rapidement possible si une intervention chirurgicale est envisageable de façon à ne pas perdre un temps précieux et trop souvent inutile), et de fournir des indications sur la durée de la convalescence et sur les possibilités de retour aux activités professionnelles antérieures.

La réadaptation se divise en *trois phases* :

— *Phase 1 ou phase aiguë*, qui va des premiers signes cliniques de l'infarctus et de l'hospitalisation jusqu'au moment où le patient quitte l'hôpital. Cette phase dure 2 à 3 semaines.

— *Phase 2 ou phase de convalescence* : elle commence à la sortie de l'hôpital et s'étend jusqu'à la reprise du travail, pour les malades non retraités, ou jusqu'à l'acquisition d'une capacité physique ou d'un équilibre psychique satisfaisants. Cette période dure de 6 à 8 semaines.

— *Phase 3 ou phase d'entretien* : elle devrait se prolonger pratiquement toute la vie. Elle a pour but de maintenir ou d'améliorer les possibilités acquises à la fin de la phase 2.

Durant la *phase 1*, les exercices commencent d'abord au lit du malade (mouvements passifs), se poursuivent par le lever du patient, de la marche progressive et se terminent, vers les 5e-9e jours, par la montée de 2 étages. Lorsque le patient est capable de monter deux étages avec un pouls < 120/min et une tension artérielle correcte, il peut quitter l'hôpital.

Les *contre-indications* de la réadaptation précoce sont données par la persistance des douleurs thoraciques, l'instabilité de la tension artérielle, des signes d'insuffisance cardiaque manifestes, des troubles du rythme graves. Dans ces cas, un cathétérisme cardiaque et une coronarographie avec traitement agressif sont envisagés.

A sa sortie de l'hôpital (phase 2), le patient peut soit aller dans un institut spécialisé de réadaptation cardiaque, soit suivre des cours de gymnastique ambulatoires sous surveillance médicale, qui peuvent débuter dès la première semaine après sa sortie de l'hôpital, soit faire de la réadaptation à domicile sous la surveillance de son médecin traitant. Le médecin traitant doit apprendre à prescrire une véritable réadaptation pour que ses patients puissent bénéficier d'une capacité physique et d'un équilibre psychique égaux à ceux qu'ils pourraient acquérir dans un programme ambulatoire ou dans un institut spécialisé.

Si le programme se fait sous le contrôle du médecin traitant (programme individuel), le patient peut suivre un programme de marche journalière, selon le tableau IX :

TABLEAU IX. — *Programme individuel (marche).*

Semaines	1	2	3	4	5	6	7	8
Distance/km	1	2	3	4	5	6	7	8
Durée	20′	40′	— 60′ —			— 75′ —		
Pouls Fin parcours	— 115 ± 10 —			— 120 ± 10 —		— 125 ± 10 —		
15′ après	— 80 ± 10 —							

La distance de marche augmente de 1 km chaque semaine, jusqu'à la 8ᵉ semaine. La durée de la marche augmente également progressivement, et le patient doit apprendre à contrôler son pouls qui doit être, en fin de parcours, aux environs de 120/min. Cette fréquence cardiaque est la fréquence idéale d'entraînement. Si le patient se sent fatigué de façon excessive, ressent des douleurs ou des malaises, il devra consulter son médecin pour adapter son traitement et son programme. Attention à l'apparition d'arythmies, d'œdèmes périphériques ou de dyspnée d'effort trop marquée

Les *contre-indications* de la réadaptation phase 2 comprennent toutes les affections cardiaques d'origine non coronarienne telles que myocardite, péricardite, embolie pulmonaire, insuffisance cardiaque, arythmies sévères, hypertension grave.

Lors de la *phase 3*, le patient peut continuer son programme d'entraînement ambulatoire individuel ou par groupe, selon son aptitude physique testée par le test d'effort. Il peut pratiquer des sports qui seront toujours précédés d'une période d'échauffement et suivis d'une période de relaxation. Attention au jogging chez les patients non entraînés !

DURÉE DE LA CONVALESCENCE ET RETOUR AU TRAVAIL

La durée totale de l'arrêt de travail se situe en général entre 1 mois et demi et 2 mois. Le test d'effort précoce ou un deuxième test pratiqué 3 à 4 semaines après la sortie de l'hôpital permet, pour certains patients, de réduire cette durée de 1 à 1 mois et demi, surtout chez les patients ayant une profession indépendante désireux de reprendre leur travail. Pour les patients avec faible capacité d'effort, la durée de convalescence peut dépasser les 2 mois, mais on doit s'efforcer de ne pas dépasser 3 ou 4 mois, car on sait qu'à côté du déconditionnement physique, vont s'ajouter des problèmes psychologiques qui ne vont que s'aggraver et compromettre de plus en plus les chances de la reprise du travail. Si au premier, ou au plus tard au second test d'effort, on se rend compte que le malade ne pourra pas reprendre son travail antérieur parce qu'exigeant une trop grande demande d'énergie, des cours de recyclage professionnel doivent être entrepris le plus rapidement possible, dès le deuxième mois déjà.

Il est utile d'établir dès les premiers jours de l'infarctus un inventaire de l'activité professionnelle du patient, avec d'emblée ce qui peut créer une barrière physique ou psychologique au moment de la reprise du travail. Cela va contribuer non seulement à protéger l'intégrité psychologique du patient, ses ressources socio-économiques, mais également à détecter son désir ou sa volonté de retourner au travail et les facteurs qui peuvent annihiler ou diminuer les chances de succès de la réadaptation. Tout doit être entrepris dès le départ et pendant la première semaine de convalescence pour encourager le patient à reprendre une activité professionnelle, car la reprise du travail ne se fait pas toute seule. Elle dépend d'une multitude de facteurs dont les plus importants sont souvent d'ordre psychologique. Beaucoup dépend du malade, mais aussi du médecin traitant. D'autres facteurs jouent également un rôle, comme l'âge du patient, son statut professionnel ou civil : permis de séjour, contrat de travail, type et importance de ses assurances maladie ou perte de gain, ses qualités professionnelles, les possibilités de reclassement ou recyclage, le taux de chômage et les conditions du pays, l'attitude de l'employeur, la législation cantonale, etc.

La réadaptation favorise la reprise du travail : environ 70-80 % de reprise chez les réadaptés dont 50 % avant 3 mois, contre environ 50 % chez les non-réadaptés. 10 à 20 % des patients reprennent une activité partielle à long terme, qui n'est pas toujours recommandable du fait qu'ils font ou doivent faire parfois, dans un temps réduit, ce qu'ils faisaient auparavant à temps plein. 10 à 15 % des patients ne reprennent jamais le travail à cause de leur condition physique ou pour des raisons psychologiques, et deviennent des invalides permanents.

BIBLIOGRAPHIE

BROUSTET J.P., GUERN P., CHERRIER J.F., VALLOT F. — Réadaptation du sujet
coronarien. *In : La maladie coronarienne* (J.P. Cachera et M. Bourassa éd.).
Flammarion, Paris, 1980, p. 565.
WENGER N.K. — Rehabilitation of the coronary patient : Status 1986. *Progr. Cardiovasc. Dis. 29*, 181-204, 1986.

ÉPIDÉMIOLOGIE ET PRÉVENTION DE LA MALADIE CORONARIENNE

T. Strasser et O. Jeanneret

INTRODUCTION

Si ce chapitre est placé à la fin de la partie principale de ce volume, ce n'est pas parce que le sujet traité revêt une importance moindre que les précédents, mais parce qu'il a une approche plus synthétique. Nous y décrirons la place que la maladie coronarienne occupe dans la population, et comment elle se situe par rapport à l'environnement social. Comme on le verra, plusieurs maladies cardiovasculaires, et notamment la maladie coronarienne, dépendent en grande partie du comportement des individus, comportement largement conditionné par la société dans laquelle nous vivons.

Nous arrivons donc, dans ce chapitre, au point essentiel du cours, surtout quand l'on sait qu'une proportion importante des cas de maladie coronarienne aurait pu être prévenue, à condition d'avoir réussi à modifier certaines caractéristiques comportementales de l'homme et de la femme d'aujourd'hui, dans les années, voire les décennies qui précèdent l'apparition des premières manifestations cliniques.

Une notion cardinale en épidémiologie et dans la prévention de la maladie coronarienne est en effet celle des *facteurs de risque*. On les définit habituellement comme des facteurs associés à la probabilité (ou à la menace) de développer une certaine maladie. Dans le domaine des maladies cardiovasculaires, la notion des facteurs de risque a été établie en comparant, par des études *prospectives*, les caractéristiques anamnestiques, cliniques et biologiques de personnes qui devaient ultérieurement être atteintes d'une maladie coronarienne avec celles des personnes restées indemnes. On peut ainsi *mesurer la probabilité*, pour un groupe ou un individu, de développer une maladie coronarienne. Bien entendu, cette probabilité est d'ordre statistique, exprimant le degré du danger, c'est-à-dire le *risque* de la maladie.

Ne seront donc traités ici que certains aspects de l'épidémiologie qui concernent les maladies cardiovasculaires, surtout leur forme la plus importante dans les pays industrialisés : la maladie coronarienne.

ÉPIDÉMIOLOGIE DE LA MALADIE CORONARIENNE

L'*incidence* de la maladie coronarienne (le nombre de *nouveaux cas* par an) a été particulièrement bien étudiée par une enquête collaborative de l'OMS dans 20 centres européens. Puisque beaucoup de cas échappent aux statistiques hospitalières, il fallait monter une étude épidémiologique capable de fournir des informations sur la totalité des cas survenus dans les populations concernées. Selon les données de cette étude, l'incidence de la maladie coronarienne dans quelques pays est la suivante :

Paris, France (hommes)   5,1 p. 1 000
Heidelberg, Allemagne   2,6 p. 1 000
Innsbruck, Autriche   2,8 p. 1 000

Les deux derniers chiffres représentent le *taux global* de l'incidence, donc le nombre de cas nouveaux par année par 1 000 habitants, sans qu'on tienne compte des groupes d'âge ni du sexe. On verra plus loin que les différences selon sexe et âge sont très importantes.

La *prévalence* d'une maladie est le nombre de *tous les cas* présents dans une population *à un moment donné*. Comme elle est la résultante de l'incidence antérieure et de la durée moyenne de survie des patients, la prévalence de la maladie coronarienne a des caractéristiques similaires à son incidence. Des données épidémiologiques provenant de la Suisse nous manquent, mais on peut estimer que le taux de prévalence de la maladie coronarienne, chez les hommes âgés de 45-54 ans par exemple, est d'environ 5 à 6 %. Encore doit-on préciser que ce chiffre dépend des critères diagnostiques et varie considérablement selon l'inclusion ou l'exclusion des cas dits latents, découverts par examen électrocardiographique systématique de la population lors d'une enquête épidémiologique.

Mortalité

Le taux de la mortalité cardiovasculaire et coronarienne en Suisse pour l'année 1986 figure au tableau X. Ces données sont dérivées d'une étude épidémiologique en cours dans trois cantons. Une prédominance masculine apparaît partout.

Il est à noter que les maladies cardiovasculaires (ou celles du système circulatoire) sont la cause la plus importante des décès (tableau XI).

TABLEAU X. — *Taux de mortalité (pour 100.000 habitants, âgés de 35-64 ans) par maladies cardiovasculaires dans 3 cantons suisses, en fonction du sexe.*

	Toutes causes		cardiovasc.		Maladies coronarienne		cérébrovasc.	
Sexe :	H	F	H	F	H	F	H	F
Cantons :								
Vaud + Fribourg	640	277	187	60	100	18	20	13
Tessin	631	246	218	49	129	21	23	15
Moyenne	637	268	195	57	108	19	21	13

Source : Enquête Monica, Rapp. OMS (CVD/MNC/87.2)

Létalité

Le taux de létalité est le rapport entre le nombre des décès et tous les cas d'une maladie. La maladie coronarienne est caractérisée par une létalité très élevée. La létalité immédiate est de 30 % environ. Après 4 semaines, la proportion des survivants est de 66 %. Il s'agit donc d'une maladie extrêmement grave, dont la létalité est comparable à celle du SIDA.

Répartition selon l'âge et le sexe

L'incidence de la maladie augmente avec l'âge, et elle est beaucoup plus fréquente chez l'homme que chez la femme, surtout avant l'âge de 50 ans. Après la ménopause, la différence entre l'incidence constatée chez la femme et chez l'homme diminue. Les mêmes observations s'appliquent aussi à la *mortalité* coronarienne (voir tableau X).

TABLEAU XI. — *Nombre annuel de personnes décédées en Suisse depuis 1960 : les trois principales causes.*

	Toutes causes	Organes circulatoires	Néoplasmes	Accidents
1960	52.094	22.671	9.670	4.210
1965	55.547	24.311	10.600	4.520
1970	57.091	23.320	11.560	5.089
1975	55.924	23.827	12.600	4.648
1980	59.097	25.044	13.300	4.877
1985	59.883	23.796	15.200	4.947

Source : Annuaire Statistique de la Suisse, 1986.

Épidémiologie de l'athéromatose coronarienne

L'athéromatose coronarienne est la lésion morphologique responsable de la maladie coronarienne. Il faut donc bien distinguer entre :
— la maladie coronarienne proprement dite, donnant lieu à des symptômes (angor, syndrome accompagnant l'infarctus) ;
— la maladie latente, diagnostiquée lors d'un examen électrocardiographique ou d'une épreuve d'effort, et ;
— les altérations morphologiques des artères coronaires ne produisant aucun symptôme, ni clinique, ni fonctionnel.

Ces altérations (athéromatose coronarienne) sont extrêmement fréquentes dans les populations des pays industrialisés. Une étude anatomopathologique effectuée dans 5 villes européennes sur près de 18 000 autopsies a démontré que l'athéromatose des artères coronaires débute au cours de l'adolescence et que, à l'âge de 40 ans, 90 % des hommes et 70 % des femmes sont porteurs de lésions athéromateuses coronariennes (figure 29). Toutes ces personnes sont des malades potentiels.

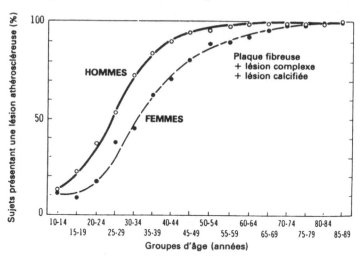

Fig. 29. — *Distribution par âge des lésions athérosclérotiques de l'artère coronaire descendante antérieure gauche dans 17 455 pièces d'autopsie examinées lors d'une étude OMS concertée en Suède, Tchécoslovaquie et URSS.*

Différences géographiques

L'incidence et la prévalence de la maladie coronarienne varient fortement selon les régions géographiques. La maladie coronarienne est par exemple très rare en Afrique noire — bien qu'on puisse percevoir une tendance croissante de sa fréquence, surtout dans les grandes villes africaines. En contraste avec la maladie cérébro-vasculaire aboutissant à l'apoplexie et très fréquente au Japon, la maladie coronarienne est rare dans ce pays. En Europe, de grandes différences existent entre le nord et le nord-ouest d'une part, et le sud-est du continent d'autre part. Ainsi, l'incidence de la maladie est très haute en Finlande et en Écosse, et beaucoup plus basse dans les pays des Balkans. En Finlande, notamment dans la province de la Karélie du nord, l'incidence de la maladie coronarienne est la plus élevée au monde. En Suisse, des différences (statistiquement significatives) dans les taux de mortalité ont été observées dans le sexe masculin entre les régions romandes et alémaniques.

Bien entendu, ce n'est pas la géographie en soi qui cause ces différences — même si des facteurs climatiques, tels que froid et chaleur excessifs, puissent jouer un certain rôle dans le déclenchement d'une crise coronarienne. En fait, c'est surtout à la répartition des facteurs de risque dans les différentes populations qu'on doit attribuer ces différences de fréquence dans la survenue de la maladie clinique.

FACTEURS DE RISQUE

Rappel biologique

Un grand nombre de facteurs interviennent dans le processus complexe de la pathogénèse de l'infarctus du myocarde. Ces facteurs sont les uns d'ordre héréditaire et biologique, les autres d'ordre social. On sait bien que l'environnement social influence la formation des comportements individuels, comme dans le cas du tabagisme et des surconsommations alimentaires (pour ne citer que ces deux exemples). Les effets de ces facteurs d'ordre comportemental, qui comportent un risque mesurable pour l'individu (et pour la société), sont imbriqués à divers processus physiologiques ; d'où la survenue, en dernier lieu, d'un infarctus du myocarde.

La figure 30, empruntée à Friedmann, sert à illustrer la complexité de ces processus, ainsi qu'à mieux situer les facteurs étudiés par l'épidémiologie, dits « facteurs de risque », et leur enchaînement avec l'ensemble des processus et événements qui sont de nature à aboutir à un infarctus du myocarde.

Sources de l'information épidémiologique

De nombreuses études épidémiologiques ont porté sur la liaison entre la maladie coronarienne et ses facteurs de risque. Une étude coopérative internationale dirigée par Keys s'est déroulée dans 7 pays : les USA, la Finlande, la Hollande, l'Italie, la Grèce, la Yougoslavie et le Japon ; le niveau des facteurs de risque dans les populations s'est avéré en corrélation étroite avec la prévalence et l'incidence de la maladie. Dans la célèbre étude de Framingham (petite ville du Massachusetts, USA), Dowber et Kannell ont suivi pendant 30 ans la population (environ 7 000 hommes) et ont constaté les mêmes corrélations. Une étude menée par Epstein à la ville de Tecumseh au Michigan (la population toute entière y était comprise) a donné des résultats semblables.

D'autres études longitudinales également « *prospectives* » (qui consistent à déterminer les caractéristiques initiales d'individus sains, à les suivre pendant de nombreuses années, et à établir des corrélations mathématiques entre l'apparition ultérieure de la maladie coronarienne et les facteurs mesurés au début de la période d'observation) ont montré l'existence de nombreux *facteurs de risque* et de quelques facteurs protecteurs.

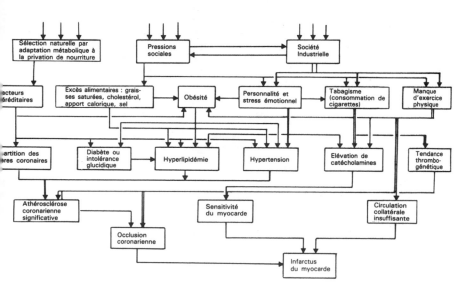

Fig. 30. — *Réseau de pathogénèse de l'infarctus du myocarde.*

(Source : Friedman G.D. — Primer of epidemiology. Chap. I : Introduction to epidemiology. New-York, McGraw-Hill, 1987

Classification des facteurs de risque

Il existe des dizaines de facteurs de risque mentionnés dans la littérature épidémiologique. Ils sont énumérés dans le tableau XII. Le tableau XIII donne la liste, numériquement plus modeste, des facteurs protecteurs.

TABLEAU XII. — Liste non sélective de certains facteurs associés à l'apparition de l'athérosclérose et de la maladie coronarienne.

Acide gras saturés	Consommation totale de	Personnalité, type
Acide urique sérique,	graisses	Phénomènes (fronts)
augmentation	Contraceptifs oraux	atmosphériques
Age	Disulfure de carbone	Radioactivité de l'eau
Anomalies de l'ECG	Facteurs génétiques,	Rapport tronc/taille
Apolipoprotéines	antécédents familiaux	Repas lourds
Apport en fibres cellu-	Fractions lipidiques,	Résidence urbaine
losiques, polysac-	lipoprotéines sériques	Revenu, niveau de vie
charides non féculents	Fréquence cardiaque au	Sexe masculin
Apport en lactose	repos	Stress
Carboxyhémoglobine	Groupe sanguin autre que O	Taux de cholestérol, élevé
Carence en chrome	Hostilité réfrénée	Taux d'hémoglobine
Carence en magnésium	Hypertension	Taux élevé des triglycé-
Carence en manganèse	Hypothyroïdisme latent	rides sanguins
Carence en vanadium	Inactivité physique	Troubles de la coagulation
Climat	Intolérance au glucose	Troubles respiratoires
Consommation d'alcool	Manque de dureté de l'eau	Usage du café
Consommation nationale	Ménopause	Usage du tabac
d'énergie	Milieu social	Valeurs de l'hématocrite
Consommation de sucre	Obésité, poids excessif	Vitamine D

TABLEAU XIII. — Liste des facteurs protecteurs.

Acides gras polyinsaturés
Activité physique
Lipoprotéines de haute densité (LHD)
Pectrine
Son de céréales, fibres végétales
Sexe féminin

A cause du grand nombre et de l'hétérogénéité des facteurs de risque, il est indispensable, du point de vue pragmatique, de les classer en tenant compte aussi bien de leur accessibilité à une intervention, de leur rôle, de leur poids, que de leur fréquence (fig. 31). Des facteurs, comme l'âge et le sexe, dont le rôle et le poids sont bien établis, ne se prêtent évidemment à aucune intervention. Toutefois, en raison des effets qu'ils exercent en combinaison avec certains facteurs modifiables, ils confèrent à ceux-ci une importance accrue.

Parmi les facteurs se prêtant à une intervention, beaucoup sont sujets à controverse, par exemple : le rôle des oligo-éléments, de la dureté de l'eau ou de la consommation de sucre. Parmi les facteurs établis avec moins d'incertitude, certains sont d'importance mineure, comme les troubles de la glycorégulation ou l'hypothyroïdie latente.

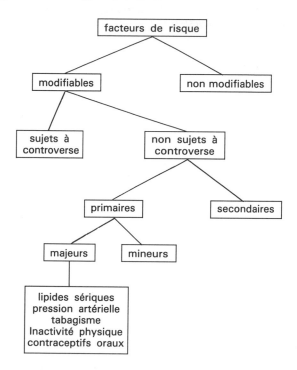

FIG. 31. — *Classification pragmatique des facteurs de risque des maladies coronariennes.*

En fin de compte, les *facteurs majeurs non controversés et modifiables* sont l'alimentation entraînant une *hyperlipidémie*, l'*hypertension*, l'usage du *tabac*, et ce sont eux que visent la plupart des interventions prophylactiques. On peut y ajouter l'inactivité physique, facteur également modifiable, ainsi que, chez les femmes (surtout celles qui fument), l'usage des contraceptifs oraux.

Caractéristiques de la fonction du risque

Le risque de développer une maladie coronarienne manifeste peut s'exprimer soit en valeur absolue, soit en valeur relative. Le *risque absolu* est le risque exprimé comme la probabilité, pour 100, de la survenue de la maladie. Le *risque relatif* exprime le risque encouru par un individu, comparé à celui d'une personne « normale ». Ainsi, selon les données du GREA*, la probabilité qu'un non-fumeur, dont la tension artérielle systo-

lique est à 120 mmHg et la cholestérolémie à 180 mg %, développe une maladie coronarienne en 4 ans est de 0,5 %. Ce risque est :
— 9,5 fois plus élevé pour une personne ayant une tension systolique de 200 mmHg et une cholestérolémie de 300 mg % ;
— 15 fois plus élevé si, en plus, une telle personne fume 20 cigarettes par jour ;
— 30 fois plus élevé si la même personne est de plus diabétique.
Le tableau XIV présente un résumé des calculs de Richard et coll., basés sur une étude de 8 000 Parisiens**.

TABLEAU XIV. — *Risque relatif de survenue d'une cardiopathie ischémique en 4 ans dans la population de l'étude prospective parisienne (hommes de 43 à 54 ans).*

		Cholestérol (mg %)				
		180	210	240	270	300
Pression	120	1	1,4	1,9	2,6	3,5
artérielle	140	1,3	1,8	2,4	3,3	4,5
systolique	160	1,6	2,2	3,1	4,2	5,8
(mmHg)	180	2,1	2,9	3,9	5,4	7,4
	200	2,7	3,7	5,0	6,9	9,5

Les *risques relatifs* indiqués, pour différentes combinaisons du cholestérol et de la pression systolique, sont ceux de sujets non fumeurs, non diabétiques et dont l'électrocardiogramme est normal.
Ce *risque relatif est multiplié par* :
— 1,7 pour une consommation quotidienne de 20 cigarettes ;
— 2,0 en présence d'un diabète ;
— 2,1 en présence d'un électrocardiogramme anormal.
Le *risque absolu ou la probabilité de survenue en 4 ans* d'une cardiopathie ischémique est de 0,5 % pour un risque relatif égal à 1. Il peut être calculé — pour toute autre valeur du risque relatif — en multipliant cette valeur par 0,5.
La nocivité du tabagisme est en général sous-estimée. L'espérance de vie d'un gros fumeur est (statistiquement) diminuée de 7 ans ; c'est approximativement le temps qu'un fumeur de 40 cigarettes par jour aura passé à fumer (durée d'une cigarette : 5 minutes) au cours de sa vie. Autrement dit, dans ce cas, chaque minute de fumée égale une minute de vie en moins.
Trois caractéristiques importantes de la fonction du risque coronarien sont à souligner :
— Théoriquement, la « fonction du risque » n'est pas une progression arithmétique (ou mathématique), mais une progression géométrique (curviligne).

---

* Groupe d'Études sur l'Épidémiologie de l'Athérosclérose (Paris).
** J.L. Richard et coll. Arch. Mal. Cœur 70 : 531-540, 1977.

— Pratiquement, une combinaison de plusieurs facteurs de risque modérément élevés implique un risque nettement plus élevé qu'on ne l'admet généralement. Ainsi, un fumeur avec une tension de 160 mmHg et une cholestérolémie de 240 mg % aurait un risque relatif de 5,3 : un tel individu serait considéré, en médecine clinique, comme étant à la limite du « normal ».

— Du point de vue de la santé publique, comme il y a dans une population générale de très nombreuses personnes chez lesquelles le risque n'est que discrètement élevé, la somme des risques cliniquement quasi inapparents est d'une très grande portée pour la collectivité tout entière. En termes d'hypertension modérée, par exemple, le « risque communautaire » ainsi défini est 5-6 fois plus élevé que celui de l'hypertension sévère ; donc une correction même des « petits » risques au niveau de la population pourrait être hautement bénéfique du point de vue préventif, mais envisagée dans une perspective épidémiologique.

Les facteurs de risque majeurs et leur correction

☐ Les hyperlipidémies

A l'exception de quelques états pathologiques héréditaires ou acquis (par ex. hyperlipoprotéinémie familiale, hypothyréose, etc.), une hyperlipidémie est le plus souvent la conséquence d'une suralimentation, surtout en graisses, mais aussi en hydrates de carbone. Un réglage du régime alimentaire est encore actuellement la méthode de choix dans toute hyperlipidémie. Bien qu'un certain nombre de médicaments hypolipémiants aient été mis au point au cours des dernières décennies, une telle chimiothérapie ne devrait être appliquée qu'à titre exceptionnel, en tant que thérapie adjuvante, à condition que toutes les possibilités d'une diététothérapie aient été épuisées.

Les recommandations à faire à une personne hypercholestérolémique sont les suivantes :

— réduire le poids corporel si elle est obèse ;

— réduire la proportion de graisses alimentaires à 30 % du total calorique ;

— réduire la proportion des graisses alimentaires saturées à 1/3 des graisses totales ;

— réduire le cholestérol alimentaire à 300 mg par jour ;

— réduire la consommation de sucres et des aliments sucrés, y inclus les jus de fruits et autres boissons sucrées.

☐ L'hypertension artérielle

Plusieurs enquêtes épidémiologiques ont démontré que trois hyperten-

dus sur dix ne se rendent pas compte de l'élévation de leur pression artérielle ; de plus, parmi ceux qui ont été diagnostiqués, une minorité seulement suit un traitement adéquat, tandis que beaucoup d'hypertendus, même
diagnostiqués, ne sont pas traités du tout. Cela n'a rien de surprenant
quand l'on sait combien l'hypertension artérielle reste souvent asymptomatique, et que le risque coronarien qui en résulte n'est détecté qu'à l'aide
d'études épidémiologiques prolongées.

En présence d'une hypertension modérée, on recourt à un traitement
hygiéno-diététique approprié. Ce n'est que dans un second temps qu'on
utilise des hypotenseurs, en vue de normaliser la tension à l'aide de doses
minimales des médicaments causant le moins d'effets secondaires. Il est
indispensable d'installer un traitement à long terme, et d'encourager le
patient de ne pas interrompre le traitement même en l'absence de symptômes causés par l'hypertension — voire en dépit de symptômes indésirables causés par le médicament.

☐ Le tabagisme

La consommation de cigarettes est certainement un des facteurs majeurs
de risque coronarien. Historiquement, l'épidémie du tabagisme est relativement récente. Chez l'homme, la consommation massive de cigarettes a
pris un grand essor dans les années qui suivirent la première guerre mondiale, tandis que chez la femme, elle a débuté après la deuxième guerre
mondiale et s'accroît encore. Dans les pays en voie de développement, on
observe actuellement une augmentation accélérée du tabagisme.

En présence d'un fumeur hypertendu, il est presque aussi crucial de l'inci-
ter à cesser de fumer que de traiter son hypertension. Le risque du tabagisme est réversible, c'est-à-dire qu'en quelques années le risque coronarien pour un ancien fumeur diminuera jusqu'au niveau de risque d'une
personne qui n'a jamais fumé. Cette précision s'impose ici, car le médecin praticien est tout naturellement tenté de donner plus de poids au traitement de l'hypertension.

Comment parvenir à ce qu'un fumeur cesse de fumer ? Il faut évidemment l'informer sur les effets néfastes de la consommation du tabac. Le
conseil du médecin est la meilleure arme thérapeutique. Toutefois, l'attitude du médecin doit être adéquate : le conseil doit être sérieux — mais
point menaçant. Il est illusoire de s'attendre à ce que le conseil d'un médecin qui est lui-même fumeur puisse influencer son patient ! A cet égard,
d'encourageantes statistiques montrent que le nombre de médecins fumeurs
est en diminution en Suisse (ainsi qu'en Grande-Bretagne et aux USA).
Les conseils donnés aux patients fumeurs doivent souligner les bénéfices
de la cessation du tabagisme, au lieu d'accentuer les dangers de la cigarette : une telle approche positive s'est avérée plus efficace dans plusieurs
études. L'exposition aux facteurs de risque en Suisse est démontrée sur
les figures 32, 33 et 34. Les chiffres, prélevés sur un échantillon de

3 700 personnes, montrent une forte exposition de la population en Suisse romande.

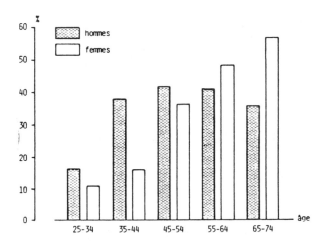

FIG. 32. — *Pourcentage de personnes ayant un taux élevé de cholestérol plasmatique total (> 6,7 mmol/l) dans les cantons de Vaud et Fribourg.*

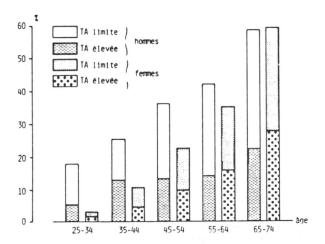

FIG. 33. — *Proportion de personnes avec une pression artérielle élevée ou limite dans les cantons de Vaud et Fribourg* (selon les normes de l'OMS).

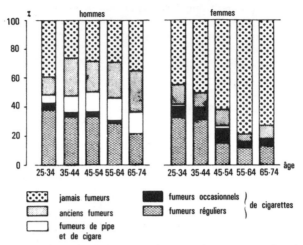

FIG. 34. — *Répartition des habitudes relatives à la consommation de produits issus du tabac dans les cantons de Vaud et Fribourg.*

LES FACTEURS PROTECTEURS

L'*activité physique* est une composante souhaitable de la vie quotidienne de toute personne même en dehors de la protection des coronaires. Bien que jusqu'à présent, lors d'études d'intervention, l'effet protecteur direct contre la maladie coronarienne n'ait pas pu être démontré pour des raisons techniques, plusieurs études épidémiologiques indiquent que les personnes menant une vie purement sédentaire ont un risque coronarien élevé. Il est donc justifié d'admettre que l'activité physique a une fonction coronaro-protectrice.

Par ailleurs, on a démontré que la fraction des *lipoprotéines* sériques à *haute densité* exerce une action protectrice contre le développement de la maladie coronarienne. Or, l'activité physique systématique semble favoriser une élévation de cette fraction des lipides, ce qui expliquerait en partie son effet protecteur.

Se basant sur la différence de la maladie entre les deux sexes, différence qui tend à disparaître après la ménopause, on a conclu que les *œstrogènes* exercent, eux aussi, un effet protecteur contre la maladie coronarienne. Toutefois, des essais thérapeutiques n'ont pas pu aboutir à des résultats, parce qu'on a dû les interrompre à cause des effets secondaires. En outre, des observations ont été publiées sur l'effet protecteur de l'*Aspirine* (agissant sur la thrombogénèse), mais il reste à les confirmer.

Dans une grande enquête sur le rôle du *clofibrate*, médicament hypolipémiant, on avait enregistré une diminution de l'incidence de l'infarctus dans le groupe qui recevait le clofibrate, cette diminution étant associée à une baisse de la cholestérolémie due au clofibrate. Toutefois, une prévention de l'infarctus par ce médicament est déconseillée (sauf dans les hyperlipidémies franchement pathologiques) à cause des risques de la médication, le groupe témoin ayant eu une mortalité générale nettement plus basse que le groupe traité.

La même conclusion devrait s'appliquer aux médicaments hypolipémiants appartenant à la même famille, par ex. le phénofibrate ou le bézafibrate ; mais ceux-ci ont été étudiés sur des effectifs moins importants. Plus récemment, une étude contrôlée d'un hypolipémiant à base de résines échangeuses a démontré un effet protecteur net (quoique marginal) contre l'infarctus du myocarde ; néanmoins, il semble plus judicieux de prévenir la maladie par des moyens naturels (diminution des facteurs de risque) que par l'ingestion de substances chimiques.

Répartition des facteurs de risque en Suisse Une enquête effectuée en 1987 dans les cantons de Vaud et Fribourg, ainsi qu'au Tessin, a démontré toute l'ampleur du problème des facteurs de risque en Suisse. Les figures 32, 33 et 34 démontrent que, selon l'âge et le sexe, 10 à 50 % de la population romande ont un taux élevé de cholestérol plasmatique, 10 à 60 % ont une hypertension artérielle établie aux limites, et 20-50 % fument.

PRÉVENTION

La prévention *secondaire* — prévention du « réinfarctus » — se heurte à des difficultés considérables. Une régularisation de l'hypercholestérolémie, une réduction de la tension artérielle — celle-ci, d'ailleurs, s'abaisse souvent spontanément après un infarctus — et la cessation du tabagisme s'obtiennent assez facilement chez ces individus à motivation forte ; mais, trop souvent, les altérations morphologiques des artères coronaires ont atteint un tel degré que ces mesures ne peuvent pas déployer leurs effets. C'est donc à la prévention *primaire*, c'est-à-dire à la correction des facteurs de risque *avant* que la maladie ne se soit manifestée, que l'on doit s'adresser. Mais là encore faut-il commencer tôt : l'athéromatose coronarienne, sournoise, débute le plus souvent plusieurs décennies avant la manifestation clinique de la maladie. Un quadragénaire hypercholestérolémique, obèse, hypertendu, gros fumeur, a probablement déjà raté ses chances de conserver des coronaires saines. Toutefois, en traitant et en corrigeant ses facteurs de risque, on tentera de freiner le développement de son athérosclérose, et de retarder ainsi l'apparition de la maladie.

On est donc de plus en plus convaincu de la nécessité de se tourner maintenant vers la *prévention des facteurs de risque* eux-mêmes (prévention dite pré-primaire), niveau d'intervention le plus prometteur de la cardiologie préventive, mais aussi le plus ardu. Il est clair que la prévention pré-primaire exige la contribution non seulement de la médecine, mais aussi de bien d'autres disciplines du savoir et, surtout, la participation des groupes ou collectivités eux-mêmes. C'est dans cette optique que s'est déroulée en Suisse (à Nyon et à Aarau), une étude d'intervention à large échelle, sous le nom de « Prévention des maladies cardiovasculaires », sous l'égide du Fonds national de la recherche scientifique. Cette étude remarquable a démontré qu'une telle intervention au niveau de la population de la Suisse était possible et efficace.

LES AVANTAGES DE LA PRÉVENTION

En attendant de pouvoir évaluer les résultats à long terme sur la mortalité de la prévention *pré-primaire* — il faudra pour cela des études d'intervention multifactorielle de plus longue durée que celles en cours actuellement —, on peut se demander quels sont les avantages de la prévention, notamment *primaire*, aussi bien pour la société que pour l'individu.

Pour la société, le fardeau économique que représente l'ensemble des affections circulatoires est énorme. Connaissant l'incidence très élevée de la maladie coronarienne dans les pays industrialisés, sa précocité croissante dans le sexe masculin, sa forte létalité et la charge que représentent le traitement intensif, puis la réadaptation des patients atteints d'infarctus, on estimera assez aisément la part importante que prend cette affection dans l'ensemble des affections cardiovasculaires, autant en termes de frais médicaux (qu'ils soient supportés par le patient, l'assurance ou l'État, peu importe) que de pertes économiques pour la collectivité.

Toujours du point de vue économique, la prévention primaire de la maladie coronarienne relève à un tel degré du mode de vie individuel (habitudes alimentaires, exercice physique, tabagisme) qu'elle s'avère moins coûteuse que sa prévention secondaire et son traitement, mais aussi que celle d'autres affections, notamment mentales, respiratoires, tumorales, etc. — fait seul exception le facteur de risque hypertension, qui nécessite une prise en charge médico-pharmaceutique prolongée, donc coûteuse.

Plus généralement, aucune société, développée ou en voie de développement, n'a intérêt à voir ses hommes dans la force de l'âge disparaître de la scène : la guerre ne doit pas être remplacée par des maladies fatales dites de la civilisation, maladie coronarienne en tête (avec les accidents).

Pour l'individu, les avantages de la prévention primaire, envisagés dans une autre optique, dépassent assurément ses inconvénients : que représentent le renoncement durable à l'abus de la cigarette, l'effort prolongé de la pratique régulière de l'exercice physique et le discernement voulu dans son alimentation, par comparaison à l'épreuve majeure de l'infarctus, avec son cortège habituel : angoisse devant la mort, douleurs, soins intensifs, préoccupations d'avenir sur les plans professionnel, social, familial, etc. Les avantages spécifiques pour cette maladie sont à mettre également dans le même plateau de la balance que les bénéfices de la prévention d'autres affections, obtenus grâce aux mêmes changements dans le mode de vie.

Enfin, on est en droit de se demander si et dans quelle mesure la lutte pour la prévention de la maladie coronarienne peut aboutir vraiment à une diminution de la mortalité par malade cardiaque. Au cours de ces vingt dernières années, on a constaté une nette diminution de la mortalité coronarienne dans certains pays, par ex. aux USA, parallèlement à une diminution de la cholestérolémie moyenne de la population et à une amélioration du traitement de l'hypertension. L'interprétation de ce phénomène n'est pas encore très certaine — mais les données sont indiscutables. On a donc toutes les raisons de se montrer optimiste à long terme (fig. 35). On observe une nette diminution aux États-Unis, une croissance en Bulgarie, peu de changement jusqu'à présent au Danemark et en Suisse. Les taux sont beaucoup plus bas et stables en Extrême-Orient (alimentation pauvre en graisses, cholestérolémies basses).

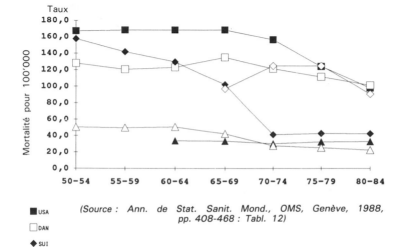

(Source : Ann. de Stat. Sanit. Mond., OMS, Genève, 1988, pp. 408-468 : Tabl. 12)

Fig. 35. — *Évolution des taux standardisés de mortalité par cardiopathies ischémiques, entre 1950-54 et 1980-84 (sexe féminin, 6 pays).*

Les données de la figure 36 permettent, à propos de la régression de la morbidité en Suisse, plusieurs constatations qui vont dans le même sens que celles faites pour la mortalité :

Dans le sexe *masculin* :

— une augmentation, croissante avec l'âge, de la fréquence des hospitalisations entre la première et la deuxième période d'observation ;

— une « cassure » au niveau de la deuxième période, due à une atténuation de cette augmentation au-dessus de 65 ans, et due à un plateau, voire une diminution, dans les classes d'âge plus jeunes.

Dans le sexe *féminin*, ce dernier phénomène ne s'observe que dans la classe d'âge de 65 à 74 ans.

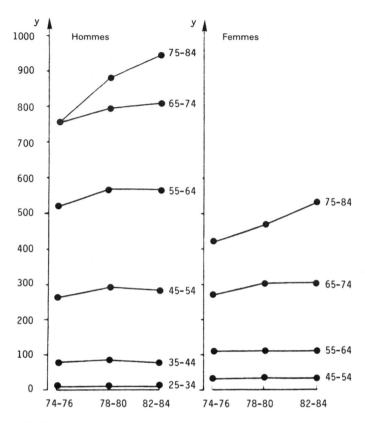

(Source : P. Berweger et al. — Spitaleintritte wegen akutem Myokard infarkt — eine Trendanalyse. Soz. Präv. Med. 32 : 217-8, 1987)

FIG. 36. — *Infarctus aigus du myocarde dans la statistique médicale de la VESKA* : tendance séculaire des données hospitalières de trois périodes d'observation consécutives (y = déclarations des diagnostics des cas hospitalisés, corrigées en fonction de l'âge).

BIBLIOGRAPHIE

Prévention des cardiopathies coronariennes. Rapport d'un Comité d'Experts de l'OMS. Série de rapports techniques, N° 678. Organisation Mondiale de la Santé, Genève, 1982.

La lutte communautaire contre les maladies cardio-vasculaires. Rapport d'un comité d'experts de l'OMS. Série de rapports techniques N° 732. Organisation Mondiale de la Santé, Genève, 1985.

8

Maladies vasculaires

HYPERTENSION ARTÉRIELLE

L. Favre et M.B. Valloton

Ce chapitre trace les lignes générales de la clinique et du traitement de l'hypertension artérielle.

L'HYPERTENSION ARTÉRIELLE, PRINCIPAL FACTEUR DE RISQUE CARDIOVASCULAIRE

Le risque d'accident cardiovasculaire lié à l'hypertension est une notion statistique, fonction du degré d'hypertension, c'est-à-dire du niveau de tension artérielle diastolique et systolique mesuré à plusieurs reprises. Pour des raisons de simplification, la tension artérielle systolique étant plus labile, on définit des stades d'hypertension sur la base des valeurs de la tension diastolique.

Classification de l'hypertension

Hypertension systolique	$\geq$ 160 mmHg
Hypertension diastolique	
• Légère	90-104 mmHg
• Modérée	105-114 mmHg
• Sévère	$\geq$ 115 mmHg

Risque de l'hypertendu par rapport au normotendu (fig. 37)

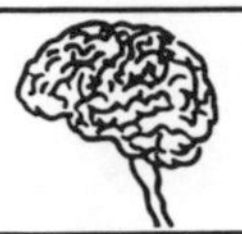	Accident vasculaire cérébral	7-8 ×
	Insuffisance cardiaque	5-6 ×
	Insuffisance coronarienne	2-3 ×
	Insuffisance rénale	2-3 ×
	Insuffisance artérielle	2-3 ×

FIG. 37. — *Risque de l'hypertendu par rapport au normotendu.*

L'hypertension augmente le risque statistique d'accident cardiovasculaire dans une proportion variable selon le territoire vasculaire concerné, ceci pour des raisons encore mal connues. Le risque majeur concernant le territoire cérébral et coronarien, les principaux accidents consistent en ictus, défaillance cardiaque et accidents coronariens. Les autres accidents, rénaux, artériels périphériques, bien que directement liés à l'hypertension, sont bien moins fréquents. Autre nuance à introduire : le risque coronarien est plus élevé que les autres risques dans la population générale normotendue, et est encore accru en cas d'hypertension. Il faut savoir également que les complications ne surviennent que tardivement après des années, voire des dizaines d'années d'hypertension.

TRAITEMENT DE L'HYPERTENSION

• Le *but du traitement* consiste à éliminer le facteur de risque constitué par l'hypertension en recourant à des médicaments antihypertenseurs ou à des méthodes non pharmacologiques. L'efficacité des moyens thérapeutiques actuels est bien démontrée, en particulier dans la prévention des accidents vasculaires cérébraux. Cependant, malgré une normalisation de

TABLEAU XV. — *Degré d'hypertension artérielle.*

	Légère	*Modérée*	*Sévère*
Critères tensionnels (mmHg)	> 160 et/ou ⩾ 95 /90*)	> 160 et/ou ⩾ 105	160 et/ou ⩾ 115
Délai de confirmation de la 1re mesure	mois	semaines	jour(s)
Début du traitement médicamenteux	différé	précoce	immédiat
Tenir compte :	• de l'hérédité cardio-vasculaire (c-v) • des complications cardio-vasculaires • des autres facteurs de risque (c-v)		
Objectif du traitement	< 140/< 90 mmHg		

* Critère de l'OMS

TABLEAU XVI. — *Quand faut-il commencer le traitement ?*

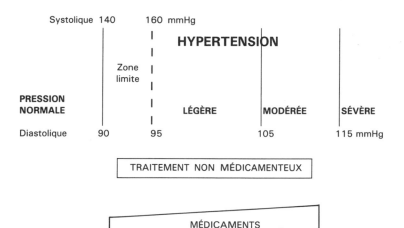

la pression artérielle, on ne parvient pas à éliminer totalement le facteur de risque, en particulier pour les accidents coronariens dus à l'hypertension qui semblent résister à l'effet du traitement. Cependant, dans l'ensemble, le rapport coût/bénéfice est largement positif.

• L'*instauration d'un traitement* est une décision délicate, puis qu'elle implique la prise quotidienne de médicaments et/ou la poursuite d'un régime diététique pour la vie entière. Cette décision doit reposer sur des bases solides, et le plus souvent elle ne présente pas un degré d'urgence. C'est le degré d'hypertension (hypertension légère, modérée ou sévère) qui détermine le délai d'observation entre le moment du diagnostic et le début du traitement. Les véritables urgences (crises hypertensives) sont rares. Il faut répéter la mesure de la tension artérielle au moins trois fois dans un délai de quelques mois (hypertension légère) à quelques jours (hypertension modérée à sévère) avant de commencer le traitement. La présence d'une hérédité cardiovasculaire, de complications (répercussion sur les organes-cibles) ou d'autres facteurs de risque associés, raccourcit ce délai.

Traitement non médicamenteux

Ce traitement demande plus d'effort et de volonté que le traitement médicamenteux, mais il ne présente pas d'effets secondaires et est économique. Ces mesures diététiques devraient accompagner toute prescription.

A noter :

— Le régime sans adjonction de sel apporte moitié moins de sel qu'une alimentation courante. Il faut cependant admettre qu'un hypertendu sur deux seulement est sensible au sel et répond favorablement à une restriction sodée.

— L'obésité favorise l'hypertension. Il est parfaitement possible de traiter une hypertension chez un obèse uniquement par un régime amaigrissant. Une perte de quelques kilos suffit.

— Il est illogique de vouloir éliminer un seul facteur de risque (hypertension) sans prendre en compte les facteurs de risque associés, qu'il est possible de neutraliser dans la plupart des cas.

Traitement médicamenteux

Le traitement médicamenteux débute par une monothérapie sur la base d'une des quatre classes pharmacologiques indiquées (bêta-bloquants, diurétiques, inhibiteurs de l'enzyme de conversion et antagonistes du calcium). L'efficacité d'une telle monothérapie est de l'ordre de 50 %, quel que soit le produit utilisé. A l'heure actuelle, aucune règle ne permet de prédire la réponse individuelle. Par conséquent, la sélection s'opère sur la base des contre-indications et des effets secondaires, c'est-à-dire sur une base empirique.

En cas d'échec au premier palier (réponse insuffisante après un mois), il faut passer au 2ᵉ palier qui comprend 6 combinaisons possibles. De même qu'au 1ᵉʳ palier, on ne dispose pas de règle de conduite précise pour déterminer le meilleur choix chez un hypertendu particulier. Le 3ᵉ palier est réservé aux échecs qui ne représentent qu'une minorité des cas : on peut soit associer trois médicaments des principaux groupes, soit ajouter un 3ᵉ agent d'un autre groupe (vasodilatateur, sympatholytique ou alpha-bloquant).

PLAN DE TRAITEMENT DE L'HYPERTENSION ARTÉRIELLE

1. Sans médicaments
- Régime sans adjonction de sel ($\sim$ 5g NaCl/jour)
- Régime hypocalorique (en cas d'obésité)
- Elimination des autres facteurs de risque cardio-vasculaire
- (tabac - lipides - diabète) et des facteurs hypertenseurs (excès d'alcool, traitement œstrogénique)

2. Médicaments

cémie ↑
idique ↑

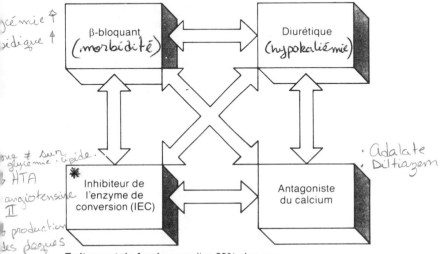

β-bloquant *(morbidité)*

Diurétique *(hypokaliémie)*

Inhibiteur de l'enzyme de conversion (IEC)

Antagoniste du calcium

· Adalate
· Diltiazem

ua ≠ sur glycémie . lipide .
↘ HTA
angiotensine II
↘ production des plaques

Traitement de fond: normalise 80% des cas
le ↓ ≠ le   1er palier = choisir la monothérapie la plus efficace
ce ♡   2e palier = bithérapie (6 possibilités d'associations)
Traitement complémentaire
hydralazine 3e palier = trithérapie comprenant éventuellement un vasodilatateur direct, un sympatholytique central ou un α-bloquant *(prazosine)*   *(clonidine)*
Précautions thérapeutiques
- connaître les contre-indications respectives
- Diurétique: faible dose (éviter une hypokaliémie!)
- IEC: stop diurétique provisoirement avant l'introduction *ou ↓ de ½ les diurétiques*
- Vasodilatateur direct: associer à un diurétique et un β-bloquant *faire très attention de la ↓ rapide HTA -*

Hypertension juvénile (fig. 38)

L'hypertension se déclenche parfois déjà pendant l'enfance ou l'adolescence. Chez l'enfant jeune, il s'agit habituellement de formes secondaires d'hypertension (coarctation, phéochromocytome, malformation) qui doivent être dépistées précocément pour intervenir à temps. Chez l'adolescent, il s'agit au contraire d'hypertension essentielle. L'enjeu thérapeutique est de taille : faut-il traiter préventivement un adolescent dès la découverte d'une hypertension même légère, au risque de lui créer des effets secon-

phéochromocytome : tumeur de la médullo-surré-
nale sécrétant des substances hypertensives

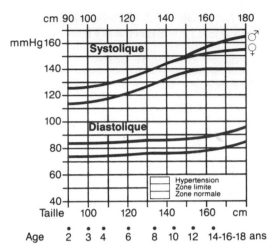

Fɪɢ. 38. — Définition de l'hypertension chez l'enfant et l'adolescent. (Société Suisse de Pédiatrie)

TABLEAU XVII. — *Hypertension de la femme enceinte et de la personne âgée*

* Tenir compte du contexte médical et des effets secondaires.	Chez la personne âgée	Chez la femme enceinte
Définition:	∿ >170 / >100 mmHg	∿ >140 / >90 mmHg
Objectif du traitement:	< 160 / < 95 mmHg*	≪ 140 / ≪ 90 mmHg

daires désagréables, ou peut-on se permettre de temporiser quelques années pour suivre l'évolution spontanée de la pression artérielle, sachant que les complications sont généralement très tardives ?

Hypertension de la grossesse (tableau XVII)

Normalement, la pression artérielle s'abaisse au cours des deux premiers trimestres de la grossesse. Les valeurs de référence sont donc différentes. On distingue deux types d'hypertension gravidique :

a) Hypertension préexistante, en général essentielle, souvent méconnue et non traitée (rechercher la pyélonéphrite chronique). Dans ce cas, il faut entreprendre ou reprendre un traitement précoce pour éviter la survenue d'une toxicose secondaire favorisée par l'hypertension.

b) Toxicose pure : cette forme paroxystique d'hypertension se déclarant au 2ᵉ ou 3ᵉ trimestre est imprévisible, et nécessite souvent une provocation de l'accouchement (ou césarienne) pour sauver la mère et l'enfant, l'hypertension se résolvant spontanément dans un délai très bref, de quelques jours à quelques semaines.

Le traitement anti-hypertenseur pendant la grossesse comprend deux volets :
1) non pharmacologique = repos, décubitus latéral gauche ;
2) pharmacologique = alpha-méthyldopa et hydralazine (traitement classique), bêta-bloquant ou antagoniste du calcium (traitement moderne).
A proscrire : diurétiques et inhibiteurs de l'enzyme de conversion.

Hypertension de la personne âgée (tableau XVII)

Le traitement anti-hypertenseur s'avère particulièrement délicat en gériatrie, en raison de la fréquence des effets indésirables et des interactions médicamenteuses. L'objectif du traitement doit être adapté en fonction de l'âge et du contexte médical de chaque patient.

Le manque de « compliance » ou observance constitue le principal obstacle au traitement à long terme de l'hypertension. Il est donc utile de connaître les facteurs permettant de motiver le patient hypertendu à suivre régulièrement le traitement prescrit.   *compliance : respecter sa médication.*

FACTEURS FAVORISANT
L'OBSERVANCE DU TRAITEMENT

1. Qualité de la relation médecin-malade et malade-entourage (famille, travail).
2. Information rassurante et encourageante.
3. Acceptation de la maladie et du principe du traitement.
4. Simplification du traitement (prise quotidienne unique).
5. Limitation des effets indésirables.
6. Prescription suffisante, à renouveler avant l'échéance de la feuille-maladie.
7. Plan de traitement clairement expliqué au patient.
8. Auto-mesure de la tension, ou mesures complémentaires par une infirmière (cabinet, travail, centre de soins).

CLINIQUE DE L'HYPERTENSION

Le but de l'anamnèse, de l'examen clinique et des examens complémentaires consiste à établir un double bilan d'une hypertension :
— Bilan *étiologique*, visant à rechercher l'origine de l'hypertension.
— Bilan des *répercussions cardiovasculaires* de l'hypertension sur les organes-cibles.
En pratique, la réalisation de ces deux bilans est confondue, même si leurs objectifs sont bien distincts.

Position assise
3 minutes
Mesure clino/ortho-
statique avant/pendant
le traitement
Mesure aux 2 bras
Bras soutenu,
muscles relâchés

Appareil contrôlé
Manchette adaptée (taille du bras)
Dégonflage 2 mm/sec
Diastolique = disparition des bruits
(phase V), sinon : atténuation des bruits
(phase IV)

Fig. 39. — *Mesure de la tension.*

Anamnèse

— Hypertension artérielle antérieure (réponse au traitement).
— Hypertension artérielle familiale.
— Hérédité cardiovasculaire.
— Affection cardiaque.
— Affection rénale.
— Autres facteurs de risque : tabac, lipides, diabète, inactivité physique.
— Médicaments pouvant interférer : AINS
— « Pilule » : oestro-progestatifs
— Grossesses
— Habitudes alimentaires : sel, alcool, calories.
— Contre-indications aux médicaments anti-hypertenseurs.

Il est rarement possible de connaître la date du début de l'hypertension, puisque l'élévation de la pression, généralement asymptomatique, reste souvent méconnue pendant des années. Par contre, en cas de dépistage antérieur, on peut connaître la date de la dernière mesure normale de pression. L'hypertension essentielle relevant souvent d'une prédisposition familiale, l'anamnèse ajoute cet élément au diagnostic étiologique. L'hérédité cardiovasculaire personnelle et familiale permet d'estimer globalement le risque. Une évaluation plus précise se calcule selon des tables actuarielles, sur la base des autres facteurs de risque cardiovasculaire (tabagisme, hyperlipémie,diabète sucré, inactivité physique).

En présence d'une cardiopathie, d'une coronaropathie ou d'une néphropathie, y a-t-il association à l'hypertension, causale ou non ? Tout traitement médicamenteux antérieur doit être clairement relevé : médicaments anti-hypertenseurs, médicaments déclenchant ou aggravant une hypertension (pilule contraceptive), interaction médicamenteuse ?

Les grossesses antérieures ont une signification importante : elles peuvent révéler une hypertension préexistante et conduire à une redoutable complication, la toxicose gravidique et l'éclampsie. Les habitudes alimentaires ne doivent pas être négligées dans la prescription du traitement, en particulier l'apport en sel, calories et alcool. Enfin, l'anamnèse permet d'établir les contre-indications à certains anti-hypertenseurs : allergie médicamenteuse, asthme ou bronchopathie obstructive, diabète sucré, insuffisance cardiaque.   *essentiel à connaître avant de prescrire*

Lors d'un contrôle de routine, la tension artérielle se mesure en position assise. Mais en cas d'hypotension orthostatique, et chez les personnes âgées, il est préférable de la mesurer également en position debout aprés 1, 3 et 5 minutes et couchée.

Examen clinique

— Poids.
— Examen cardio-pulmonaire.
— Artères périphériques.
— Abdomen : souffle vasculaire, palpation des reins.
— Fond d'œil. *et œdème*

Les points les plus importants à observer sont les suivants :
— Rapport staturo-pondéral : l'obésité favorise l'hypertension et représente en soi un facteur de risque cardiovasculaire.
— L'examen cardiovasculaire vise à établir d'une part un bilan des répercussions de l'hypertension : signes d'insuffisance cardiaque ou d'artériopathie périphérique (souffles, pulsations). L'examen du fond d'œil donne une vision directe de l'état des artérioles (4 stades de rétinopathie hypertensive).

Y a-t-il séquelle d'un accident cérébro-vasculaire antérieur ?

L'examen cardiovasculaire complète d'autre part le bilan étiologique : recherche d'une coarctation de l'aorte (souffle thoracique systolo-diastolique à irradiation postérieure, pulsations fémorales diminuées) ou d'une hypertension rénovasculaire (souffle abdominal para-ombilical). La palpation abdomino-lombaire permet de déceler des reins polykystiques.

Examens complémentaires

On distingue deux bilans selon la gravité de l'hypertension :
— Un bilan minimum de routine pour les hypertensions courantes (étiologie et complications).
— Un bilan plus complet (examens spéciaux) pour les cas suspects d'hypertension secondaire.

☐ Examens de routine

Sang : potassium, créatinine, glycémie, cholestérol.
Urine : sédiment, protéinurie ? glycosurie ?
ECG.
Radiographie du thorax.
Ce bilan minimum est simple à pratiquer et peu onéreux. Il comprend les quelques examens indispensables pour tout nouveau cas d'hypertension et pour chaque contrôle ultérieur (chaque année ou tous les deux à cinq ans selon la gravité de l'hypertension).

Kaliémie

Hypokaliémie en cas d'hyperaldostéronisme primaire ou secondaire (traitement diurétique, hypertension rénovasculaire) ; hyperkaliémie en cas d'insuffisance rénale, de surdosage d'inhibiteur de l'enzyme de conversion, de traitement antikaliurétique (diurétique épargnant le potassium) ou d'association avec des anti-inflammatoires non stéroïdiens.

Créatininémie

Élevée en cas d'insuffisance rénale, elle-même cause (glomérulonéphrite, pyélonéphrite, reins polykystiques), ou conséquence (néphro-angiosclérose hypertensive, insuffisance rénale fonctionnelle par réduction tensionnelle brutale) de l'hypertension.

Glycémie, glycosurie

Diabète sucré préexistant (facteur de risque) ou révélé par un traitement diurétique.

Cholestérol

Facteur de risque associé. En cas d'élévation, dosage du HDL-cholestérol et des triglycérides.

Urine (sédiment et protéinurie)

Pathologique en cas de néphropathie causale (glomérulonéphrite) ou hypertensive (néphroangiosclérose). Dans ce cas, la protéinurie est un bon reflet de la gravité de l'hypertension, réversible après traitement antihypertenseur.

ECG

Recherche d'une hypertrophie ventriculaire gauche (indices d'HVG) qui signe une cardiopathie hypertensive aggravant le pronostic. Cette hypertrophie est détectée plus précocément par l'échographie, alors que la radiographie thoracique ne montre que des signes avancés de cardiomégalie.

Ces critères servent également à l'évaluation de l'efficacité thérapeutique, puisqu'ils sont réversibles après normalisation de la pression artérielle. L'ECG met aussi en évidence des signes d'insuffisance coronarienne (ischémie, ancien infarctus). D'autre part, la présence de bradycardie ou de troubles de conduction contre-indique la prescription de bêta-bloquants et de certains antagonistes du calcium.

☐ **Examens spéciaux**

Pour des raisons de coût, ce *bilan plus complet* ne devrait s'appliquer qu'aux *cas suspects d'hypertension secondaire*, susceptibles d'une guérison définitive de leur hypertension par intervention chirurgicale (tumeur surrénalienne) ou angiologique (angioplastie pour dilater une sténose d'une artère rénale). Ces causes curables d'hypertension ne concernent qu'une minorité de l'immense population des patients hypertendus.

Suspicion d'hypertension secondaire : 5 % des cas !

Hypertension rénovasculaire ?

Une hypertension rénovasculaire se manifeste en règle générale par un début brusque ou l'aggravation brutale d'une hypertension préexistante. La confirmation diagnostique est apportée par la visualisation radiologique d'une sténose d'une artère rénale (artériographie par voie intra-artérielle ou intra-veineuse (angiographie i.v. digitalisée), ou encore par un examen scintigraphique avant et après administration de captopril.

Le rôle fonctionnel de cette sténose peut être étayé par la mise en évidence d'une latéralisation de la secrétion de rénine déterminée par la mesure de l'activité plasmatique de la rénine ou de la rénine active dans les échantillons prélevés lors de cathétérisme des veines rénales.

Néphropathie avec hypertension ?

Échographie pour mettre en évidence de gros reins (reins polykystiques) ou une atrophie bi- ou uni-latérale. Anomalie du sédiment urinaire (hématurie, leucocyturie, protéinurie).

Hyperaldostéronisme primaire ?

Un hyperaldostéronisme primaire (rare, < 1 % des cas) doit être suspecté en cas d'hypokaliémie symptomatique ou non, spontanée ou ne se corrigeant pas après arrêt des diurétiques. Elle peut être aussi suspectée en cas de découverte d'une rénine basse en l'absence de prise de médicaments béta-bloquants. Les dosages de la rénine et de l'aldostérone au cours de tests dynamiques spéciaux de stimulation (rénine) et d'inhibition (aldostérone) confirment le diagnostic.

Pléochromocytome ?

Un phéochromocytome (rare, < 1 % des cas) se présente par la triade clinique caractéristique (céphalées, palpitations, sudations), ou par des crises hypertensives. Le diagnostic est confirmé par le dosage des catécholamines plasmatiques ou urinaires (adrénaline, noradrénaline, métanéphrine et normétanéphrine) et la mise en évidence d'une tumeur surrénale.

BIBLIOGRAPHIE

KAPLAN N.M. — *Clinical hypertension*, 5ᵉ éd. Williams & Wilkins, 1990.
Les tableaux et figures sont tirés des brochures éditées par l'Association suisse contre l'hypertension artérielle.
hypoplasie).

INSUFFISANCE ARTÉRIELLE DES MEMBRES INFÉRIEURS

H. Bounameaux

ÉTIOLOGIE ET PRONOSTIC

Après 50 ans, l'étiologie la plus fréquente est l'artériosclérose (90 % des cas), dont les principaux facteurs de risque sont le tabagisme, l'hyperlipidémie, l'hypertension et le diabète. L'insuffisance artérielle des membres inférieurs (IAMI) n'est qu'une manifestation de cette maladie systémique. Le pronostic d'un malade souffrant d'IAMI au stade de la claudication intermittente est dicté davantage par l'atteinte coronarienne et cérébrovasculaire (25 % de complications non fatales + 30 % de décès à 5 ans par infarctus, accident vasculaire cérébral ou néoplasie) que par le devenir du membre (3 % seulement d'amputations majeures à 4 ans (fig. 40).

Avant 40 ans, l'artériosclérose n'est plus responsable que de 50 % environ des affections artérielles oblitérantes des membres inférieurs. Les autres causes incluent la maladie de Buerger et les autres artérites (maladie de Takayashu, maladie de Horton), les pièges poplités, la dégénérescence kystique adventitielle de l'artère poplitée, l'angiodysplasie fibro-musculaire,

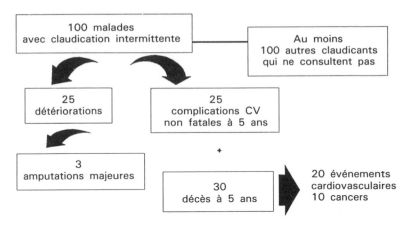

Fig. 40. — *Histoire naturelle de la claudication intermittente* (d'après Dormandy, 1989).

l'endofibrose artérielle (au niveau iliaque) et les intoxications chroniques ou aiguës aux dérivés de l'ergot de seigle (ergotisme). La *maladie de Buerger* est une entité clinique associant un tabagisme, un âge inférieur à 40 ans au moment du début de l'affection, une atteinte artérielle occlusive aux membres inférieurs et aux membres supérieurs (test d'Allen) et des phlébites superficielles (critères de McPherson). Il s'agit d'une artérite des vaisseaux de moyen calibre qui épargne l'aorte et les vaisseaux iliaques, et qui prédomine au niveau jambier. Souvent, elle se manifeste d'emblée par des lésions aux orteils.

Chez la femme jeune, l'*artérite de Takayashu* (« pulseless disease ») doit être évoquée en présence de lésions occlusives ou sténosantes de l'aorte et des gros troncs et d'un syndrome inflammatoire.

Sur le plan physiopathologique, l'oblitération progressive de la lumière artérielle par l'artériosclérose en général se complète par un phénomène thrombotique terminal. Parallèlement va se développer un réseau collatéral. Plus rarement, l'oblitération sera brutale (thrombose ou embolie) et donnera un tableau d'insuffisance artérielle aiguë.

INSUFFISANCE ARTÉRIELLE AIGUE

Thrombose ou embolie (d'origine cardiaque ou artério-artérielle), l'insuffisance artérielle se caractérise par les 5 P (pain, pallor, paresia, paresthesia, pulselessness). Elle sera d'autant plus grave qu'elle surviendra sur des artères en bon état (absence de collatérales). Il s'agit d'une urgence en principe chirurgicale. La thrombo-embolectomie donnera des résultats d'autant meilleurs qu'elle aura été pratiquée précocément. Une artériographie en urgence sera souvent pratiquée en préopératoire. La recherche de la source emboligène (thrombus intracardiaque, myxome de l'oreillette, athéromatose aortique) s'imposera ensuite et un traitement anticoagulant devra être instauré au moins pendant quelques mois.

INSUFFISANCE ARTÉRIELLE CHRONIQUE

L'anamnèse et l'examen clinique permettent en général de poser le diagnostic d'IAMI et les examens paracliniques vont affiner ce diagnostic, préciser la sévérité de l'atteinte et localiser les lésions. On distingue l'ischémie d'effort (stades I et II) et l'ischémie permanente (stades III et IV). L'IAMI pourra débuter à n'importe quel stade. L'approche diagnostique de la claudication intermittente est représentée à la figure 41.

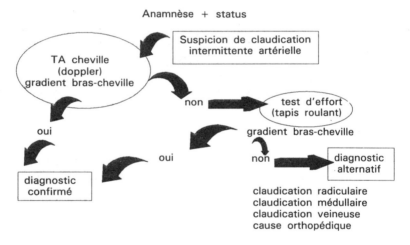

Fig. 41. — *Approche diagnostique de la claudication intermittente.*

Anamnèse et examen clinique

Le *stade I* est asymptomatique. Il caractérise la situation où des lésions oblitérantes ont été mises en évidence soit fortuitement, soit dans le cadre d'un dépistage systématique.

Le *stade II* est celui de la claudication intermittente (douleur des MI survenant à l'effort et traduisant une ischémie musculaire, le débit artériel ne pouvant augmenter à l'effort en raison des sténoses ou occlusions artérielles ; à l'arrêt de l'effort, les symptômes disparaissent en 2-3 minutes). Selon que la claudication sera invalidante ou non, on parlera de stade IIb ou IIa (importance de l'anamnèse individuelle). La localisation de la douleur (pied, mollet, cuisse, fesse) permettra de localiser les lésions à l'étage jambier, fémoral, iliaque externe ou iliaque interne.

Le *stade III* est celui des douleurs d'ischémie tissulaire qui apparaissent initialement en position couchée et cèdent les jambes pendantes. Ces douleurs touchent talons et orteils.

Au *stade IV*, l'ischémie est avancée et se manifeste par des troubles trophiques qui doivent être distingués des troubles trophiques secondaires à la neuropathie du diabète (mal perforant).

Le status comprendra l'inspection (pâleur, troubles trophiques des ongles, de la peau), la palpation des pouls (fémoral, poplité, tibial postérieur et pédieux), l'auscultation de souffles sur les trajets vasculaires (spécifiques d'une sténose lorsqu'ils se trouvent le long de l'artère fémorale superficielle).

Examens paracliniques non invasifs

La mesure de la tension artérielle systolique (TA) à la cheville à l'aide d'un sphygmomanomètre et d'un appareil *Doppler* est l'examen clé : en présence d'une TA plus faible à la cheville qu'au niveau huméral, le diagnostic d'IAMI est confirmé. La TA systolique peut également être mesurée au niveau du gros orteil (ou des doigts) en utilisant une jauge à mercure et une petite manchette occlusive. Une IAMI ne se manifestant qu'à l'effort pourra être démasquée par une épreuve de marche sur tapis roulant. Cette méthode présente en outre l'avantage de déterminer avec précision le périmètre de marche d'un claudicant et d'apprécier l'effet de mesures thérapeutiques. L'enregistrement des courbes vélocimétriques Doppler permet à l'observateur entraîné de localiser avec précision les lésions. En présence d'une ischémie sévère et de pressions très basses à la cheville (inférieures à 60 mmHg) et au gros orteil (< 20 mmHg), la mesure de la pression partielle d'oxygène transcutanée *(tcpO₂)* permet d'évaluer le pronostic du membre. Cette mesure peut également se révéler utile en présence de calcifications artérielles (mediacalcinose du diabète par exemple) rendant impossible les mesures de TA (artères incompressibles !). Inférieure à 10 mmHg, la tcpO$_2$ traduit un risque d'amputation élevé à moyen terme (quelques mois), surtout après l'inhalation d'O$_2$ (10 l/min pendant 6 min, FiO$_2$ à 40 %). L'échographie en mode B couplée au Doppler pulsé (duplex) permet une exploration non invasive particulièrement utile au niveau de l'aorte abdominale sous-rénale et des axes iliaques et fémoro-poplités, des sténoses débutantes, des ectasies et des plaques d'athérome pouvant être détectées précocement.

Artériographie

Elle n'est qu'exceptionnellement nécessaire au diagnostic d'IAMI. Elle sera toutefois pratiquée systématiquement chez un sujet jeune, à la recherche d'une cause d'IAMI autre que l'artériosclérose. Elle est très souvent pratiquée en présence d'une IAMI aiguë. En phase chronique, elle est indiquée à partir du stade IIb, en vue d'une revascularisation radiologique interventionnelle ou chirurgicale.

TRAITEMENT DE L'IAMI CHRONIQUE

A tous les stades de l'IAMI, un contrôle des facteurs de risque s'impose et l'arrêt du tabagisme est impératif. L'administration d'aspirine à faible dose (100 mg/j) est indiquée dans un but de prévention de l'infarctus du myocarde.

Au stade IIa, le traitement de choix est la gymnastique de marche qui va permettre, dans la majorité des cas, de doubler le périmètre de marche en 3-6 mois. L'exercice est pratiqué à raison d'une heure par jour jusqu'à la douleur ischémique. Chaque douleur suivie d'un arrêt de la marche induit une hyperémie réactionnelle qui favorisera le développement d'un réseau collatéral. La place des médicaments vasoactifs est controversée.

Au stade IIb, une revascularisation du membre s'impose, éventuellement après un essai de gymnastique de marche pendant quelques mois. L'artériographie précisera les lésions susceptibles d'être traitées par voie percutanée (angioplastie simple ou par les cathéters de Kensey, de Simpson, ...), en général des sténoses ou de courtes occlusions au niveau iliaque ou fémoro-poplité, ou posera l'indication à une chirurgie vasculaire (pontages aorto-fémoral, aorto-bifémoral ou fémoro-poplité). La chirurgie des artères jambières est réservée aux stades plus avancés (III et IV).

Aux stades III et IV, le membre est menacé et des tentatives thérapeutiques plus risquées sont licites (chirurgie jambière, angioplasties distales). Si ces possibilités sont épuisées, l'administration de vasodilatateurs par voie parentérale peut être tentée (prostacycline ou ses dérivés par exemple), ou encore une sympathectomie lombaire pratiquée. Chez les patients jeunes avec ischémie grave secondaire à une maladie de Buerger, un traitement hypertenseur à l'aide de minéralocorticoïdes peut parfois permettre de passer un cap. Une hygiène des pieds et la prévention des infections (attention aux pédicures) sont également des éléments à ne pas négliger.

La décision thérapeutique dans l'IAMI chronique est par définition *multidisciplinaire*. Elle concerne l'interniste-angiologue, le radiologue interventionnel et le chirurgien vasculaire qui devront décider d'une attitude commune qui tiendra compte de la sévérité de l'IAMI, de l'étendue et de la localisation des lésions artérielles, mais aussi de l'état général du malade, de son pronostic sur le plan cardiaque et des risques de la procédure choisie. Le malade doit être directement impliqué dans cette démarche.

PATHOLOGIE ARTÉRIELLE DES MEMBRES SUPÉRIEURS

Plus rarement dus à l'artériosclérose, les troubles vasculaires des membres supérieurs se manifestent souvent sous la forme d'un *phénomène de Raynaud* (doigt mort). On distingue la maladie de Raynaud (phénomène primaire) et le syndrome de Raynaud (phénomène secondaire) dû à une cause connue ou encore non décelée. Le tableau XVIII énumère les caractérisques cliniques de ces deux formes de phénomène vasospastique au pronostic très différent : bénigne, la maladie de Raynaud évolue favorablement et ne réclame qu'exceptionnellement des mesures thérapeutiques autres que la prévention de l'exposition au froid, alors que le Raynaud secondaire est souvent l'expression d'une collagénose (sclérodermie, syndrome CREST, connectivite mixte, plus rarement LED), de l'artériosclérose, d'un syndrome du défilé thoracique, de traumatismes, d'un syndrome du tunnel carpien ou d'intoxications (ergot de seigle, bêta-bloquants, chlorure de vinyle). S'il est très invalidant, le phénomène de Raynaud sera traité par des anticalciques (nifédipine) ou des inhibiteurs des récepteurs S2 de la sérotonine (naftidrofuryl, kétansérine), les formes plus graves (nécroses digitales) nécessitant parfois des traitements parentéraux de prostacycline ou de ses dérivés.

L'investigation de base se limitera à la recherche de lésions acrales, d'une sclérodactylie ou de doigts boudinés, à une radiographie des mains (calcifications des tissus mous), à un dosage des facteurs anti-nucléaires et à une capillaroscopie. Normales, ces investigations permettent de retenir le diagnostic de Raynaud primaire avec une valeur prédictive de plus de 95 %. Les tests de provocation par le froid ne sont qu'exceptionnellement d'une aide diagnostique. Ils peuvent se révéler utiles pour apprécier l'effet de certaines thérapeutiques.

TABLEAU XVIII. — *Comparaison entre Raynaud primaire et secondaire*

Critère	Raynaud primaire	Raynaud secondaire
Durée	/ 2 ans	apparition récente
Localisation	symétrique	asymétrique,
Atteinte du pouce	non	possible
Atteinte des pieds	souvent	rarement
Déclenchement	froid, émotion	sans facteur particulier
Artères palpables	oui	pas toujours
Maladie systémique	non	souvent
Sexe masculin	rarement	souvent
Age de début	adolescence	après 40 ans
Gangrène	exceptionnelle	souvent
Migraine	souvent	pas de relation
Symptômes typiques	oui	pas toujours
Capillaroscopie	normale	anormale

BIBLIOGRAPHIE

DEVULDER B. et coll. — *Angéiologie*, Masson, Paris, 1988, 245 p.
DORMANDY J. — Le devenir de l'artéritique. *Sang-Thrombose-Vaisseaux 1*, 263-6, 1989.
PRIOLLET P. *et al.* — How to classify Raynaud's phenomenon ? *Am. J. Med, 83*, 494-8, 1987.

THROMBOSE VEINEUSE PROFONDE DES MEMBRES INFÉRIEURS

H. Bounameaux

Phlébite : inflammation de la paroi veineuse,

ÉTIOPATHOGÉNIE

La thrombose veineuse profonde des membres inférieurs (TVP) est le résultat d'une stase veineuse, de lésions de la paroi vasculaire et d'altérations de la composition du sang (triade de Virchow). Tous les facteurs de risque cliniques de TVP peuvent être rattachés à l'un ou l'autre des éléments de cette triade (tableau XIX).

TABLEAU XIX. — *Facteurs de risque de la TPV et triade de Virchow*

Stase	Lésion de paroi	Anomalie sanguine
Immobilisation	Chirurgie (hanche)	Période post-op.
Période post-op.	Traumatisme	Grossesse
Post-partum	Age	Contraception orale
Grossesse	Surfaces artif.	Cancer
Syndrome de Cockett	Varices	Syndrome néphrotique
Obésité	Syndrome post-TVP	Traumatisme
	Obésité	Inflammation
		Obésité
		États hypercoagulables

Parmi les états hypercoagulables bien définis, les déficits congénitaux en inhibiteurs de la coagulation (antithrombine III, protéine C, protéine S) revêtent une importance particulière : ils impliquent des mesures préventives face à tout facteur de risque supplémentaire (long voyage en avion, intervention chirurgicale, ...) et l'exploration familiale. Ils doivent être suspectés en présence d'une TVP survenant avant 40 ans (surtout de localisation insolite) avec une anamnèse familiale positive. Les déficits de la fonction fibrinolytique et le lupus-like anticoagulant (LLA) (associé ou non à des anticorps anti-phospholipides) sont des anomalies en général acquises qui constituent également des facteurs de risque de TVP. La signification clinique exacte des déficits en Facteur XII et en cofacteur II de l'héparine reste débattue. Contrairement à la thrombose artérielle, la thrombose veineuse n'a que peu de rapport avec les plaquettes sanguines.

DIAGNOSTIC DE LA TVP

La TVP est une des deux expressions cliniques de la maladie thrombo-embolique veineuse (MTE), l'autre étant l'embolie pulmonaire (EP). La MTE peut être asymptomatique, comme c'est souvent le cas en post-opératoire. En effet, la plupart des signes cliniques de TVP sont secondaires à la stase veineuse (douleur, œdème, ...), laquelle s'exprime moins bruyamment en position couchée.

Signes cliniques

L'EP peut être le premier signe clinique d'une TVP (plus de 90 % des EP proviennent d'une TVP des membres inférieurs) ; localement, c'est la douleur, l'œdème, la cyanose de la plante du pied, la turgescence des veines du dos du pied qui sont les signes cliniques de TVP. Chez des patients symptomatiques, ces signes ont une sensibilité et une spécificité médiocres (de l'ordre de 50 %). Ils sont en effet très souvent présents dans la plupart des diagnostics différentiels de la TVP (syndromes inflammatoires : lymphangite, dermo-hypodermites, maladie de Lyme, hématome du mollet ; œdèmes systémiques : insuffisance cardiaque ; œdèmes d'autre cause : lymphœdème, lipœdème ; syndrome post-TVP).

Examens paracliniques non invasifs

L'exploration du flux veineux au Doppler bidirectionnel avec mesure de la pression d'arrêt du flux veineux (selon Krähenbühl), la pléthysmographie par occlusion veineuse (par impédance ou jauges de contrainte mercurielles) et l'échographie couplée au Doppler pulsé (duplex) constituent les principaux examens paracliniques de diagnostic de la TVP. Les deux premiers détectent une stase veineuse (disparition du rythme respiratoire du flux veineux au Doppler et ralentissement de la vidange veineuse pléthysmographique du mollet), alors que l'échographie permet la visualisation du thrombus (signe direct de TVP) ou démontre l'incompressibilité de la veine par la sonde (signe indirect). Comparés à la phlébographie, ces différents examens ont une sensibilité et une spécificité de l'ordre de 80 %, raison pour laquelle ils sont souvent utilisés en combinaison. La combinaison Doppler-pléthysmographie a une sensibilité et une spécificité de plus de 90 % pour les TVP proximales (au moins poplitées). Les thromboses jambières sont difficilement détectables par les moyens non invasifs. Par ailleurs, elles sont souvent asymptomatiques et posent surtout un problème en post-opératoire où un dépistage peut être effectué à l'aide du test au fibrinogène marqué à l'iode radioactif (nombreux inconvénients : isotope, risque de transmission virale).

Phlébographie

Il s'agit du standard diagnostique auquel toutes les autres méthodes doivent se comparer. Coûteuse en matériel et en main d'œuvre, la phlébographie est un examen invasif non dénué de risque : l'injection d'un produit de contraste iodé peut entraîner des réactions allergiques (choc anaphylactique), des nausées et même induire des TVP. En outre, elle ne permet pas la visualisation de toutes les veines, notamment au niveau du mollet, ni de distinguer — dans certains cas — entre thrombose fraîche et séquelles de TVP. Elle doit donc rester un examen de référence, à réserver aux cas douteux.

Approche diagnostique raisonnée

Les performances diagnostiques d'un examen dépendent non seulement de ses caractéristiques intrinsèques (sensibilité et spécificité), mais aussi de la prévalence de la maladie dans la population étudiée, la performance diminuant avec la prévalence. A l'échelle de l'individu, la prévalence correspond à la probabilité clinique, laquelle est fonction a) des signes cliniques, b) de l'anamnèse personnelle et des facteurs de risque, c) de l'anamnèse familiale et d) de la vraisemblance d'un diagnostic alternatif. Avant tout examen complémentaire, la probabilité clinique doit être déterminée *(a priori)*, faute de quoi il ne pourra être interprété ! La figure 42 explique cette démarche diagnostique à l'aide d'un diagramme décisionnel calculé à partir du théorème de Bayes, pour l'exemple du diagnostic de la TVP par la combinaison Doppler-pléthysmographie (sensibilité et spécificité de 90 %). Le graphique n'est utilisable que si les examens sont concordants (Doppler et pléthysmographie pathologiques : courbe du haut marquée d'un +, examens normaux : courbe du bas marquée d'un −), et les conclusions (TVP présente ou TVP exclue) ne sont acceptées sur la base de ces examens que si la probabilité *a posteriori* est supérieure à 90 %. Dans tous les autres cas, une phlébographie sera pratiquée.

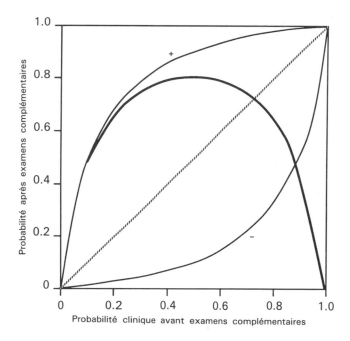

Fig. 42 — Approche diagnostique de la thrombose veineuse profonde.

TRAITEMENT DE LA TVP

PTT : temps de coagulation (soit temps de prothrombine)

Un *traitement anticoagulant* doit être entrepris d'urgence (héparine 5 000 UI en bolus i.v., puis 25-30 000 UI/24 h. selon la corpulence et l'importance de la thrombose, à administrer en perfusion continue de préférence ou sous forme de 2 injections sc par 24 h.). La dose sera adaptée toutes les 4 h. jusqu'à obtention d'un effet anticoagulant optimal (selon PTT ou temps de thrombine-héparinémie), puis contrôlée une fois par jour. Un relais précoce aux anti-vitamines K est souhaitable (risque de thrombopénie à l'héparine en cas d'administration prolongée) ; ce traitement sera donc entrepris au 1er ou 2e jour d'héparinothérapie, sans doses de charge excessives (déplétion de la protéine C !), et poursuivi en principe 3 mois. Cette durée sera adaptée individuellement : elle pourra être réduite à 6 semaines en cas de TVP strictement jambière, ou prolongée à 6 mois en cas d'EP, de TVP massive ou en présence d'un facteur de risque permanent (indication à réévaluer périodiquement). Le niveau d'anticoagulation sera moyen (INR cible 2,5). Le but du traitement anticoagulant est de prévenir l'extension du thrombus et l'EP.

Dans des cas sélectionnés (sujets jeunes et TVP étendue), un *traitement thrombolytique* (à l'aide d'un agent fibrinolytique comme la streptokinase, l'urokinase, t-PA, ...) par voie intraveineuse pendant plusieurs (3-7) jours pourra être pratiqué. Ce type de traitement, susceptible de déclencher des hémorragies, doit faire l'objet d'une surveillance étroite et ne devrait se pratiquer qu'en milieu spécialisé. Son but est de prévenir le syndrome post-thrombotique à long terme par une recanalisation rapide permettant une préservation de la fonction valvulaire profonde.

Rarement une *thrombectomie chirurgicale* sera effectuée. Elle est indiquée en présence d'une thrombose iliaque suspendue ou en présence de « phlegmasia cœrulea dolens », affection grevée d'une mortalité de 25 % et d'un risque d'amputation de 50 %.

L'indication au « lit strict » est très relative, le but de l'*alitement* étant de diminuer les symptômes liés à la stase veineuse. Il sera donc adapté individuellement dès lors que l'anticoagulation sera efficace.

Dans de rares cas où il existe une contre-indication absolue à l'anticoagulation en présence d'une MTE active, l'*interruption partielle de la veine cave inférieure* sera pratiquée à l'aide d'un filtre endoveineux (filtre de Greenfield introduit par voie percutanée et placé sous l'abouchement des veines rénales.

PRÉVENTION DE LA TVP

Une des principales complications post-opératoires est la TVP et l'EP. Très fréquente dans certaines chirurgies (arthroplastie de la hanche : 50 %), elle est plus rare en chirurgie digestive (25 %) ou urologique endoscopique (10 %). Souvent asymptomatique, elle justifie dans la plupart des cas une prévention systématique qui sera adaptée à chaque malade en fonction du risque thrombogène de l'intervention, des facteurs de risque personnels et du danger hémorragique. Des moyens mécaniques (bas antithrombose, bottes de compression intermittente) ou pharmacologiques (héparine ou fractions hépariniques de bas poids moléculaire par voie sc, dextrans, anti-vitamine K à petites doses, ...) seront utilisés, seuls ou en combinaison. Ces moyens permettent de diminuer des deux tiers la fréquence des TVP post-opératoires. Par analogie, ils sont également utilisés dans d'autres situations thrombogènes, telles qu'un alitement prolongé.

TVP DU MEMBRE SUPÉRIEUR

La TVP des membres supérieurs est beaucoup plus rare qu'aux membres inférieurs. Le plus souvent, elle est secondaire à la présence d'un cathéter endoveineux. Spontanée, elle est souvent appelée « thrombose d'effort » et peut révéler une compression du paquet neurovasculaire au niveau du canal thoraco-brachial (syndrome du défilé thoracique) ou encore une affection néoplasique. Elle semble moins emboligène mais justifie un traitement anticoagulant de 4-6 semaines (à mettre en balance avec un éventuel risque hémorragique).

BIBLIOGRAPHIE

BOUNAMEAUX H., de MŒRLOOSE P., HUBER O. — La prévention de la thrombose veineuse profonde, *Médecine et Hygiène 48*, 137-42, 1990.
DEVULDER B. et coll. — *Angéiologie.* Masson, Paris, 1988, 245 p.

VARICES ET INSUFFISANCE VEINEUSE CHRONIQUE

H. Bounameaux

CLASSIFICATION DES VARICES

Les varices sont des dilatations tortueuses du réseau veineux superficiel. Elles touchent plus particulièrement les sujets de sexe féminin.

Classification morphologique

Selon leur localisation et leur calibre, les varices sont classées :
• varices *tronculaires* (dépendant des troncs saphéniens interne ou externe) ;
• varices *réticulaires* (formant un réseau) ;
• varices *intradermiques* (veinectasies).

Classification pathogénique

Selon leur mécanisme, les varices peuvent être :
• *primaires* : sans étiologie connue, elles sont souvent familiales, évoluent lentement et ne causent presque jamais d'invalidité. Les symptômes concernent en général une sensation de lourdeur du membre parfois associée à des douleurs le long de la varice, avec ou sans gêne esthétique. Elles peuvent se compliquer d'une phlébite (varicophlébite) ou, exceptionnellement, d'une hémorragie (rupture de varice souvent post-traumatique) ;
• *secondaires* : elles se développent suite à une anomalie du retour vei-

neux profond, le plus souvent d'une TVP, plus rarement une communication artério-veineuse, une compression veineuse iliaque chronique (syndrome de Cockett du membre inférieur gauche), ou encore dans le cadre d'un syndrome malformatif de type Klippel-Trenaunay. Marqueurs d'une anomalie du retour veineux profond, les varices secondaires s'accompagnent souvent de signes cutanés d'insuffisance veineuse chronique.

INSUFFISANCE VEINEUSE CHRONIQUE

L'insuffisance veineuse chronique (IVC) est une pathologie fréquente et invalidante, responsable de dépenses importantes des caisses-maladie. En fonction de l'importance des signes cutanés liés à la stase veineuse, on distingue 3 stades :
— stade I : corona phlebectatica (varices intradermiques malléolaires internes) ;
— stade II : altérations cutanées de type dermite ocre ou atrophie blanche ;
— stade III : ulcère veineux actif ou cicatriciel.
Le stade III d'IVC est le plus souvent en relation avec un syndrome postthrombotique (rarement avec une avalvulie), exceptionnellement avec des varices primaires) : 6 ans après une TVP proximale, 8 % des malades présentent un ulcère veineux et 40 % des signes d'IVC de stade II. Il n'y a qu'un quart de ces malades qui sont asymptomatiques.

ASPECTS THÉRAPEUTIQUES

Les varices primaires seront traitées en fonction de leur aspect morphologique et des plaintes du malade : des varices tronculaires gênantes sur le plan esthétique feront l'objet d'un stripping avec crossectomie, alors que les varices réticulaires et intradermiques pourront être sclérosées. Dans certains cas, des strippings partiels, ambulatoires, pourront être pratiqués.
Souvent, le motif de consultation est lié à une crainte inadéquate (danger de thrombose, de gangrène, d'embolie pulmonaire, de « perdre tout son sang », ...). Le traitement consistera en une information rassurante.
Les symptômes d'insuffisance veineuse chronique (lourdeur avec ou sans œdème) seront traités par de la gymnastique (exercices anti-stase), parfois associée à des agents phlébotropes sous forme de cures de quelques semaines une fois par trimestre. Bien souvent, ces symptômes bénéficient d'une contention (bas de soutien ou, s'ils se révèlent insuffisants, bas de contention de classe 2). L'ulcère veineux doit faire l'objet d'un traitement local, parfois d'une greffe cutanée, souvent de la ligature chirurgicale de veines perforantes incontinentes, toujours d'une contention élastique (bas de classe 2 ou 3), sans laquelle la récidive est assurée.

BIBLIOGRAPHIE

DEVULDER B. et coll. — *Angéiologie*, Masson, Paris, 1988, 245 p.
RAMELET A.A., MONTI M. — *Phlébologie*, Masson, Paris, 1988, 304 p.

LYMPHOEDÈME DES EXTRÉMITÉS

H. Bounameaux

DÉFINITION ET CLINIQUE

Le lymphœdème est une accumulation de lymphe dans les tissus interstitiels. Il s'agit d'un œdème blanc et indolore, prenant d'abord le dos du pied (œdème veineux : cyanose et localisé initialement à la cheville). A la phase réversible (les premiers mois), il prend le godet. Cette caractéristique disparaît dès lors que le lymphœdème devient fixe. On distingue les *stades cliniques* suivants :

— *stade I (lymphœdème latent)* : pas d'œdème clinique mais anomalies démontrables à la lymphographie ; l'œdème deviendra patent en cas d'inflammation du membre (entorse, lymphangite, arthrite, fracture,...) ;

— *stade II (lymphœdème réversible)* : l'œdème disparaît ou régresse pendant la nuit, il prend le godet ; il s'agit souvent de la phase initiale d'un lymphœdème ;

— *stade III (lymphœdème irréversible)* : l'œdème est permanent et ne prend plus le godet, la peau est épaissie et infiltrée (dans sa forme la plus grotesque, on parle d'elephantiasis).

Le lymphœdème peut se compliquer d'infections (mycoses, lymphangite ou érysipèle qui vont entretenir le lymphœdème) et, rarement, présenter une dégénérescence maligne avec ulcérations (sarcomes).

ÉTIOPATHOGÉNIE

Lymphœdème primaire

— Type familial congénital (Milroy) : présent dès la naissance ;
— type familial latent (Meige) : devenant clinique vers l'âge de 20 ans ;

— type sporadique : non familial, apparaissant à l'âge adulte ; c'est le type le plus fréquent, en général lié à une hypoplasie congénitale des vaisseaux lymphatiques qui se décompense progressivement. Les femmes sont plus souvent touchées que les hommes.

Lymphœdème secondaire

— A un traumatisme ou une intervention chirurgicale : section des lymphatiques ;
— à un syndrome post-thrombotique veineux ;
— à une néoplasie (atteinte des ganglions lymphatiques proximaux) ;
— à une parasitose (filariose).

DIAGNOSTIC

Le diagnostic se fait essentiellement sur l'aspect clinique. Dans certains cas douteux, on aura recours aux examens suivants :

Test au bleu patenté

Injection sc sur le dos du pied de 0,5 cm^3 d'un colorant vital, le bleu patenté (attention à une réaction allergique). De haut poids moléculaire, cette substance est drainée vers la profondeur par les vaisseaux lymphatiques. En cas d'hypoplasie des lymphatiques, ce drainage ne se fait pas et le bleu s'étend sur le dos du pied. En cas de lymphœdème sur bloc ganglionnaire proximal, le test peut se révéler normal.

Lymphographie

Cet examen est utile en cas de lymphœdème secondaire à un bloc ganglionnaire proximal. Il a toutefois été progressivement remplacé par le CT-scan. La cathétérisation des vaisseaux lymphatiques est souvent impossible en cas d'hypoplasie congénitale, ou plus généralement de lymphœdème primaire.

ASPECTS THÉRAPEUTIQUES

A côté du traitement de la cause du lymphœdème, des mesures symptomatiques peuvent diminuer l'importance de l'œdème et éviter son passage au stade III :

— *compression selon van der Molen* : compression de la jambe par un tuyau en latex enroulé autour du membre en partant du pied, laissé en place pendant 5 minutes, 2-3 fois par jour ;

— *port de bas élastiques* (classe 2) : destiné à prolonger l'effet du tuyautage selon van der Molen ; inutile dans les petits lymphœdèmes ;

— *massages lymphatiques* : utiles dans certains cas rebelles ;

— *exérèse chirurgicale* : exceptionnellement nécessaire (stade III uniquement), assez délabrant, aux résultats incertains ;

— traitement médicamenteux : peu efficace (éventuellement comme adjuvant).

Les mêmes traitements peuvent s'appliquer au lymphœdème du bras, généralement consécutif à une irradiation ou à un évidement ganglionnaire en cas de cancer du sein.

BIBLIOGRAPHIE

DEVULDER B. et coll. — *Angéiologie*, Masson, Paris, 1988, 245 p.
RAMELET A.A., MONTI M. — *Phlébologie*, Masson, Paris, 1988, 304 p.

Index alphabétique

MASSON, Éditeur
120, bd Saint-Germain
75280 Paris Cedex 06
Dépôt légal : mai 1992

CORLET, Imprimeur, S.A.
14110 Condé-sur-Noireau
N° d'Imprimeur : 3486
Dépôt légal : avril 1992